I MITI

John le Carré

volumi già pubblicati
in edizione Mondadori

La casa Russia
Chiamata per il morto
Un delitto di classe
Il direttore di notte
Fine della corsa
Ingenuo e sentimentale amante
La pace insopportabile
Una piccola città in Germania
Lo specchio delle spie
La spia che venne dal freddo
La spia perfetta
La talpa
La tamburina
Tutti gli uomini di Smiley
Il visitatore segreto

John
le Carré

LA PASSIONE DEL SUO TEMPO

Traduzione
di Ettore Capriolo

Arnoldo
Mondadori
Editore

L'autore e gli editori sono grati del permesso di citare brani da *Grooks* di Piet Heine e da *Caucasian Journey* di Negley Farson

ISBN 88-04-42339-0

Titolo originale dell'opera: *Our Game*

I edizione Omnibus ottobre 1995
I edizione I Miti novembre 1996

Questo volume è stato stampato
presso Arnoldo Mondadori Editore S.p.A.
Stabilimento Nuova Stampa – Cles (TN)
Stampato in Italia – Printed in Italy

La passione del suo tempo

Chi pensa alle conseguenze
non può essere coraggioso.

Proverbio inguscio

Chi accresce il sapere
aumenta il dolore.

Ecclesiaste

Se vivessi nel Caucaso,
scriverei fiabe.

Cechov, 1888

FEDERAZIONE RUSSA
Stavropol
INGUSCEZIA
Nazran
PRIGOROD.
CABARDINO BALCARIA
Vladikavkaz
OSSEZIA SETTENTRIONALE
KARAČAJEIO ČERKESSIA
ABHASIA
OSSEZIA MERIDIONALE
Tbilisi
GEORGIA
MAR NERO
TURCHIA

KAZAKISTAN
N
MAR CASPIO
Terek
DAGESTAN
UCASO
Baku
AZERBAIGIAN
NAGORNO KARABAH
ENIA
AZERBAIGIAN
IRAN

1

Larry scomparve ufficialmente alle undici e dieci del secondo lunedì di ottobre, quando non si presentò in aula per la prima lezione del nuovo anno accademico.

Sono in grado di ricostruire la scena con precisione perché non è passato molto tempo da quando, nello stesso clima tetro di Bath, avevo trascinato Larry a vedere per la prima volta quello squallido luogo. Conservo ancora oggi il più incriminante dei ricordi di quell'inumano casermone lastricato che incombeva su di lui come le mura di una nuova prigione. E della schiena sempre giovanile di Larry che lungo quel canyon di cemento si allontanava da me in atteggiamento di rimprovero, come andando incontro alla sua nemesi. Se avessi avuto un figlio, pensavo guardandolo, era così che mi sarei sentito scaricandolo per la prima volta in collegio.

«Ehi, Timbo» sussurra da sopra la spalla, con quella sua capacità di parlarti anche a miglia di distanza.

«Sì, Larry.»

«È questo, vero?»

«Che cosa?»

«Il futuro. Dove tutto finisce. La vita che rimane.»

«È un nuovo inizio» dico in tutta onestà.

Ma con chi sono onesto? Con lui? Con me? Con il Servizio?

«Dobbiamo abbassare le ali» dico. «Tutti e due.»

Il giorno della sua scomparsa è stato, a quanto si dice, altrettanto deprimente. Una stucchevole nebbiolina avvolge il grigio e orribile campus dell'università, appannando con alito appiccicoso le finestre metalliche della sua aula sudicia. Venti studenti siedono ai banchi di fronte alla cattedra vuota, in pino, di un giallo particolarmente carico, molto scalfito. L'argomento della lezione è stato scritto col gesso sulla lavagna da una mano misteriosa, probabilmente quella di un allievo infatuato. "Karl Marx al supermercato: rivoluzione e materialismo moderno." Si sente qualche risata. Gli studenti sono uguali dappertutto. Il primo giorno del trimestre, qualsiasi cosa li fa ridere. Ma a poco a poco si calmano e si accontentano di scambiarsi sorrisetti, scrutando la porta in attesa di udire i passi di Larry. Finché, dopo avergli concesso il rituale quarto d'ora accademico, mettono via con un certo imbarazzo penne e taccuini e, facendo vibrare il cemento traballante, si avviano verso la mensa.

Mentre sorseggiano un caffè, le matricole si mostrano debitamente inorridite da questa prima esperienza dell'imprevedibilità di Larry. A scuola non ci era mai successo. Come faremo a recuperare? Ci verranno dati degli appunti? Oh, Dio! Ma i veterani, i fan di Larry, se la ridono. Larry è fatto così, spiegano allegramente: la prossima volta terrà banco per tre ore, e rimarrete talmente incantati da scordarvi del pranzo. Avanzano ipotesi su cosa possa averlo trattenuto: i prodigiosi postumi di una sbornia o una incontrollabile storia amorosa, una delle tante che gli attribuiscono perché con i suoi quarantacinque anni Larry è ancora un grande seduttore, basta guardarlo, ha il fascino del ragazzo smarrito, del poeta mai diventato adulto.

Le autorità accademiche reagirono con eguale tranquillità alla riluttanza di Larry a farsi vivo. I colleghi della sala professori, non tutti mossi dall'amicizia, avevano fatto rapporto sull'assenza nel giro di un'ora. La direzione tuttavia attese il lunedì successivo, e una seconda assenza, prima di trovare l'energia per telefonare alla sua padrona di casa e, non avendone ottenuto una risposta soddisfacente, alla polizia di Bath. Dopo altri sei giorni la polizia venne da me: di domenica, incredibile ma vero, alle dieci di sera. Avevo passato un pomeriggio spossante accompagnando in gita a Longcat, in pullman, un gruppo di anziani del mio paesino, e una frustrante serata in cantina a lottare con un torchio da uva tedesco che il mio defunto zio Bob aveva battezzato il Crucco immusonito. Tuttavia quando udii il campanello ebbi un tuffo al cuore, fingendo con me stesso che fosse Larry, fermo sulla soglia di casa mia con quei suoi occhi castani pieni di rimprovero e il sorriso timido: «Su, Timbo, prepara una dose abbondante di scotch per tutti e due; e poi, chi se ne frega delle donne».

Due uomini.

Pioveva a dirotto e, aspettando che aprissi, si erano addossati l'uno all'altro nel portico. Abiti borghesi volutamente riconoscibili. Avevano parcheggiato la macchina, luccicante sotto l'acquazzone, nel viale di accesso: una Peugeot 306 diesel con la scritta POLICE e il solito assortimento di specchietti e di antenne. Quando li guardai dallo spioncino, i loro visi a capo scoperto mi fissarono come cadaveri gonfi: il più anziano rozzo e baffuto, il più giovane con un'aria lasciva, testa lunga, inclinata, simile a una bara, e due occhietti rotondi che parevano fori di proiettili.

Aspetta, mi dissi. Ancora un momento. Ecco cosa significa mantenere la calma. Sei a casa tua, è sera tardi. Soltanto allora acconsentii a togliere il catenaccio dalla porta. Diciassettesimo secolo, cinta di ferro, pesa una tonnellata. Il cielo notturno irrequieto. Un vento capriccioso che investiva con forza gli alberi. I corvi che, nonostante il buio, ancora si spostavano e si lamentavano. Durante il giorno un'assurda nevicata. Ne restavano tracce grigie e spettrali sul vialetto.

«Salve» dissi. «Non restate lì a gelare. Entrate.»

L'ingresso di casa mia è una tardiva aggiunta di mio nonno, una scatola di vetro e mogano, simile a un grande ascensore, che funge da anticamera del salone. Per un attimo restammo tutti e tre in piedi sotto la lanterna di ottone, guardandoci in faccia senza andare né avanti né indietro.

«È questo Honeybrook Manor, vero?» disse il baffuto, un tipo di quelli che sorridono. «Non ci è parso di vedere un'insegna.»

«Adesso lo chiamiamo Vineyard» dissi. «Cosa posso fare per voi?» Le parole erano cortesi, il tono no. Mi rivolgevo loro come se fossero entrati abusivamente nella mia proprietà. Scusate. Posso aiutarvi?

«E quindi lei sarebbe il signor Cranmer, dico bene signore?» suggerì il baffuto mantenendo il sorriso. Perché poi lo definisco un sorriso non so proprio, trattandosi di un'espressione che, sebbene tecnicamente benevola, era priva e di umorismo e di qualsiasi parvenza di affabilità.

«Sì, sono Cranmer» replicai, mantenendo il tono interrogativo.

«Il signor Timothy Cranmer? Controllo di routine, signore, sempre che non abbia nulla in contrario. Non disturbiamo, spero.» I baffi nascondevano una larga cicatrice verticale. Un intervento su un labbro leporino, pensai. O forse, a giudicare dalla pelle rattoppata e ricostruita, qualcuno gli aveva spaccato in faccia una bottiglia.

«Routine?» echeggiai, evidentemente incredulo. «A quest'ora della sera? Non mi dica che ho lasciato scadere la patente.»

«No, signore, non si tratta della sua patente. Stiamo indagando su un certo dottor Lawrence Pettifer della università di Bath.»

Mi concessi una pausa, seguita da un'espressione fra il divertito e l'irritato. «Vuol dire Larry? Oh, mio Dio. Che cosa ha combinato stavolta?» E avendo unicamente ottenuto in risposta uno sguardo vitreo, aggiunsi: «Niente di male, mi auguro».

«Ci hanno detto che lei è un conoscente del dottore, per non dire un amico intimo. O non è esatto?»

È fin troppo esatto, pensai.

«Intimo?» ripetei, come se il concetto di familiarità mi fosse nuovo. «Non penso che mi sarei mai spinto a tanto.»

Porgendomi all'unisono i cappotti mi guardarono mentre li appendevo, poi tornarono a guardarmi mentre aprivo loro la porta interna. A questo punto quasi tutte le persone che vengono per la prima volta a Honeybrook sostano un istante, rispettose alla vista della balconata per i menestrelli, del grande camino, dei ritratti e del soffitto a botte con lo stemma di famiglia. Ma non il baffuto. E neanche quello con la testa come una bara che, avendo fino a quel momento seguito con aria lugubre la conversazione standosene dietro al collega più anziano, decise infine di rivolgermi la parola con tono uniforme e sgarbato:

«Sappiamo che Pettifer e lei eravate amiconi» obiettò. «Winchester College, ci hanno detto; nientemeno. Compagni di scuola.»

«C'erano tre anni fra noi. Il che a scuola è una vita.»

«Tuttavia negli ambienti delle scuole private, così ci dicono, cose del genere creano un legame. Per di più» aggiunse in tono accusatore «avete studiato insieme a Oxford.»

«Che cosa è successo a Larry?» chiesi.

A questa domanda reagirono entrambi con un mutismo insolente. Avevano l'aria di chiedersi se meritassi una risposta. Toccò al più anziano, in qualità di portavoce ufficiale, il compito di replicare. La sua tecnica, decisi, consisteva nel fare l'imitazione di se stesso. E al rallentatore.

«Sì, be', per dire la verità, signor Cranmer, il suo amico dottore è un tantino scomparso, ecco, signore» confessò nei toni di un riluttante ispettore Plod. «Non si sospetta nulla di losco, almeno non per ora. Tuttavia è scomparso da casa e anche dal lavoro. E da quel che possiamo valutare» (quanto gli piacesse questa parola lo rivelava il suo cipiglio) «non ha scritto nessun biglietto d'addio. A meno che, naturalmente, non ne abbia scritto uno a lei. Non è che per caso si trovi qui, signore? Di sopra, per così dire a dormirci su?»

«Certo che no. Non sia ridicolo.»

I suoi baffi sfregiati si aprirono all'improvviso, rivelando collera e denti guasti. «Oh. E perché mai sarei ridicolo, signor Cranmer?»

«Glielo avrei detto subito. Le avrei detto: è di sopra. Perché dovrei sprecare il suo tempo e il mio fingendo che non ci sia, se invece è qui?»

Non rispose neppure stavolta. Era abile, in questo. Cominciai a pensare che lo fosse anche in altre cose. Avevo sui poliziotti certi pregiudizi di cui stavo cercando di liberarmi, e lui invece ci giocava a bella posta. Era in parte una questione di classe sociale, e in parte frutto di un atteggiamento tipico nella mia vecchia professione, così che costoro venivano considerati alla stregua di parenti poveri. E poi c'era Larry che si agitava dentro di me perché, come dicevamo sempre nel Servizio, bastava che lui capitasse nello stesso quartiere dove si trovava anche un poliziotto perché venisse arrestato con l'accusa di averlo ostacolato nell'esercizio delle sue pubbliche funzioni.

«Solo che, vede, signore, non risulta che il dottore abbia una moglie, né una compagna o qualche altro legame importante, nulla» si stava lamentando il baffuto. «Ha molto successo con gli studenti, che lo considerano un tipo curioso, ma quando si chiede di lui ai colleghi in sala professori, ci si trova davanti a quello che chiamo un muro, non so se di disprezzo o di invidia.»

«È uno spirito libero» dissi. «E gli accademici non ci sono abituati.»

«Prego, signore?»

«È abituato a dire ciò che pensa. In particolare del mondo accademico.»

«Del quale, peraltro, il dottore risulta fare parte» obiettò il baffuto, inarcando le sopracciglia con arroganza.

«Era figlio di un parroco» dissi senza riflettere.

«Era, signore?»

«Era. Suo padre è morto.»

«Ma lui è sempre figlio di suo padre, signore» disse il baffuto in tono di rimprovero.

Cominciava a offendermi, quel tono fintamente mellifluo. Lei pensa che noi sbirri ignoranti siamo fatti per forza così, mi stava dicendo, e quindi eccomi così.

Per arrivare nello studio bisognava percorrere un lungo corridoio alle cui pareti erano appesi acquerelli ottocenteschi. Feci strada, ascoltando il rumore delle loro scarpe dietro di me. Erano arrivati mentre stavo ascoltando Shostakovic, ma senza troppa convinzione. Spensi lo stereo e, in segno di ospitalità, versai tre bicchieri del nostro Honeybrook Rouge '93. Il baffuto mormorò «Alla salute», bevve e disse che era incredibile pensare che fosse stato prodotto proprio in questa casa; se così si può dire, signore. Il suo ossuto assistente invece alzò il bicchiere davanti al fuoco esaminandone il colore. Poi vi infilò il lungo naso per annusare. Infine lo assaggiò con fare da esperto, tenendolo in bocca mentre guardava il piccolo ed elegante pianoforte Bechstein che nella mia follia avevo comprato a Emma.

«Sbaglio o c'è anche un pizzico di Pinot?» domandò. «In ogni caso, c'è un po' troppo tannino.»

«È un Pinot» ribattei digrignando i denti.

«Non sapevo che un Pinot potesse maturare in Inghilterra.»

«Non può, infatti. Se non in una posizione eccezionale.»

«E questa è eccezionale?»

«No.»

«Allora perché lo coltiva?»

«Io non lo coltivo. Ma il mio predecessore sì. Un ottimista incorreggibile.»

«Perché dice così?»

Cercai di dominarmi. A fatica. «Le ragioni sono tante. Il terreno è troppo ricco, trattiene l'acqua ed è troppo al disopra del livello del mare. Mio zio aveva deciso di ignorare tali inconvenienti. E mentre, a differenza del suo, altri vigneti della zona prosperavano, dava la colpa alla cattiva sorte e l'anno dopo ci riprovava.» Mi rivolsi a quello con i baffi. «Sarebbe possibile conoscere i vostri nomi?»

Mostrandosi debitamente imbarazzati mi porsero le tessere, ma io li fermai. Ne avevo esibite anch'io ai miei tempi, quasi sempre false. Il baffuto disse che aveva cercato di telefonarmi per avvertirmi della visita, ma aveva scoperto che non ero più sull'elenco. Così, trovandosi per caso nei paraggi per tutt'altra faccenda, signore, avevano deciso di prendersi la libertà di suonare alla porta. Non gli credetti. La Peugeot era targata Londra. Portavano scarpe da città. Non avevano il colorito acceso della campagna. Si chiamavano Oliver Luck e Percy Bryant, dissero. Luck, quello con la testa da bara, era un sergente. Bryant, quello con i baffi, un ispettore.

Luck stava facendo l'inventario dello studio: le miniature di famiglia, i mobili gotici settecenteschi, i libri... le memorie di Herzen, Clausewitz sulla guerra.

«Lei legge molto, vedo» disse.

«Quando posso.»

«Le lingue non sono un ostacolo?»

«Alcune sì, altre no.»
«Quali non lo sono?»
«Conosco un po' di tedesco. Il russo.»
«E il francese?»
«Scritto.»
I loro occhi su di me, tutti e quattro, costantemente. Chissà se i poliziotti ci vedono così come siamo. Riconosceranno in noi qualcosa che ricorda loro se stessi? Da quando ero andato in pensione i mesi erano volati. Ma eccomi di nuovo operativo; mi domandavo se si vedesse, e se in questa visita ci fosse in qualche modo lo zampino del Servizio. Emma, pensavo, ti hanno trovata? Ti hanno torchiata? Ti hanno fatta parlare?
Sono le quattro del mattino. Eccola nella sua mansarda, seduta a una scrivania massiccia di palissandro, un altro dei munifici doni che le ho fatto. Sta battendo a macchina. Ha battuto tutta la notte: una pianista approdata a una dipendenza dalla macchina da scrivere.
«Emma» la supplico dalla soglia. «Perché fai così?» Nessuna risposta. «Ti stai sfinendo. Cerca di dormire un po', ti prego.»
L'ispettore Bryant si sfregava le mani, passandosele su e giù fra le ginocchia come uno che separa il grano dalla pula. «E allora, signor Cranmer» disse, col sorriso di chi è pronto a un'intrusione, «se non sono troppo indiscreto, quando abbiamo visto per l'ultima volta il nostro amico dottore o avuto sue notizie?»
Era la domanda alla quale avevo continuato a prepararmi giorno e notte nelle ultime cinque settimane.

Ma non gli risposi. Non ancora. Ero deciso a non permettergli ritmi da interrogatorio. Volevo che si stabilisse un tono più rilassato, in armonia con l'atmosfera domestica che si era instaurata.
«Ora, quando lei dice che non aveva una compagna...» obiettai.
«Ebbene, signore?»

«Be', per l'amor del cielo» risi, «Larry ha sempre avuto qualcuna per le mani.»

Luck intervenne. Con villania. Era uno di quegli uomini che o frenano o accelerano, e non conoscono le marce intermedie. «Vuole dire una donna?» sbottò.

«Da quando lo conosco ne ha sempre avuta una scuderia» dissi. «Non venite a raccontarmi che invecchiando si è dato alla castità.»

Bryant soppesò le mie parole.

«Questa era la reputazione che lo aveva preceduto a Bath, signor Cranmer. Ma la verità risulta un po' diversa; vero, Oliver?» Luck continuava a guardare torvo il fuoco. «Abbiamo interrogato a fondo la padrona di casa, e anche i colleghi all'università. Colloqui riservati. Naturalmente non vogliamo suscitare un vespaio, in questa fase iniziale delle indagini.» Respirò a fondo, e mi venne da domandarmi sino a che punto il suo lugubre comportamento fosse modellato sui suoi equivalenti televisivi e sul loro insensato successo. «All'inizio, immediatamente dopo avere accettato l'incarico a Bath, era in effetti tutto ciò che lei suggerisce. Aveva locali preferiti dove andare a bere e faceva gli occhi dolci alle studentesse carine; a quanto pare, più di una gli aveva ceduto. Ma poi, a poco a poco, notiamo un cambiamento. Diventa serio. Non va più alle feste. Passa molte sere lontano da casa. A volte notti intere. Beve meno. Tranquillo, ecco la parola che salta fuori più spesso. Un'altra è: determinato. Nelle abitudini recenti del dottore c'è insomma una riservatezza, chiamiamola così, che non riusciamo a spiegarci.»

Si chiama mestiere, pensai. «Forse stava finalmente diventando adulto» suggerii con leggerezza ma evidentemente con intensità maggiore di quanto avrei voluto, poiché la testa allungata di Luck si voltò a guardarmi, mentre le fiamme gli creavano giochi di luce rossa e arancione sui nervi del collo.

«Da quanto ci risulta, l'unico che sia andato ogni

tanto a fargli visita negli ultimi dodici mesi è un signore d'oltremare noto come il Professore» riprese Bryant. «Di che cosa o dove sia professore nessuno ne ha un'idea. Comunque non si fermava mai a lungo e a quanto pare arrivava senza preavviso, ma il dottore era sempre contento di vederlo. Un curry preso in un take-away, una confezione di birre e poi si bevevano un po' di scotch; li si sentiva ridere. Evidentemente il Professore, secondo la nostra fonte, era un uomo spiritoso. Dormiva sul divano e se ne andava l'indomani. Aveva soltanto una valigetta, era decisamente autosufficiente. Un gatto randagio, così lo ha definito la padrona di casa. Non ha mai avuto un nome, per quanto ne sapeva quella donna: Professore e basta, ecco il Professore. Il dottore e lui, inoltre, parlavano in una lingua assolutamente astrusa, e spesso fino alle ore piccole.»

Annuii, cercando di mostrarmi interessato per pura cortesia, sebbene le sue parole mi stessero affascinando.

«Non era russo, la padrona di casa lo avrebbe riconosciuto. Il suo defunto marito, un ufficiale di marina, aveva seguito un corso di russo, e lei i suoni di quella lingua li conosceva. Abbiamo controllato all'università. Nessuno degli ospiti ufficiali corrisponde alla descrizione. Il Professore andava e veniva in forma privata.»

Cinque anni fa: sto passeggiando per Hampstead Heath, e Larry è accanto a me. Camminiamo troppo in fretta. Come sempre, quando siamo insieme. Nei parchi di Londra o durante i nostri week-end nella casa sicura del Servizio nel Norfolk, camminiamo come due atleti che gareggiano anche nel tempo libero.

«Ceceev si è convertito al curry» annuncia Larry. «Per sei maledettissimi mesi ha continuato a ripetermi che un agnello è un agnello e che le salse sono decadenti. Ma ieri sera, al "Viceré dell'India", si divora con avidità un *vindaloo* di pollo e scopre Dio.»

«Sembra che sia un uomo piccolo e tarchiato» stava dicendo Bryant. «Vicino ai cinquanta, secondo la donna, capelli neri pettinati all'indietro. Basette, baffoni che spiovono dagli angoli della bocca. Di solito portava un giubbotto imbottito e scarpe da tennis. Carnagione piuttosto bruna ma da bianco, a sentire lei. Butterato. Come se da ragazzo avesse avuto i foruncoli. Un umorismo caustico, ammicca in continuazione. Non come altri professori che conosce. Non so se tutto questo le faccia suonare qualche campanello in testa.»

«Temo di no» dissi, non permettendo al campanello di suonare, o meglio non permettendomi di riconoscerne gli squilli assordanti.

«È arrivata a definirlo brillante, vero, Oliver? Abbiamo perfino pensato che si fosse presa una cotta.»

Invece di rispondergli, Luck si rivolse improvvisamente a me. «A parte il russo, di preciso, quali altre lingue parla Pettifer?»

«Di preciso non lo so» la risposta non gli piacque, «ma è uno studioso di slavistica. Le lingue sono il suo forte, specie quelle delle minoranze. Avevo l'impressione che le imparasse a raffica. È anche una specie di filologo, credo.»

«Ce l'ha nel sangue?»

«Non che io sappia. Ci è portato.»

«Come lei, insomma.»

«Io mi applico.»

«E Pettifer no?»

«Non ne ha bisogno. Gliel'ho già detto. Ci è portato.»

«Quando ha fatto il suo ultimo viaggio all'estero, per quel che ne sa lei?»

«Viaggio? Santo cielo, viaggiava in continuazione. Sempre. Era la sua passione. E più un posto era orribile, più gli piaceva.»

«Ma quando è stata l'ultima volta?»

Il diciotto settembre, pensai. E quando, se no? L'ultima volta, l'ultimo incontro clandestino, l'ultimissima risata. «L'ultima volta che si è messo in viaggio, vuol dire?» risposi. «Mi spiace ma non ne ho la minima idea. Se avanzassi un'ipotesi, rischierei di mettervi fuori strada. Non può controllare le liste passeggeri degli aerei o cose del genere? Credevo che al giorno d'oggi queste informazioni fossero computerizzate.»

Luck guardò Bryant. Bryant a sua volta guardò me, il sorriso teso ai limiti della pazienza.

«Be' ora, signor Cranmer, mi permetta di tornare alla mia domanda di partenza» disse con cortesia terminale. «Il problema è senza dubbio: quando. E da parte sua sarebbe molto bello se ci mettesse finalmente a parte del segreto, dicendoci a quando risale il suo ultimo contatto con lo scomparso.»

Per la seconda volta mancò poco che venisse fuori la verità. "Contatto?" avrei voluto dire. "Contatto", signor Bryant? Cinque settimane fa, il diciotto settembre a Priddy Pool, signor Bryant! Contatto a un livello che lei non può neanche immaginare!

«Deve essere stato, credo, qualche tempo dopo che l'università gli aveva offerto un posto stabile» replicai. «Era felice. Non ne poteva più di contratti per cicli di lezioni, scribacchiando sui giornali per guadagnarsi da vivere. Bath gli offriva quella sicurezza che stava cercando. La afferrò con entusiasmo.»

«E allora?» disse Luck, per il quale la sgarbatezza era un segno di virtù.

«E allora mi scrisse. Aveva un impulso irresistibile a scrivere. Fu quello il nostro ultimo contatto.»

«Che cosa diceva, esattamente?» domandò Luck.

Diceva che l'università di Bath era proprio come il giorno che ce l'avevo portato: grigia, maledettamente fredda, e puzzava di piscio di gatto, rimuginai, mentre dentro di me tornava ad affiorare la verità. Diceva che stava marcendo dalla testa ai piedi in un mondo privo di fede o del suo opposto. Diceva che l'università di Bath era una Lubianka senza risate e, come sempre, me ne addossava la colpa. Firmato Larry.

«Diceva che aveva ricevuto la lettera ufficiale di incarico, che era molto contento e che avremmo dovuto condividere tutti la sua gioia» replicai calmo.

«E quando è stato, di preciso?»

«Le date non sono il mio forte, mi spiace. Sto continuando a ripeterglielo. A meno che non si tratti delle annate dei vini.»

«Ha ancora quella lettera?»

«Non conservo mai la vecchia corrispondenza.»

«Però gli ha risposto.»

«Immediatamente. Faccio sempre così, quando ricevo una lettera personale. Non sopporto che rimanga corrispondenza da evadere.»

«Dipenderà dal suo passato di pubblico funzionario, mi immagino.»

«Me lo immagino anch'io.»

«Adesso però è a riposo.»

«Sono tutt'altro che a riposo, signor Luck. Non ho mai avuto tanto da fare in vita mia.»

Intervenne di nuovo Bryant, con il suo sorriso e i baffi solcati da una cicatrice. «Suppongo che lei alluda alle sue varie attività di volontariato per la comunità. Mi si dice che il signor Cranmer, signore, è il tipico santo di quartiere.»

«Non è un quartiere. È un paese» replicai sereno.

«Salviamo la nostra chiesa. Aiutiamo gli anziani. Vacanze in campagna per i bambini meno fortunati che vivono nelle città dell'interno. Apriamo la casa e il parco ai contadini a beneficio dell'ospizio locale. Ne sono rimasto colpito, vero, Oliver?»

«Assolutamente» disse Luck.

«E allora, quando è stata l'ultima volta che ci siamo incontrati col dottore, lasciando da parte l'impulso irresistibile a scrivere lettere?» riprese Bryant.

Esitai. Volutamente. «Tre mesi? Quattro? Cinque?» Lo stavo invitando a scegliere.

«È venuto qui, signore? Qui a Honeybrook?»

«Sì, è stato qui.»

«Con che frequenza, secondo lei?»
«Oh, buon Dio, con Larry non si può tenere una specie di registro, arriva all'improvviso, gli offri un uovo in cucina, lo mandi via... gli ultimi due anni, be', una mezza dozzina di volte. Diciamo otto.»
«E l'ultimissima volta, signore?»
«Sto cercando di ricordare. In luglio, probabilmente. Avevamo deciso di pulire a fondo, con un certo anticipo, i tini in cantina. Il modo migliore per sbarazzarsi di Larry è metterlo a lavorare. Sfregò per un'ora, mangiò un po' di pane e formaggio, bevve quattro gin tonic e se ne andò.»
«In luglio, dunque» disse Bryant.
«L'ho già detto. In luglio.»
«Ricorda anche una data? Un giorno della settimana, per esempio? È stato durante un week-end?»
«Sì, credo di sì.»
«Perché?»
«Non c'era servitù.»
«Mi sembrava che avesse detto "avevamo", signore.»
«Erano venuti dei ragazzi dalle case popolari a darmi una mano, una sterlina all'ora» replicai, anche questa volta evitando delicatamente di nominare Emma.
«E stiamo parlando della metà di luglio, dell'inizio o della fine?»
«Della metà. Mi pare.» Mi alzai, forse per dimostrare quanto fossi rilassato, e finsi di controllare il calendario di un fabbricante di bottiglie che Emma aveva appeso accanto al telefono. «Ecco. Zia Madeline, dal dodici al diciannove. Avevo ospite la mia vecchia zia. Larry deve essere capitato qui proprio in quel week-end. La intrattenne.»
Non vedevo zia Madeline da vent'anni. Ma se volevano mettersi a cercare dei testimoni, preferivo che si occupassero di zia Madeline piuttosto che di Emma.
«Dicono anche, signor Cranmer» suggerì malizioso

Bryant «che il dottor Pettifer usasse moltissimo il telefono.»

Mi feci una bella risata. Stavamo entrando in un'altra zona buia, e mi occorreva tutta la baldanza di cui ero capace. «Credo bene che lo dicano. Hanno ragione.»

«Le sta tornando in mente qualcosa, signore?»

«Be', santo cielo, direi proprio di sì. In certi periodi Larry, armato di telefono, poteva trasformare la tua vita in un inferno. Ti chiamava a tutte le ore del giorno e della notte. E non che ce l'avesse con te in particolare; chiamava tutti i numeri che si era segnato sull'agendina.»

Risi di nuovo, e Bryant con me. Luck il puritano, intanto, continuava a guardare pensoso le fiamme.

«Signore, ne conosciamo tutti almeno uno, di tipi come lui» disse Bryant. «Mercanti di commedie, li chiamo, e non per mancanza di rispetto. Vanno a cercarsi un problema (hanno litigato col ragazzo, o con la ragazza; chissà se comprare quella casa favolosa che hanno visto dall'imperiale di un autobus?) e non sono contenti finché non ti hanno coinvolto. Penso che sia mia moglie ad attirarli in casa nostra. Io non ho pazienza. Quando è stata, allora, l'ultima volta che il dottor Pettifer si è fatto vivo con una di queste, signore?»

«Di queste cosa?»

«Commedie. Quelle che io chiamo grane.»

«Oh, tanto tempo fa.»

«Di nuovo mesi, eh?»

Finsi un'altra volta di frugare nella memoria. Ci sono due regole auree, quando si viene sottoposti a interrogatorio, e io le avevo già violate entrambe. La prima è di non offrire mai particolari irrilevanti. La seconda, di non dire mai una bugia spudorata se non si è in grado di sostenerla sino alla fine.

«Forse, signore, se potesse descriverci il tipo di commedia arriveremmo anche a stabilire una data» suggerì, nel tono di chi propone un gioco di società.

Mi trovavo in un dilemma profondo. Nella mia incarnazione precedente era opinione comune che i poliziotti, a differenza di noi, facessero un uso molto ridotto di microfoni e di registrazioni telefoniche. Nelle loro indagini, impropriamente definite discrete, si limitavano a importunare vicini di casa, negozianti e direttori di banca, senza mai invadere il campo a nòi riservato delle apparecchiature elettroniche. Così almeno pensavamo. Decisi di rifugiarmi in un passato lontano.

«Se non ricordo male fu quando Larry, che stava per staccarsi pubblicamente dal socialismo di sinistra, voleva rendere partecipi gli amici dell'operazione» dissi.

Luck, sempre seduto davanti al fuoco, si portò una mano a una guancia come per alleviare una nevralgia. «È del socialismo russo che stiamo parlando?» domandò con quella sua voce burbera.

«Lo chiami come vuole. Lui, per usare la sua espressione, si stava "sradicalizzando", e aveva bisogno di farlo sotto gli occhi degli amici.»

«E quando esattamente sarebbe successo, signor Cranmer?» domandò Bryant.

«Un paio di anni fa. Di più. Stava ancora ripulendo la propria immagine prima di fare domanda per un posto all'università.»

«Novembre '92» disse Luck.

«Prego?»

«Se stiamo parlando di quando il dottore abiurò pubblicamente il socialismo radicale, ci riferiamo al suo articolo dal titolo "Morte di un esperimento", uscito sulla "Socialist Review" nel novembre '92. Il dottore collegava la propria decisione a un'analisi di quella che definiva la continuità sotterranea dell'espansionismo russo, passato col tempo dalla bandiera zarista a quella comunista e adesso a quella federalista. Accennava anche alla ritrovata ortodossia morale dell'Occidente, che paragonava alle fasi iniziali del dogma sociale comunista, per quanto non accompagnata da un analogo idealismo di fondo. Un paio di colleghi di sinistra, all'università, considerarono quell'articolo un grave atto di tradimento. E lei?»

«Io non avevo opinioni in merito.»

«Lo discusse con lui?»

«No. Mi congratulai.»

«Perché?»

«Perché era quello che voleva.»

«Lei dice sempre agli altri ciò che loro vogliono sentirsi dire?»

«Sì, probabile, soprattutto per assecondare un seccatore, signor Luck, così da passare a qualche altro argomento» dissi, gettando un'occhiata al mio pendolo francese nella sua cupola di vetro. Ma Luck non si lasciava fuorviare tanto facilmente.

«E il novembre 1992, quando Pettifer scrisse il suo famoso articolo, corrisponde più o meno al periodo in cui lei lasciò ciò che stava facendo a Londra, dico bene?»

Non mi piaceva che Luck stabilisse un parallelo fra le nostre due vite, e detestavo il suo tono aggressivo.

«Probabile.»

«E lei approvava la sua abiura del socialismo?»

«Mi sta chiedendo di dirle quali sono le mie opinioni politiche, signor Luck?»

«Stavo semplicemente pensando che per lei deve essere stato un po' rischioso frequentarlo nel periodo della guerra fredda. Lei era un funzionario pubblico e lui, a quei tempi, come ha appena detto, un socialista rivoluzionario.»

«Non ho mai fatto mistero delle mie frequentazioni con il dottor Pettifer. Anche se lei sembra pensarla diversamente, non era un delitto essere stati all'università nello stesso periodo, né avere frequentato la stessa scuola. Sicuramente non costituì mai un problema per il mio dipartimento.»

«Ha mai conosciuto qualche suo amico del blocco sovietico? Qualcuno dei russi, polacchi, cechi o altri con i quali andava in giro?»

Sono seduto nella stanza al piano di sopra della nostra casa sicura di Shepherd Market, per una bicchierata d'addio con il consigliere (economico) Volodja Zorin, in realtà direttore in loco dei rinnovati Servizi segreti russi a Londra. È l'ultimo di questi nostri scambi semiufficiali. Fra tre settimane, lascerò per sempre il mondo degli agenti segreti con tutte le sue operazioni. Zorin è un vecchio e brizzolato combattente della guerra fredda, col grado segreto di colonnello. Congedarmi da lui è come dire addio al mio passato.

«E che cosa farà degli anni che le rimangono, amico Timothy?» domanda.

«Mi limiterò» rispondo. «Farò il Rousseau. Volterò le spalle alle grandi idee, coltiverò le mie vigne e compirò piccole opere buone.»

«Si costruirà attorno un muro di Berlino?»

«Purtroppo, Volodja, ne ho già uno. Mio zio Bob piantò il suo vigneto all'interno di un giardino cintato del Settecento. È una trappola gelida, un paradiso per le malattie.»

«No, il dottor Pettifer non mi ha mai presentato gente del genere» risposi.

«Ma le parlava di loro? Di chi fossero? Di cosa facessero insieme? Degli accordi che imbastivano? Di favori reciproci o di altre cose della stessa natura?»

«Accordi? No di certo.»

«Accordi. Favori reciproci. Transazioni» aggiunse Luck, sempre più minaccioso.

«Non so proprio a che si riferisca. No, a me non raccontava niente del genere. E cosa facessero insieme lo ignoro. Con ogni probabilità, parlavano d'aria fritta. Risolvevano i problemi del mondo in tre bottiglie.»

«Lei non prova simpatia per Pettifer, vero?»

«Né simpatia né antipatia, signor Luck. Non sono portato a tranciare giudizi, a differenza di lei. Pettifer è una vecchia conoscenza. Preso a piccole dosi, è anche divertente. L'ho sempre considerato così.»

«Non avete mai avuto un bisticcio serio?»

«Né un bisticcio serio né una seria amicizia.»

«Pettifer non le ha mai offerto una fetta della torta in cambio di qualche favore? Nella sua qualità di funzionario pubblico. O di ex funzionario. Una strada che lei avrebbe potuto appianargli, una soffiata, una raccomandazione?»

Se Luck aveva intenzione d'irritarmi, ci stava riuscendo straordinariamente bene. «È un'insinuazione del tutto fuori luogo» ribattei. «Come se io le chiedessi se prende bustarelle.»

Ancora una volta, con una solerzia studiata per esasperarmi, Bryant mi venne pesantemente in soccorso. «Lo perdoni, signor Cranmer. Oliver è ancora giovane.» Giunse le mani come per pregare. «Signor Cranmer, per favore... se posso, signore...»

«Sì, signor Bryant?»

«La mia opinione, signore, è che ancora una volta siamo usciti dal seminato. È un po' una nostra specialità, mi pare. Stiamo parlando del telefono e un attimo dopo ecco che ci ritroviamo a parlare di un episodio di due anni fa. Ma che cosa ha da dirci di attuale, signore? Qual è stata la sua conversazione telefonica più recente col dottor Pettifer? Lasciamo stare il tema o l'argomento, mi dica semplicemente quando. È la sola cosa che voglio sapere, ma comincio a credere che lei, per non so quale ragione, non voglia darmi una risposta franca; è per questo che poco fa il giovane Oliver diventava un po' nervoso. E allora, signore?»

«Ci sto ancora pensando.»

«Si prenda tutto il tempo che le occorre, signore.»

«È come le sue visite. Si dimenticano e basta. Telefona sempre mentre fai qualcosa.» Per esempio, sto facendo l'amore con Emma, nei giorni in cui ciò che facevamo era l'amore. «Se ho letto il tale articolo sul giornale, se ho visto alla televisione quel somaro del tal dei tali che mentiva spudoratamente su questa o quella questione. Succede sempre così con le amicizie dei tempi dell'università. Quel che venticinque anni fa poteva essere piacevole, col tempo diventa un flagello. Si cresce. Gli amici no. Ci si adatta. Loro restano gli stessi. Diventano ragazzi invecchiati, seccatori. E allora si stacca.»

Lo sguardo torvo di Luck mi irritava quanto il sorrisetto baffuto di Bryant.

«Quando lei parla di staccare, signore» disse Bryant, «dobbiamo intendere la parola nel senso letterale? Staccare il telefono? Farlo disinserire? Perché credo sia proprio questo che abbiamo fatto il primo agosto scorso, signor Cranmer, per tre settimane non abbiamo più ristabilito i contatti col mondo esterno. Dopodiché ci facciamo dare un nuovo numero.»

Ovviamente me l'aspettavo, questa domanda, perché reagii rapidamente rivolgendomi a entrambi.

«Ispettore Bryant. Sergente Luck. Credo di averne più che abbastanza. Siete venuti qui perché state indagando su una persona scomparsa. E un attimo dopo mi fate una quantità di domande sciocche e irrilevanti sui contatti illeciti che avrei avuto quando ero un pubblico funzionario, sulle mie opinioni politiche, sull'eventualità che possa costituire un pericolo per la sicurezza dello stato, e sul perché mi sia fatto togliere dall'elenco telefonico.»

«Perché l'ha fatto?» disse Luck.

«Perché mi disturbavano.»

«Chi?»

«Nessuno che vi riguardi.»

Fu la volta di Bryant. «Ma se le cose stavano così, signore, perché non si è rivolto alla polizia? Non è di certo uno sprovveduto, vero? Siamo sempre ben felici di aiutare chi riceve telefonate moleste, minacciose od oscene che siano. In collaborazione con la British Telecom, naturalmente. Non aveva nessun bisogno di isolarsi dal mondo esterno per tre settimane.»

«Le telefonate che mi erano sgradite non erano né minacciose né oscene.»

«Ah sì? E allora cos'erano, signore, se non le spiace?»

«Non erano affar vostro, né lo sono adesso.» Aggiunsi una seconda giustificazione, mentre la prima sarebbe stata più che sufficiente: «E poi, tre settimane senza telefono sono come una cura del sonno».

Bryant stava frugando in una tasca interna. Ne estrasse un taccuino con la copertina nera, tolse l'elastico e lo aprì appoggiandolo sulle ginocchia.

«Solo che, vede signore, Oliver e io abbiamo fatto uno studio piuttosto approfondito delle telefonate del dottore, esteso all'intero periodo del suo soggiorno a Bath» spiegò. «Con nostra grande fortuna il dottore aveva una padrona di casa molto scozzese, e l'apparecchio era in duplex. Ogni chiamata in partenza veniva cronometrata e annotata. A prendere questa abitudine era stato l'ora defunto marito, il comandante. E la signora Macarthur la mantiene.»

Bryant si leccò un pollice e voltò pagina.

«Il dottore riceveva molte chiamate, in buona parte da luoghi remoti, a giudicare dal suono, e spesso interrotte a metà. Accadeva inoltre che il dottore parlasse spesso in quella lingua che la donna non era in grado di identificare. Ma per le telefonate in partenza il discorso è diverso. Quando chiamava lui l'interlocutore numero uno, fino al primo agosto di quest'anno, secondo la signora Macarthur, è stato lei. Nei soli mesi di maggio e giugno, il dottore è stato in comunicazione telefonica con lei per sei ore e venti minuti.»

Fece una pausa, ma io continuai a non interromperlo. Avevo giocato una mano impossibile e avevo perso. Avevo dato risposte evasive ed evitato di rispondere, sperando di accontentarli con mezze verità. Ma contro un assalto così ben programmato non c'era modo di difendersi. Cercavo un capro espiatorio, e pensai al Servizio. Se quegli stupidi del Servizio erano al corrente della scomparsa di Larry, perché diavolo non mi avevano avvertito? Dovevano ben sapere che la polizia lo stava cercando. Perché non l'avevano fermata? E se fermarla era impossibile, perché mi avevano lasciato a penzolare nel vuoto, senza sapere chi sapesse cosa o perché?

È il mio ultimo incontro con Jake Merriman, capo del personale. Siede nel suo ufficio rivestito di moquette affacciato su Berkeley square, e mentre spezza a metà un biscotto Rich Tea si lamenta della ruota della storia. Merriman ha recitato così a lungo la parte dell'imbecille inglese che né lui né altri sa più se lo sia veramente.

«Hai svolto il tuo compito, Tim, vecchio mio» si lamenta con la sua voce strascicata e priva di echi. «Hai vissuto la passione del tuo tempo. Chi può fare di più?»

Chi, in effetti, mi viene da dire. Ma Merriman coglie soltanto la sua, di ironia.

«Era lì, era il male, e tu hai spiato tutto quel che diavolo c'era da spiare; e adesso non c'è più. Voglio dire, per il semplice fatto che abbiamo vinto non possiamo certo dire che lottare non abbia avuto senso, ti pare? È molto meglio dire urrà, li abbiamo travolti, il cane comunista è morto e sepolto, è ora di andare a un'altra festa.» E suddivide un pezzo del suo Rich Tea prima di immergerne la punta nel caffè.

«Ma io non sono invitato, eh?» dico.

Merriman non te le dà mai, le brutte notizie. Preferisce strappartele di bocca.

«Be', penso proprio di no, Tim, non ti pare?» conferma, inclinando con commiserazione il viso paffuto. «Voglio dire, venticinque anni non possono non influire sul modo di vedere le cose, no? Ho pensato che faresti molto meglio a riconoscere di avere compiuto il tuo lavoro, e che è venuto il momento di cercare nuovi pascoli. Dopo tutto non sei povero. Hai la tua bella casa in campagna e anche un po' di soldi. Il tuo caro zio Robert, a differenza di certi altri zii ricchi, ha avuto la delicatezza di morire. Cosa desiderare di meglio?»

Nel Servizio circola la battuta che con Merriman devi stare attento a non dimetterti per sbaglio, anziché aspettare che sia lui a licenziarti.

«Non credo di essere troppo vecchio per affrontare nuovi obiettivi» dico.

«A quarantasette anni un combattente della guerra fredda non si ricicla, Tim. Sei troppo perbene. Hai troppe regole da rispettare. Vuoi dirlo anche a Pettifer? È meglio che lo sappia da te.»

«Cosa dovrei dirgli, esattamente?»

«Be', le stesse cose che ho detto a te, suppongo. Non penserai che potremmo puntare uno come lui contro il bersaglio del terrorismo, vero? E lo sai quanto mi sta costando? Soltanto come onorario? Per non parlare delle spese, che non sono uno scherzo.»

«Dal momento che pagarlo è compito della mia sezione, lo so benissimo.»

«Be', voglio dire, perché continuare? Bisogna sospendere tutto, quando si cerca di convincere qualcuno a entrare a nome tuo in faccende come la Confraternita di Baghdad, e servono tutti i soldi su cui si possono mettere le mani. I Pettifer di questo mondo sono ormai estinti. Ammettilo.»

Troppo tardi, come sempre, comincio a perdere le staffe. «Non è stata questa la decisione su all'ultimo piano, l'ultima volta che hanno preso in esame il suo caso. Il parere unanime fu che avremmo aspettato di vedere se Mosca avrebbe inventato per lui un nuovo ruolo.»

«Abbiamo aspettato e ci siamo stufati.» Spinge verso di me sulla scrivania un ritaglio del "Guardian". «Pettifer ha bisogno di un contesto, se non vuole cacciarsi nei guai. Parlane con quelli del ricollocamento. L'università di Bath sta cercando un linguista capace di occuparsi di qualcosa che chiamano sicurezza globale: mi sembra il migliore ossimoro di tutti i tempi. Un incarico temporaneo che potrebbe diventare permanente. Il gran capo, laggiù, è un ex funzionario del Servizio, ed è ben disposto purché Pettifer si tenga fuori dai guai. Non sapevo neanche che Bath avesse un'università» aggiunge di malumore, come se nessuno gli dicesse mai niente. «Deve essere una scuola tecnica travestita.»

È il momento peggiore dei venti e più anni in cui abbiamo operato insieme. La vita ha voluto che dovessimo sederci in auto parcheggiate sulla cima di qualche collina. Stavolta siamo in una piazzola su un'altura sopra Bath. Larry siede accanto a me, il viso nascosto tra le mani. Oltre gli alberi posso scorgere i grigi contorni dell'università che abbiamo appena visitato, e quel paio di sporche ciminiere tubolari in metallo che ne costituiscono l'inquietante punto di riferimento.

«E allora, Timbo, in cosa dobbiamo credere adesso? Sherry dal preside di facoltà e mobili di pino?»

«Chiamiamola la pace per cui hai combattuto» suggerisco debolmente.

Il suo silenzio è come sempre peggiore dei suoi insulti. Alza le mani ma, invece dell'aria libera, trova il tetto della macchina.

«È un porto sicuro» dico. «Per metà anno ti annoi, per l'altra metà sei padrone di fare tutto quello che vuoi. Una prospettiva maledettamente al disopra della media.»

«Non sono addomesticabile, Timbo.»

«Nessuno ti sta chiedendo di diventarlo.»

«Non voglio un porto sicuro. Non l'ho mai voluto. Al diavolo i porti sicuri. Al diavolo l'immobilità. Al diavolo i presidi di facoltà e le pensioni indicizzate e le domeniche passate a lavare la macchina. Al diavolo anche tu.»

«Al diavolo la storia, al diavolo il Servizio, al diavolo la vita e al diavolo l'invecchiamento» suggerisco, generalizzando sulla sua tesi prima che lo faccia lui.

Ma ho un groppo alla gola, non posso negarlo. Vorrei posare una mano sulla sua spalla tremante e madida di sudore, ma il contatto fisico non fa parte delle nostre manifestazioni.

«Ascolta» gli dico. «Mi stai ascoltando? Sei a cinquanta chilometri da Honeybrook. Puoi venire tutte le domeniche a pranzo e per il tè, e raccontarmi quanto faccia tutto schifo.»

È il peggiore invito che abbia mai fatto a qualcuno in vita mia.

Bryant stava parlando al suo taccuino, se lo teneva davanti agli occhi e intanto mi rinfacciava l'elenco delle telefonate di Larry. «Il signor Cranmer compare anche nelle telefonate in arrivo. Non sono tutti stranieri bizzarri. Un gentiluomo istruito, sempre molto gentile, più da BBC che da essere umano, così la descrive la padrona di casa. Ed è esattamente così che la descriverei anch'io, e non per mancanza di rispetto.» Si leccò un dito e voltò allegramente pagina. «Poi, tutt'a un tratto, gira i tacchi e pianta lì il dottore senza preavviso. Bene, bene. Niente più telefonate in partenza o in arrivo per tre settimane intere. Lo si potrebbe definire un silenzio radio. Gli ha sbattuto la porta in faccia, signor Cranmer, così Oliver e io ci stavamo chiedendo perché abbia fatto una cosa simile. Ci chiedevamo cosa fosse successo prima che lei troncasse i rapporti, e cosa avesse smesso di succedere dopo. Vero, Oliver?»

Stava ancora sorridendo. Se avessi dovuto fare la mia ultima passeggiata per salire al patibolo, il suo sorriso non sarebbe stato diverso. La rabbia che sentivo per Merriman si spostò con piacere su Bryant.

«Ispettore» cominciai, accalorandomi man mano che procedevo. «Lei si definisce un pubblico funzionario. Eppure alle dieci di sera di una domenica, senza un mandato e senza appuntamento, avete l'impertinenza di fare irruzione in casa mia; in due...»

Bryant si era già alzato. I modi faceti gli erano caduti di dosso come un mantello. «Lei è stato molto gentile, signore, e noi ci siamo trattenuti più del dovuto. Ci siamo lasciati risucchiare dalla sua conversazione, immagino.» Gettò un biglietto da visita sul tavolino. «Ci faccia una telefonata, signore. Per qualsiasi cosa. Se il dottore la chiama, se le scrive, se si presenta alla porta, se sente qualcosa che potrebbe aiutarci a rintracciarlo...» Avevo voglia di dargli un pugno per cancellargli dalla faccia quel sorriso insinuante. «Oh, e nel caso che il dottore ricomparisse, sarebbe così gentile da darci il suo nuovo numero di telefono? Grazie.»

Scrisse i numeri che gli dettavo sotto lo sguardo di Luck.

«Bel piano» disse Luck. All'improvviso era troppo alto e troppo vicino a me.

Non dissi nulla.

«Lei suona?»

«Così dicono.»

«Sua moglie non c'è?»

«Non ho moglie.»

«Proprio come Pettifer. In quale sezione ha detto che lavorava? Dell'Amministrazione pubblica, intendo. Me lo sono dimenticato.»

«Non ho nominato nessuna sezione.»

«E allora qual era?»

«Mi avevano assegnato al Tesoro.»

«Come linguista?»

«Non particolarmente.»

«E non le sembrava un lavoro deleterio? Il Tesoro. Ridurre le spese pubbliche, stabilizzare i salari, tagliare i fondi agli ospedali? Credo che mi avrebbe depresso.» Per l'ennesima volta non mi degnai di rispondere.

«Dovrebbe tenere un cane, signor Cranmer. Un posto come questo. Lo richiede a gran voce.»

Il vento aveva smesso di soffiare. La pioggia era cessata, lasciando sul terreno un velo di nebbiolina nel quale i fari della Peugeot somigliavano a falò autunnali.

2

Non sono uno che si lasci prendere dal panico, ma quella notte ci andai vicino come non mai. A chi di noi stavano dando la caccia: a Larry o a me? Oppure a entrambi? Cosa sapevano di Emma? Perché Ceceev era andato a trovare Larry a Bath, e quando, quando, quando? Quei poliziotti non stavano cercando un qualsiasi accademico che se n'era andato a spasso per qualche giorno. Seguivano una pista, sentivano odore di sangue, erano a caccia di qualcuno che solleticava i loro istinti più aggressivi.

Chi mai credevano che fosse? Larry, il mio Larry, il nostro Larry? Che cosa aveva fatto? Quei discorsi sui soldi, sui russi, sugli accordi, su Ceceev, su di me, sul socialismo e ancora su di me; come era possibile che Larry fosse qualcosa di diverso da ciò che ne avevamo fatto: un rivoluzionario borghese inglese senza obiettivi, un eterno dissidente, un dilettante, un sognatore, un bastian contrario; un fallito semicreativo, feroce, inconcludente, sprecato, donnaiolo, troppo intelligente per non demolire un ragionamento, troppo testardo per accettarlo se lo trovava sbagliato?

E chi mai pensavano che fossi io, questo solitario funzionario pubblico a riposo che parlava con se stesso nelle sue lingue straniere, producendo vino e recitando la parte del buon samaritano nel suo invidiabile vigneto del Somerset? "Dovrebbe tenere un cane", figuriamoci! Perché mai, per il semplice fatto che vivevo da solo, dare per scontato che fossi incompleto? Perché perseguitare me, per il solo fatto che non erano capaci di mettere le mani su Larry o su Ceceev? E Emma, la mia fragile (o non tanto fragile) ex signora di Honeybrook, quanto tempo sarebbe passato prima che prendessero di mira anche lei? Andai di sopra. Anzi, no. Corsi su. Il telefono era accanto al letto, ma quando alzai il ricevitore provai l'umiliazione di avere dimenticato il numero che volevo chiamare, il che non era mai successo in tutta la mia vita segreta, nemmeno nelle situazioni più difficili.

Perché poi ero venuto di sopra? C'era un telefono perfettamente funzionante nel salotto, e un altro nello studio. Perché mi ero precipitato di sopra? Mi ricordai di un fanatico conferenziere che, al corso di addestramento, ci annoiava parlandoci dell'arte di rompere un assedio. Quando la gente si fa prendere dal panico, spiegava, corre di sopra. Cerca di raggiungere ascensori, montacarichi, scale, qualsiasi cosa pur di salire, di non dovere scendere. Prima che il nemico faccia irruzione, chi non è troppo impietrito per muoversi è già in soffitta.

Mi sedetti sul letto. Lasciai andare le spalle per rilassarmi. Ruotai la testa, seguendo i consigli di un guru della domenica di cui avevo letto un articolo sui massaggi fai-da-te. Non ne ottenni alcun sollievo. Attraversando la galleria raggiunsi l'ala della casa assegnata a Emma e mi fermai davanti alla porta, restando in ascolto non so bene di cosa. Dei colpi della sua macchina da scrivere, quando si dedicava indiscriminatamente a tutta una serie di cause disperate? Dei suoi gemiti da innamorata al telefono, finché non glielo riattaccavo? Della musica tribale dell'Africa lontana, Guinea, Timbuctu? Provai la maniglia. La porta era chiusa a chiave. Ero stato io. Ascoltai ancora ma non entrai. Avevo paura del suo fantasma? Del suo sguardo diretto, accusatore, falsamente innocente, che diceva sta' lontano, sono pericolosa, ho spaventato me e adesso sto spaventando te? Rientrando nella mia ala mi fermai davanti alla lunga finestra del pianerottolo a guardare i contorni remoti del giardino cintato, che brillavano sotto la pallida luce delle serre.

Honeybrook, una calda domenica di fine estate. Viviamo insieme da sei mesi. Stamattina, per prima cosa, eccoci spalla a spalla nella sala adibita a imbottigliare dove Cranmer, il grande viticultore, misura con il fiato sospeso il contenuto zuccherino della nostra uva Madeleine Angevin, un'altra delle discutibili scelte di zio Bob. La Madeleine come tutte le donne è capricciosa, mi aveva assicurato un esperto francese in visita, continuando a strizzare l'occhio e ad ammiccare: pronta e matura un giorno, già in declino l'indomani. Prudentemente, non riferisco a Emma questo paragone maschilista. Sto pregando per un diciassette per cento, ma sedici prometterebbe comunque una buona vendemmia. Nella favolosa *année* del 1976 lo zio Bob raggiunse uno sbalorditivo venti per cento prima che le vespe inglesi reclamassero la loro parte, e le piogge inglesi il resto. Emma mi guarda alzare nervoso il rifrattometro alla luce. «Quasi diciotto per cento» dichiaro infine, con voce consona a un grande generale la vigilia della battaglia. «Vendemmia fra due settimane.»

Adesso oziamo fra le viti nel giardino cintato, dicendoci che con la nostra presenza stiamo portandone a compimento la maturazione. Seduta sulla sedia a dondolo e vestita alla Watteau come io stesso la spingo a fare, cappello largo, gonna lunga e camicetta sbottonata al sole, Emma sorseggia Pimm's leggendo fogli di musica; la guardo, ed è la sola cosa che voglio fare per il resto della vita. Stanotte abbiamo fatto l'amore. Stamattina, dopo la cerimonia della misurazione dello zucchero, lo abbiamo fatto di nuovo, e mi racconto di poterlo desumere dalla lucentezza della sua pelle e dal pigro senso di piacere nei suoi occhi.

«Credo che con una squadra efficiente si possa sbrigare tutto in una giornata» affermo baldanzoso.

Lei volta pagina e sorride.

«Zio Bob faceva lo sbaglio di invitare gli amici. Un disastro. Una totale perdita di tempo. Quelli del villaggio sanno raccogliere sei tonnellate in un giorno. O almeno cinque. Qui comunque non ne abbiamo a dir tanto più di tre.»

Alza il capo, sorride ma non dice nulla. Ne deduco che mi stia garbatamente prendendo in giro per le mie fantasie da proprietario terriero.

«Penso che se verranno Ted Lanxon, le due Toller e Mike Ambry, ammesso che non stia arando, e chissà, i due figli di Jack Taplow, quelli che cantano nel coro... potrebbero arrivare dopo la funzione, se sono liberi... naturalmente in cambio del nostro sostegno per la Festa del raccolto...»

Compare sulla sua faccia da ragazza un'espressione turbata, e io temo che si stia annoiando. Corruga la fronte, leva le mani per abbottonarsi la camicetta. Poi mi rendo conto con sollievo che si tratta semplicemente di un rumore che lei ha udito e io no; il suo orecchio da musicista percepisce ogni suono prima di me. Infine lo sento anch'io: lo sbuffare e lo sferragliare di una vecchia auto che si sta fermando sul viale. Capisco subito a chi appartenga. Non ho bisogno di attendere il suono di quella voce ben nota, mai troppo alta eppure mai così sommessa da non essere udita.

«Timbo, Cranmer, santo cielo. Dove diavolo ti sei nascosto? Tim?»

Dopo di che, poiché Larry riesce sempre a scovarti, la porta del giardino cintato si spalanca e lui è lì, sottile come un fuscello, camicia non molto bianca, pantaloni neri sformati, obbrobriosi, scarponi di pelle scamosciata e il ciuffo dei Pettifer che gli penzola artisticamente sull'occhio destro. E allora capisco che, quasi un anno dopo, proprio quando cominciavo a credere che non si sarebbe più fatto vivo, è venuto a reclamare il primo dei pranzi domenicali che gli avevo promesso.

«Larry! Fantastico! Perdio!» esclamo. Ci stringiamo la mano e lui con mia sorpresa mi abbraccia, sfregando la barba ispida sulla mia guancia rasata di fresco. Per tutto il tempo in cui era il mio agente, non mi ha abbracciato neanche una volta. «Meraviglioso! Ce l'hai fatta, finalmente. Emma, ecco Larry.» Lo trattengo per il braccio. E anche questa è una novità. «Dio ci mandò entrambi a Winchester e poi a Oxford, e da allora non sono più riuscito a sbarazzarmene. Dico bene, Larry?»

In un primo momento sembra che non riesca a metterla a fuoco. È pallido come un condannato alla ghigliottina e vagamente provocatorio: il suo sguardo torvo da Lubjanka. A giudicare dall'alito, è ancora sbronzo dopo una nottata di baldoria, probabilmente con i bidelli dell'università. Ma come al solito il suo aspetto non lascia trapelare nulla. Ha un'aria da duellante, attento e sensibile, destinato a morire troppo giovane. Si ferma davanti a lei, piegando all'indietro la testa per osservarla con sguardo indagatore. Si passa le nocche sulla mascella. Le rivolge uno dei suoi sorrisi modesti e maliziosi. Emma risponde al sorriso con eguale malizia: l'ombra del cappello da sole rende misteriosa la parte superiore del viso, e lei lo sa benissimo.

«Oh, santo cielo!» dichiara Larry allegramente. «Voltati, bellezza, voltati. Chi è, Timbo? Dove diavolo l'hai trovata?»

«Sotto un fungo» replico con orgoglio, risposta che, per quanto non sembri soddisfare Larry, suona molto meglio di "nella sala d'aspetto di un fisioterapista a Hampstead, un venerdì sera di pioggia".

Poi i loro sorrisi entrano in contatto e s'illuminano a vicenda; quello di lei canzonatorio, quello di Larry, forse a causa della sua bellezza, momentaneamente incerto su come verrà accolto. Resta comunque un sorriso reciproco di riconoscimento, anche se nessuno dei due sa bene cosa sia che sta riconoscendo.

Io invece lo so.

Sono il loro sensale, il loro intermediario. Ho guidato la ricerca di Larry per oltre vent'anni. E ora sto guidando Emma, per proteggerla da ciò che ha trovato troppo spesso in passato e che giura di non volere più trovare. Eppure, mentre osservo i miei due cercatori di destini che si studiano a vicenda, mi rendo conto che mi basterebbe uscire dal cerchio per essere dimenticato.

«Lei non sa nulla» dico a Larry con fermezza non appena riesco a trovarmi da solo con lui in cucina. «Io sono un cervellone del Tesoro a riposo. Tu sei tu. Non c'è assolutamente altro. Niente verità nascoste. Chiaro?»

«Persisti nella vecchia menzogna, eh?»

«E tu no?»

«Oh, certo. In continuazione. E allora chi è?»

«Cosa intendi dire?»

«Che ci fa qui? Ha la metà dei tuoi anni.»

«Anche dei tuoi. Meno tre. È la mia ragazza. Cosa credevi che ci facesse?»

Ha la faccia nel frigorifero, sta cercando del formaggio. Larry ha sempre fame. A volte mi domando cosa avrebbe mangiato in tutti questi anni se non fosse stato mio agente. Un Cheddar, un formaggio del posto, gli solletica la fantasia.

«Dove cacchio è il pane? E poi una birra, se non ti spiace. Prima una birra, poi un superalcolico.»

L'ha fiutata, penso, mentre gli cerco il suo pane del cacchio. Le sue voci gli hanno detto che vivo con una ragazza e così è venuto a darle un'occhiata.

«Ehi, ho visto Diana l'altro giorno» dice con quel tono di studiata noncuranza che adotta quando nomina la mia ex moglie. «Sembra ringiovanita di dieci anni. Ti saluta con amore.»

«Questa è nuova» dico.

«Be', non lo ha di certo detto chiaro e tondo. È sottinteso, come capita sempre per i grandi amori. E nei suoi occhi, ogni volta che salta fuori il tuo nome, c'è la stessa tenerezza di un tempo.»

Fino a quel momento Diana era stata la sua principale arma segreta contro di me. Dopo averla ridicolizzata in lungo e in largo quando era mia moglie, ora finge per lei un affetto fraterno, e lo tira fuori quando ritiene che possa irritarmi.

«Se avevo sentito parlare di lui?» protesta Emma quella sera, offesa che glielo abbia chiesto. «Ma tesoro, io sono stata seduta ai piedi di Lawrence Pettifer fin dall'infanzia. Be', non letteralmente. Ma in termini metaforici lui per me è un dio.»

Come mi accade piuttosto spesso, scopro qualcosa di nuovo sul suo conto. Qualche anno fa (è nella natura di Emma, quasi il suo marchio di fabbrica direi, non essere precisa) stabilì che la musica da sola non le bastava, e che di conseguenza si sarebbe data una cultura. Così, invece di andare al Festival di musica alternativa nel Devon («ormai, Tim, è tutto erba e T'ai Chi» mi spiega con un sorriso sprezzante che non mi convince per nulla) si iscrisse a un corso estivo propedeutico di filosofia e politica, a Cambridge: «E sul pensiero radicale, che naturalmente era quello che cercavo, Pettifer era assolutamente indispensabile...». Agita un po' troppo le mani. «Mi riferisco al suo saggio sugli "Artisti in rivolta" e a quello sul "Deserto materialistico"...» Sembra che non abbia più niente da dire e, dal momento che ha citato i titoli giusti ma non è andata oltre, mi domando con una punta di cattiveria se li abbia letti sul serio o se ne abbia soltanto sentito parlare.

Dopo di che, per tacito consenso, l'argomento Larry viene accantonato. La domenica successiva ripuliamo il Crucco immusonito per prepararlo alla battaglia. E mentre ci diamo da fare sto con le orecchie tese aspettandomi di udire l'animalesca macchina di Larry, che però non si materializza. Ma la domenica successiva, più puntuale del destino e di nuovo senza preavviso, eccolo ricomparire, stavolta con un camiciotto francese da contadino, la vecchia paglietta ormai a brandelli dei tempi di Winchester, e un fazzoletto rosso a pallini i cui capi svolazzano come ali.

«Bene, benissimo. Molto divertente» lo avverto, con cortesia meno accentuata del solito. «Se sei venuto per raccogliere l'uva, mettiti subito al lavoro.»

Naturalmente ci dà dentro al massimo. Larry è fatto così. Quando lo vorresti a zig è a zag. E quando lo vorresti a zag, eccolo che sta ammaliando la tua ragazza. Tre settimane dopo la fermentazione è completata, e rastrelliamo le vinacce dal mosto preparandoci a un primo filtraggio. Ormai a tavola metto automaticamente tre piatti: uno per Cranmer, uno per Emma e uno per il dio metaforico ai cui piedi è stata seduta fin dall'infanzia.

Scesi di corsa nello studio e tirai fuori l'agendina. Sotto Merriman niente, ma non sto cercando Merriman. Sto cercando Mary, l'omofobico nome in codice che gli ho attribuito. Emma, ne ero certo, non si sarebbe mai sognata di violare i segreti della mia rubrica. Ma se lo avesse fatto, al posto di Merriman avrebbe trovato una certa Mary che abitava a Chiswick e aveva un ufficio a Londra. Larry invece si faceva un dovere di leggere la corrispondenza personale, che fosse mia o di chiunque altro, senza alcun rimorso. E chi poteva biasimarlo? Se incoraggi un uomo a fingere e a rubare cuori, non hai che da ringraziare te stesso quando ti si rivolta contro, sottraendoti i tuoi segreti e ogni altra cosa che possiedi.

«Pronto?» Una voce di donna.

«È il sei sei nove sei?» domandai. «Parla Arthur.»

Non era il suo numero di telefono quello che le stavo

recitando, ma il mio codice personale. In un certo periodo questi stratagemmi mi avevano fatto un certo effetto.

«Sì, Arthur, cosa vuoi?» domandò, con un accento strascicato da membro di secondo piano della famiglia reale.

Mi venne in mente che il mio numero di codice rivelava che ero un membro in pensione, non attivo. Da qui la rigidezza del tono, dato che gli ex significano per definizione guai in vista. La immaginavo alta, cavallina, sulla trentina, con un nome come Sheena. Tempo addietro avevo creduto che queste Sheena fossero la spina dorsale dell'Inghilterra.

«Vorrei parlare con Sidney, per favore» replicai. «Ieri, se possibile.»

Sidney sta per Jake Merriman. Arthur per Tim Cranmer, alias Timbo. Nessuno di quelli che hanno un qualche ruolo usa il proprio nome. Ma a cosa ci è mai servito, questo rituale da film di spionaggio? Che danno può averci provocato questo eterno mascherarci, nascondendo la nostra identità? Un cigolio. Un sibilo. Il suono misterioso di un computer che parla a un altro computer, e poi a Dio. Il rumore di una vasca da bagno che si svuota.

«Sidney ti richiamerà fra due minuti, Arthur. Aspetta dove sei.»

E con un clic scomparve.

Ma io dove sono? Come farà Sidney a trovarmi? Poi mi ricordai che l'intero meccanismo per localizzare le chiamate era sparito con le crinoline e la vecchia sede. Il mio numero di telefono era probabilmente comparso sullo schermo di Sheena prima che sollevasse il ricevitore. Doveva anche sapere da quale apparecchio stessi parlando: Cranmer è nel suo studio... Cranmer si sta grattando il sedere... Cranmer soffre pene d'amore... Cranmer è un anacronismo... Cranmer sta pensando che in rapporto all'eternità un'intera vita si esaurisce in un secondo, e si domanda dove l'ha letto... Cranmer riprende in mano il ricevitore...

Un vuoto, seguito da altri rumori elettronici. Mi ero preparato un discorso. Mi ero preparato un tono. Distaccato. Nessuna di quelle indecorose manifestazioni emotive che Merriman deplora. E nessuna allusione al fatto che un ex membro possa cercare a forza di chiacchiere di tornare all'ovile, cosa per la quale gli ex membri sono famosi. Udii la voce di Merriman e cominciai a scusarmi per averlo chiamato nella tarda serata di una domenica, ma lui non mi diede retta.

«Ti sei messo a giocare a "Telefoni sotto controllo"?»

«No. Perché?»

«È da venerdì sera che cerco di chiamarti. Ma hai cambiato numero. Perché diavolo non ce l'hai detto?»

«Immaginavo che avreste avuto modo di scoprirlo.»

«Durante il week-end? Stai scherzando.»

Chiusi gli occhi. Il Servizio segreto britannico deve aspettare il lunedì mattina per procurarsi un numero che non compare nell'elenco. Provate a dirlo al più recente degli inutili comitati di controllo che dovrebbero renderci più accorti rispetto ai costi, plausibili o, cosa ancor più comica, trasparenti.

Merriman mi stava domandando se avessi ricevuto una visita della polizia.

«Un ispettore, Percy Bryant, e un certo sergente Oliver Luck» risposi. «Dicevano di venire da Bath. Ma ho avuto l'impressione che fossero della Centrale.»

Una pausa per consultare l'agenda, un collega o, per quanto ne sapessi io, sua madre. Era in ufficio? O nella sua invidiabile dimora signorile di Chiswick a un tiro di schioppo dal Tamigi? «Posso vederti al più presto domani alle tre» disse, con il tono che usa il mio dentista quando gli si chiede di inserire un intervento analgesico da poco in un orario di appuntamenti altamente redditizi: be', le fa davvero male? «Lo sai, no, dove siamo adesso? Sei capace di arrivarci?»

«Potrei sempre chiedere a un vigile» dissi.

Non apprezzò la battuta. «Presentati all'ingresso principale, e vieni col passaporto.»

«Con cosa?»

Aveva riattaccato. Cercai di controllarmi: calmati. Non era stato Giove a parlare ma Jake Merriman, il più leggero dei pesi leggeri dell'ultimo piano. Un po' più leggero, dicevamo, e volerebbe via dal tetto. La sua idea di situazione critica era un'oliva andata a male nel martini dry. E poi, cosa c'era mai di così sensazionale nella scomparsa di Larry? Era soltanto perché era intervenuta la polizia. E le altre volte in cui Larry era sparito? A Oxford, quando decide di andare in bicicletta a Delfi pur di non presentarsi agli esami di dottorato? A Brighton, il giorno in cui dovrebbe avere il suo primo appuntamento clandestino con un corriere russo, e invece preferisce ubriacarsi con una cerchia di anime affini che ha raccattato nel bar del Metropole?

Sono le tre del mattino. Come mio agente, Larry sta ancora facendosi le ossa. Siamo parcheggiati sulla cima di un'altra delle nostre colline isolate, stavolta sui Downs del Sussex. Sotto di noi brillano le luci di Brighton. Più in là il mare. Le stelle e la mezzaluna fanno del cielo la finestra di un asilo.

«Non riesci a scorgere la meta, Timbo, sei un vecchio ronzino» protesta Larry, mentre i suoi occhi miopi scrutano oltre il parabrezza. È ancora un ragazzo, e visto in controluce sembra uno dei bambini di Peter Pan, ciglia lunghe e labbra piene. La sua aria coraggiosa, incurante, carica di nobili propositi, accattiva le simpatie dei suoi corteggiatori comunisti. Non capiscono (e come potrebbero?) che in un attimo la loro conquista più recente potrebbe ruotare di centottanta gradi, se non venisse appagato il suo eterno bisogno di azione; che Larry Pettifer lascerebbe precipitare il mondo nella catastrofe, pur di non stare fermo. «Hai sbagliato uomo, Timbo. Ci vuole un tipo meno bravo. Uno più stronzo.»

Su, mangia qualcosa, gli dico, offrendogli una fetta di pasticcio di maiale. Su, bevi un altro sorso di succo di limetta. Ecco il delitto che commetto ogni volta che comincia a cedere: a forza di chiacchiere riduco al silenzio la sua resistenza; sventolo la bandiera oscena del dovere. Faccio il mio numero da prefetto, come a scuola, quando Larry era il figlio ribelle di un parroco e io il re di Babilonia.

«Mi ascolti?»

«Ti ascolto.»

«Si chiama Servizio, ricordi? Stai ripulendo le fogne della politica. È il lavoro più sporco che una democrazia possa offrire. Se vuoi che lo faccia qualcun altro, noi tutti siamo pronti a capirti.»

Un lungo silenzio. Ubriaco, Larry non è mai stupido. A volte è molto più perspicace che da sobrio. E io l'ho blandito. Gli ho offerto la strada più ripida, più dura.

«Non pensi, Timbo, che democraticamente parlando noi staremmo forse meglio con le fogne sporche?» chiede, assumendo il ruolo del guardiano della nostra democrazia libertaria.

«No, penso di no. Ma se questa è la tua opinione, faresti meglio a dirlo subito e a tornartene a casa.»

Forse sto andando giù un po' pesante, ma con Larry sono ancora nella fase dell'avidità: è una mia creatura e devo possederla, indipendentemente dalle manovre che mi tocca fare perché rimanga mia. Sono passate soltanto poche settimane da quando, dopo un corteggiamento interminabile, l'attuale capo dell'Ambasciata sovietica a Londra, un tale che si fa chiamare Brod, lo ha reclutato come agente. Ogni volta che Larry è con lui mi preoccupo fino a sentirmi male. Non oso pensare quali opinioni sediziose stiano influenzando la sua imprevedibile e impressionabile personalità, riempiendo il vuoto della sua noia perenne. Quando lo mando in giro per il mondo, voglio che ritorni più mio di quando mi ha lasciato. Sembrerà forse una fantasia di possesso, ma è così che a noi giovani burattinai hanno insegnato a gestire i nostri agenti: pupilli, una seconda famiglia, uomini e donne che è compito nostro guidare, consigliare, servire, motivare, alimentare, completare e possedere.

Così Larry mi ascolta e io ascolto me stesso. E senza dubbio sono suadente e rassicurante che più di così non sarebbe possibile. Forse è per questo che Larry si addormenta per un po', e all'improvviso la sua testa sudata, da ragazzo prodigio, si allunga verso l'alto, come se si fosse appena svegliato.

«Ho un problema serio, Timbo» dichiara col tono coraggioso di chi si fida. «Molto serio. Serissimo.»

«Parla» dico generosamente.

Ma ho già la tremarella. Una donna, penso. L'ennesima donna. È incinta, si è tagliata le vene, se n'è andata da casa e suo marito sta cercando Larry armato di frusta. Una macchina, penso, l'ennesima macchina. L'ha sfasciata, l'ha rubata, l'ha parcheggiata ma non si ricorda più dove. Sono tutti problemi che si sono presentati almeno una volta, nella nostra breve esistenza operativa, e nei momenti di maggiore depressione ho cominciato a chiedermi se con Larry il gioco valga la candela, cosa che all'ultimo piano hanno continuato a domandarmi praticamente dall'inizio del nostro tentativo.

«È la mia innocenza» spiega.

«La tua che?»

Insiste, e con estrema precisione. «Il nostro problema, Timbo, è la mia miope, inguaribile e onnivora innocenza. Non posso lasciare in pace la vita. Ne sono innamorato. Cose vere e cose false. E amo tutti quanti, sempre. E più di ogni altro amo l'ultima persona con cui ho parlato.»

«E qual è il corollario?»

«Il corollario è che devi stare molto attento a ciò che mi chiedi. Perché io lo farò. Sei una vera canaglia, in quanto a eloquenza. Un tipo in gamba. Devi risparmiare, mi segui? Razionarti. Non prendermi tutto in ogni momento.»

A questo punto si volta, sollevando la faccia verso di me, e vedo scorrere come acqua piovana le sue lacrime alcoliche; eppure non sembrano influire sulla sua voce, calda come sempre: «Voglio dire che per te va benissimo, vendere l'anima. Non ce l'hai. Ma io?».

Ignoro il suo appello. «I russi stanno reclutando a sinistra, a destra e al centro» dico, con quel tono di assoluta ragionevolezza che odia più di ogni altra cosa. «Sono del tutto privi di scrupoli, e davvero bravi. Se la guerra fredda dovesse diventare calda ci fregherebbero come vogliono, a meno di non riuscire a batterli sul loro terreno.»

E la mia tattica funziona perché l'indomani, contrariamente a ciò che tutti tranne me si aspettano, Larry si presenta al secondo appuntamento col suo contatto e, per l'ennesima volta nel ruolo di protettore segreto dei giusti, fa tutto ciò che deve fare, come un angelo. Perché alla fine – tale era la convinzione del mio uomo allora molto più giovane – alla fine, se ben guidato, malgrado la sua miope innocenza, il figlio del parroco finisce invariabilmente per obbedire.

Il passaporto è nel primo cassetto della scrivania. Un autentico spaventa-stranieri britannico blu e oro, novantaquattro pagine a nome di Timothy d'Abell Cranmer, non accompagnato da figli, professione non indicata, scadrà fra sette anni, speriamo prima del suo portatore.

Vieni col passaporto, aveva detto Merriman.

Perché? Dove vuole che vada? O forse, nello spirito

del vecchio cameratismo, voleva dire: hai tempo fino alle tre di domani pomeriggio per cercarlo?

Mi ronzavano le orecchie. Udivo gemiti, poi singhiozzi, poi l'ululare del vento. Si stava addensando una tempesta. La collera di Dio. Ieri un'assurda nevicata autunnale e stanotte una vera e propria burrasca di mare che scuoteva le imposte, sibilava nelle grondaie e faceva scricchiolare la casa. In piedi davanti alla finestra dello studio, guardavo le gocce di pioggia che sferzavano il vetro. Scrutando nell'oscurità vedevo la faccia pallida di Larry che sogghignava rivolta verso di me, e la sua bella mano bianca che tamburellava sui vetri.

È la notte di Capodanno ma Emma, con il suo solito mal di schiena, non ha nessuna voglia di festeggiare. Ritiratasi nel suo appartamento regale, si è distesa sull'asse del letto. La nostra sistemazione notturna sconcerterebbe chiunque si aspettasse un normale nido d'amore. C'è la sua ala della casa e c'è la mia, e che dovesse essere così lo abbiamo stabilito concordi il giorno stesso in cui venne a vivere da me: ciascuno avrebbe avuto la sua sovranità, il suo territorio, il suo diritto alla solitudine. Questo mi chiese e io glielo concessi, senza mai credere del tutto che mi avrebbe vincolato a questa promessa. Invece lo ha fatto. Perfino quando le porto il tè, o un brodo, o qualsiasi altra cosa ritengo possa farle piacere, busso e rimango in attesa di sentirmi dire che posso entrare. E stasera, poiché è la notte di Capodanno, la prima che passiamo insieme, mi ha permesso di sdraiarmi accanto a lei sul pavimento, tenendole la mano mentre parliamo al soffitto e dallo stereo esce musica di liuto e il resto dell'Inghilterra sta facendo festa.

«È davvero il colmo» si lamenta mostrando un certo umorismo, non sufficiente però a nascondere la delusione. «Insomma, anche Larry sa quando è Natale. Avrebbe almeno potuto telefonare.»

Le spiego allora, e non è la prima volta, che odia il Natale; che da quando lo conosco a ogni ricorrenza del Natale ha sempre minacciato di convertirsi all'islamismo; e che invariabilmente a Natale intraprende qualche viaggio assurdo per sfuggire all'orrore della baldoria paracristiana degli inglesi. Evoco una ridicola immagine di Larry che arranca con un gruppo di beduini in un deserto inospitale. Ma ho la sensazione che quasi non mi ascolti.

«Al giorno d'oggi non c'è luogo al mondo da cui non si possa telefonare» dice in tutta serietà.

Fatto sta che Larry ormai è diventato per noi uno scacciapensieri, un genio errante. Nella nostra vita nulla o quasi accade senza un suo cenno di approvazione. Perfino la nostra *cuvée* più recente, che pure sarà bevibile soltanto fra un anno, l'abbiamo privatamente soprannominata Château Larry.

«Noi a lui telefoniamo abbastanza spesso» si lamenta. «Voglio dire, potrebbe almeno farci sapere che sta bene.»

In realtà è lei che gli telefona, anche se farglielo notare significherebbe violare la sua sovranità. Gli telefona per accertarsi che sia arrivato a casa sano e salvo; per chiedergli se oggi come oggi convenga davvero comprare uva sudafricana; per ricordargli che si è impegnato ad andare a cena col preside di facoltà, o che deve presentarsi sobrio e inappuntabile a una riunione in sala professori.

«Forse si sarà trovato una bella ragazza» suggerisco, sperandoci più di quanto lei possa immaginare.

«Ma allora perché non ce lo dice? Che la porti qui, se non può fare a meno della sua amichetta. Non saremo certo noi a biasimarlo, vero?»

«Tutt'altro.»

«È che non mi piace pensare che se ne rimanga solo.»

«A Natale.»

«E in qualsiasi altro momento. Ogni volta che esce

dalla porta, ho la sensazione che non tornerà mai più. Non so... è come se fosse in pericolo.»

«Potresti scoprire che è meno delicato di quanto tu creda» dico, ma anch'io parlo al soffitto.

Di recente ho notato che ci risulta più facile scambiare parola se non ci guardiamo negli occhi. Forse ci riusciamo soltanto così. «Ha raggiunto il massimo troppo presto, ecco il suo guaio. Brillante negli studi, è fallito al contatto con la realtà. Ce ne sono due o tre come lui, della mia generazione. Ma sono dei sopravvissuti. Più esattamente dei disorientati.»

Chiamatela copertura, chiamatela con un termine più spregevole: nel corso delle ultime settimane mi è capitato ripetutamente di recitare la parte del buon samaritano, quando in fondo all'anima sono in realtà il peggior samaritano sulla faccia della terra.

Ma stasera Dio ne ha avuto abbastanza della mia duplicità. Perché non appena ho finito di parlare odo, anziché il canto del gallo, qualcuno che bussa a una finestra del pianterreno. È un suono così preciso, così a tempo con il ritmo della musica dei liuti, che per un attimo mi domando se il tamburellio non sia nella mia testa, finché Emma libera la mano dalla mia come se l'avessi punta, si volta su un fianco e si mette a sedere. E anche lei come Larry non grida, parla. A lui. Quasi fosse Larry, e non io, a giacerle accanto. «Larry? Sei tu? Larry?»

E sotto di noi, dopo il tamburellare, ecco quella voce sommessa che sfida le leggi della gravità e i muri di pietra spessi un metro, capace di scovarti ovunque tu ti sia nascosto. Non che abbia udito Emma, naturalmente. Non è possibile. Non c'è ragione al mondo perché sappia dove siamo o anche soltanto se siamo in casa. Certo, da basso ci sono un paio di luci accese, ma le lascio sempre così per scoraggiare i ladri. E la Sunbeam è nel garage, sottochiave e invisibile.

«Ehi, Timbo. Emm. Tesori. Abbassate il ponte levatoio. Sono arrivato. Vi ricordate di Larry Pettifer, il grande educatore? Pettifer il petomane? Felice anno nuovo. Felice, felice che diavolo.»

Emm, la chiama. Lei non obietta. Comincio anzi a pensare che porti questo nome come un pegno.

E io? Non ho battute, io, in questo cabaret? Non è mio compito, mio dovere, farlo contento? Correre alla finestra della mia camera, aprire, sporgermi e gridargli: "Larry, sei tu, ce l'hai fatta! Sei solo? Senti, Emma ha il solito mal di schiena. Scendo subito!" mostrandomi tutto contento di dare il benvenuto al mio più vecchio amico, solo la notte di Capodanno? Timbo, la sua roccia, quella che come gli piace dire lo schiacciava? Precipitarmi giù, accendere le luci esterne e guardare dallo spioncino, mentre tolgo il catenaccio, la sua figura byroniana che dondola nel buio. Stringerlo a me, secondo la nostra nuova abitudine di abbracciarci, nel loden verde prediletto che chiama la sua pelliccia di talpa, anche se è bagnato fino alle ossa perché ha fatto quasi tutta la strada in macchina da Londra a qui, finché quella maledetta ha deciso di fare di testa propria e di rotolare in un fossato, obbligandolo a chiedere un passaggio a un branco di zitelle ubriache? La sua barba ispida stasera non è vecchia di un giorno ma di sei, e il suo colorito non è acceso soltanto dall'alcol; contiene una lucentezza, uno scintillio di luoghi lontani. Avevo ragione io, penso: ha fatto uno dei suoi viaggi eroici, e adesso comincerà a vantarsene.

«Mal di schiena?» sta dicendo. «Emm? Palle. Non può avere mal di schiena, non stasera, non Emm!»

Ha ragione.

Con l'arrivo di Larry, Emma è miracolosamente guarita. A mezzanotte è pronta a ricominciare la giornata, come se non avesse mai avuto mal di schiena in vita sua. Mentre mi aggiro nello spogliatoio dopo avere preparato il bagno per Larry, tirandogli fuori calzini puliti, pantaloni, camicia, pullover e un paio di pantofole con cui sostituire quegli orrendi scarponi di pelle scamosciata, la sento camminare avanti e indietro in camera, in preda a una gioiosa indecisione. I miei jeans di marca o la gonna lunga da casa che mi ha comprato Tim per il compleanno? La porta del guardaroba cigola, ha vinto la gonna. La camicetta bianca accollata o quella nera che mi lascia scoperta la schiena? La bianca accollata, a Tim non piaccio troppo provocante. E con la bianca accollata posso portare la collana a intarsi che Tim mi ha voluto a tutti i costi regalare per Natale.

Balliamo.

Ballare mi mette in imbarazzo, e Larry lo sa benissimo; lui invece, ovviamente, è un ballerino nato: ora un elegante colono britannico che esegue i passi del foxtrot, ora un cosacco scatenato o qualsiasi altra cosa pensi di essere; con le mani sui fianchi le gira attorno impettito in cerchi imperiosi, battendo le mie pantofole sul lucido pavimento di legno. Cantiamo anche, sebbene io non sappia cantare e in chiesa abbia imparato da un pezzo a formulare semplicemente le parole degli inni senza intonarle. Prima ci teniamo stretti tutti e tre ad ascoltare il pendolo che batte la mezzanotte. Poi ci prendiamo sottobraccio, un braccio di lei a testa, morbido e bianco, e cantiamo a squarciagola *Auld Lang Syne*. Larry imita i toni di un chierichetto di Winchester, gli intarsi luccicano e sobbalzano sulla gola di Emma. E benché i suoi sguardi e i suoi sorrisi siano per me, non ho bisogno di prendere lezioni alla scuola dell'amore per sapere che ogni curva e ogni incavo del suo corpo, dal punto più alto della chioma scura alla casta disposizione della gonna, è rivolta a lui. E quando alle tre e mezzo giunge per la seconda volta nella serata il momento di andare a letto e Larry, lasciatosi cadere in poltrona, ci guarda già annoiato a morte, e io in piedi dietro di lei le massaggio le spalle, so che sono le mani di lui e non le mie che sente sul suo corpo.

«E così sei andato a farti uno dei tuoi viaggi» gli dico il mattino dopo, trovandolo già in cucina a prepararsi un tè e un piatto di fagioli al forno con pane tostato. Non ha dormito. Nelle ore piccole l'ho sentito vagare nel mio studio, frugare fra i miei libri, aprire cassetti, stendersi, rialzarsi. Per tutta la notte ho dovuto sopportare il fetore rancido delle sue orribili sigarette russe: le Prima quando vuole sentirsi un intellettuale col berretto di panno; le Belomorkanal quando ha bisogno, così gli piace dire, di lenirsi con un po' di cancro ai polmoni.

«Sì, proprio così» ammette infine. Insolitamente reticente sulla sua assenza, aveva ravvivato in me la speranza che si fosse trovato una donna tutta per sé.

«Medio Oriente?» suggerisco.

«Non esattamente.»

«Asia?»

«Non esattamente. In piena Europa, di fatto. Baluardo della civiltà europea.»

Non so se stia cercando di mettermi a tacere o di fare in modo che insista con le domande, ma comunque sia non gli do la soddisfazione. Non sono più il suo guardiano. Gli agenti che vengono risistemati (ma quando mai Larry si era sistemato?) sono di responsabilità della Sezione Assistenza, a meno che non vengano date per iscritto altre disposizioni.

«Comunque sarà stato un posto carino e pagano» suggerisco, pronto a passare ad altri argomenti.

«Oh, carino e pagano lo era davvero. Se vuoi sperimentare un Natale autentico, prova le raffinatezze di Grozny in dicembre. Buio pesto, puzza di petrolio, cani ubriachi e ragazzi coperti d'oro con un kalashnikov in mano.»

Lo guardo. «Grozny in Russia?»

«Più esattamente in Cecenia. Caucaso del nord. Hanno proclamato l'indipendenza. Unilaterale. Mosca è un po' seccata.»

«Come ci sei arrivato?»

«Con l'autostop. In volo ad Ankara. In volo a Baku. Ho strisciato un po' lungo la costa. Voltato a sinistra. Una pacchia.»

«Che cosa ci sei andato a fare?»

«A trovare vecchi amici. Amici di amici.»

«Ceceni?»

«Un paio. E qualcuno dei loro vicini.»

«Lo hai detto al Servizio?»

«Ho pensato di lasciar perdere. Un viaggio natalizio. Belle montagne. Aria fresca. Cosa c'entrano loro? Emm ci mette lo zucchero, nel tè?»

Sta avviandosi verso la porta della cucina con una tazza di tè in mano.

«Dammela» dico deciso, e la prendo. «Devo salire comunque.»

Grozny, continuo a ripetermi. Secondo le ultime corrispondenze giornalistiche da quella regione, oggi Grozny è una delle città più inospitali della terra. Nemmeno Larry, avrei scommesso, rischierebbe di farsi massacrare da ceceni sanguinari per trovare un antidoto al Natale inglese. E allora sta mentendo? O cerca di scandalizzarmi? Che cosa intende per vecchi amici, amici di amici, vicini? Grozny e poi dove? Che il Servizio lo abbia di nuovo reclutato senza dirmelo? Mi rifiuto di lasciarmi coinvolgere. Mi comporto come se l'intera conversazione non fosse mai avvenuta. E così fa Larry, a parte il suo dannato sorriso e quel colorito acceso di terre remote.

«Emm ha accettato di farmi un po' da tirapiedi» dice Larry in un'assolata domenica sera, mentre bighelloniamo in terrazza al piano di sopra. «Mi aiuterà in qualcuna delle mie cause disperate. Ti va bene?»

Ormai non sono più soltanto pranzi domenicali. A volte stiamo talmente bene insieme, tutti e tre, che Larry si sente obbligato a fermarsi anche a cena. Nelle otto settimane da quando ha cominciato a venire a trovarci, il carattere delle visite è totalmente cambiato. Sparite le squallide storie sulla vita quotidiana dell'accademia. Eccoci invece alle prese con Larry *redux*, Larry il sognatore, il predicatore domenicale che ora si scatena contro la vergognosa inerzia dell'Occidente, e un attimo dopo traccia immagini dolciastre di guerre altruistiche condotte da forze delle Nazioni Unite autorizzate a indossare costumi da Batman e a impedire in un batter d'occhi tirannie, pestilenze e carestie. E poiché secondo me queste fantasie sono sciocchezze pericolose, mi tocca recitare il disgraziato ruolo dello scettico di famiglia.

«E chi dovrà salvare, Emma?» domando con eccessivo sarcasmo. «Gli arabi? Lo strato d'ozono? O le care vecchie balene?»

Larry ride e mi dà una pacca sulla spalla, mettendomi subito in guardia. «Tutti quanti, Timbo, accidenti a te. Esclusivamente per farti dispetto. E da sola.»

Ma mentre me ne sto lì con la sua mano sulla spalla a contraccambiare un sorriso troppo luminoso, a infastidirmi è qualcosa di più concreto del nomignolo che le ha dato. Vedo sulla superficie del suo sorriso la promessa di una rivalità maliziosa ma innocua. Ma tra le righe vi leggo l'annuncio di un'imminente resa dei conti. "Sei stato tu che mi hai messo in moto, Timbo, ricordi?" mi sta dicendo coi suoi occhi beffardi. "Il che non vuole dire che tu possa spegnermi."

Nonostante tutto mi tormenta un dubbio partorito dalla mia coscienza o, come direbbe Larry, dal mio senso di colpa. Sono amico di Larry, oltre che suo inventore. E come amico, so che le cosiddette cause disperate con le quali smuove l'aria fetida di Bath – Fermate l'orrore in Ruanda, Non lasciate che la Bosnia muoia dissanguata, Agite subito per le Molucche – sono il solo mezzo di cui disponga per riempire il vuoto lasciato dal Servizio quando lo hanno scaricato per continuare sulla loro strada.

«Be', spero che possa esserti d'aiuto» dico con generosità. «E se hai bisogno di altro spazio per l'ufficio, puoi sempre usare le scuderie.»

Ma la sua espressione, quando la colgo per la seconda volta, continua a non piacermi. E quando un paio di giorni dopo trovo un momento per scoprire esattamente in cosa l'abbia trascinata Larry, vado a sbattere addirittura contro un muro di segretezza.

«Sono progetti tipo quelli di Amnesty» dice Emma, senza alzare gli occhi dalla macchina da scrivere.

«Magnifico. E in cosa consiste, fare uscire di prigione i detenuti politici e cose simili?»

«Un po' di tutto.» Batte qualcosa.

«Un gran lavoro, insomma» osservo impacciato, perché è faticoso tenere in piedi una conversazione parlando dalla parte opposta del suo studio su nella mansarda.

Sono passate parecchie domeniche, ma tutte le domeniche sono diventate una sola. Sono il giorno di Larry, poi il giorno di Larry e Emma, poi un inferno che, nonostante tutte le varianti, è di una monotonia soffocante. Più esattamente è l'alba di un lunedì mattina, e sopra le Mendip sta spuntando il giorno. Larry ci ha lasciati almeno mezz'ora fa, ma il frastuono della sua macchina orribile che sferraglia e scoreggia scendendo il viale d'accesso mi risuona ancora nelle orecchie, e il suo «Dormite bene, tesori» è un ordine modulato con dolcezza al quale la mia testa si rifiuta ostinatamente di obbedire; e anche quella di Emma, a quanto pare, dal momento che sta in piedi alla finestra della mia camera come una sentinella nuda, a osservare le masse di nuvole nere che si spezzano per tornare a raggrupparsi nel fuoco dell'alba. Mai in vita mia ho visto qualcosa di più bello o di più irraggiungibile di Emma nuda quando, con i capelli lunghi sciolti sulla schiena, contempla il sorgere del sole.

«È esattamente ciò che voglio» dice in quel tono chiacchierino e troppo entusiasta che comincia a insospettirmi. «Voglio essere fatta a pezzi e rimessa assieme.»

«È per questo che sei venuta qui, tesoro» le ricordo.

Ma adesso non le piace più che condivida i suoi sogni.

«Cosa c'è tra voi due?» dice.

«Noi due chi?»

Ignora la domanda. Sa bene, così come lo so io, che nella nostra vita c'è soltanto un altro partner.

«Che specie di amici eravate?» domanda.

«Non eravamo amichetti, se è a questo che stai pensando.»

«Forse avreste dovuto esserlo.»

A volte la sua tolleranza mi irrita. «Perché?»

«Ti saresti liberato di un peso. Quasi tutti gli inglesi di mia conoscenza che abbiano frequentato una scuola privata, da ragazzi hanno avuto storie d'amore con altri ragazzi. Non hai avuto neanche una cotta, per lui?»

«Temo di no. No.»

«Forse ce l'aveva lui per te. Il suo fulgido cavaliere. Il suo modello.»

«Stai facendo del sarcasmo?»

«Dice che hai avuto grande influenza su di lui. Che eri il suo punto di riferimento. Anche dopo la scuola.»

Chiamatelo mestiere, o se preferite frenesia da innamorato: sono freddo come il ghiaccio. Operativo, freddo. Che Larry abbia violato la legge dell'omertà, che dopo venti anni davanti all'albero segreto abbia fatto una confessione del tipo "Gesù salvami!" alla mia ragazza? Valendosi forse delle medesime frasi speciose che una volta gettava in faccia al suo paziente supervisore? Cranmer ha snaturato l'umanità che era in me, Emma, Cranmer mi ha sedotto, ha sfruttato la mia innocente miopia, ha fatto di me un bugiardo, un simulatore.

«Cos'altro ti ha detto?» domando con un sorriso.

«Perché? C'è dell'altro?» È ancora nuda ma adesso la nudità non le piace più, prima di ricominciare la veglia prende uno scialle per coprirsi.

«Mi chiedevo soltanto quale forma abbia presumibilmente preso la mia cattiva influenza.»

«Non ha detto cattiva. Sei stato tu.» Adesso è lei che si sforza di ridere. «Mi sento come intrappolata tra voi due. Probabilmente siete stati in prigione insieme. Il che spiegherebbe perché il Tesoro vi abbia buttati fuori a quarantasette anni.»

Devo credere per amor suo che la frase vada intesa come battuta; un modo di evitare un tema che minaccia di sfuggirle di mano. Con ogni probabilità si aspetta che io rida. Ma all'improvviso l'abisso fra di noi diventa invalicabile, abbiamo paura tutti e due. Non siamo mai stati così lontani, né ci siamo mai fermati così consapevolmente davanti all'indicibile.

«Ci vai, domani, alla sua conferenza?» domanda, in un tentativo maldestro di cambiare discorso.

«Quale conferenza? Pensavo che una conferenza ogni domenica fosse sufficiente.»

So benissimo quale conferenza. Si intitola "La vittoria sprecata: la politica estera occidentale dopo il 1988" ed è un'ennesima diatriba di Pettifer contro il fallimento morale della politica estera occidentale.

«Larry ci ha invitati alla conferenza che deve tenere domani all'università» risponde, facendomi capire dal tono di voce che sta esercitando una pazienza sovrannaturale. «Ci ha lasciato due biglietti, e dopo vuole portarci a mangiare un curry.»

Mi sento troppo minacciato, troppo all'erta, troppo in collera per mostrarmi condiscendente. «Grazie, Emma, ma in questi giorni non penso di avere molta voglia di curry. In quanto al tuo sentirti intrappolata fra noi due...»

«Sì?»

Mi fermo appena in tempo. A differenza di Larry, detesto i grandi discorsi; la vita mi ha insegnato a passare sotto silenzio le cose pericolose. A che servirebbe dirle che non si tratta di Emma intrappolata fra Larry e me, ma di Cranmer intrappolato fra le sue due creature? Vorrei gridarle che se cerca esempi di violenza morale, non ha che da guardare come Larry la sta manipolando; la sua maniera spietata di plasmarla e di sedurla con appelli, prima settimanali e ora quotidiani, alla sua coscienza invariabilmente accessibile; la spudoratezza con cui l'ha reclutata in veste di collaboratrice e cameriera personale, utilizzando come pretesto le cosiddette cause disperate che continua ad abbracciare; e gridarle anche, se il suo nemico è l'inganno, che lo cerchi nel suo nuovo amico.

Ma non dico nulla. A differenza di Larry, non sono uno che cerca lo scontro. Non ancora.

«Voglio soltanto che tu sia libera» dico. «Non voglio che nessuno ti metta in trappola.»

Eppure un grido impotente mi ronza in testa come una sega a nastro: ti sta adoperando! Ecco cosa fa! Perché non riesci a vedere più in là del tuo naso? Ti solleverà sempre più in alto, e quando sarà stanco di te ti lascerà da sola lassù, sul bordo del precipizio. Larry è tutto ciò da cui volevi fuggire, e a metterlo insieme sono stato io.

Sono i miei anni bui. È il resto della mia vita, prima che arrivasse Emma. Sto ascoltando Larry che, atteggiato come non mai, si vanta con me delle sue conquiste. Sono passati diciassette anni da quel fervorino di Cranmer a un giovane agente in lacrime sulla collina di Brighton. Oggi Larry è considerato il miglior fucile nell'arsenale di agenti in dotazione al Servizio. Dove siamo? A Parigi? A Stoccolma? In uno dei nostri pub londinesi, che non è mai lo stesso per due volte di fila? Siamo nell'appartamento sicuro di Tottenham Court road, prima che lo abbattessero per fare posto a un ennesimo complesso di anonime modernità; guardo Larry che cammina avanti e indietro, bevendo scotch con quel suo cipiglio da grande direttore d'orchestra.

La cintura gli sventola a mezz'asta sui fianchi snelli. La cenere della pestilenziale sigaretta gli sta cadendo sul panciotto nero sbottonato, recentemente eletto a marchio della sua figura. Le dita sottili, puntate in alto, mungono l'aria al ritmo di osservazioni che ritiene sagge. Il famoso ciuffo Pettifer, ora striato di grigio, continua a penzolargli sulla fronte come una rivolta a venire. Domani riparte per la Russia, ufficialmente per un seminario accademico di un mese all'Università di Stato di Mosca, in realtà per il turno annuale di ricreazione nelle mani dell'agente del Kgb che lo sta controllando ultimamente, l'improbabile vice addetto culturale Konstantin Abramovic Ceceev.

C'è qualcosa di maestoso e insieme di anacronistico, nell'accoglienza che Mosca riserva a Larry di questi tempi: un trattamento da vip all'aeroporto Seremetjevo, una Zil con i finestrini oscurati che lo porta velocemente al suo appartamento, i tavoli migliori, i biglietti migliori, le ragazze migliori. E sullo sfondo Ceceev, venuto apposta in aereo da Londra per recitare la parte del maggiordomo. Passate dietro lo specchio, e potreste immaginare che stiano rendendo gli ultimi onori a un vecchio agente del Servizio segreto britannico.

«La fedeltà alle donne è una stupidaggine assoluta» afferma Larry, tirando fuori la lingua impastata ed esaminandone il riflesso. «Come posso essere responsabile dei sentimenti di una donna quando non lo sono dei miei?» Si lascia cadere su una poltrona. Perché anche i suoi movimenti più goffi possiedono una tale disinvoltura? «Con le donne, il solo modo di scoprire cosa sia sufficiente è esagerare» dichiara, praticamente per dirmi di annotare questa frase a beneficio dei posteri.

In momenti del genere cerco di vedere Larry con neutralità. Il mio compito è rendergli la vita gradevole, adattarmi ai suoi umori, alimentare il suo coraggio, ignorare i suoi insulti e arrivare ogni volta con un gran sorriso.

«Tim?»

«Sì, Emma.»

«Ho bisogno di sapere.»

«Tutto quello che vuoi» le dico in tono cordiale, e chiudo il libro. Uno dei suoi romanzi di donne: andare avanti è una fatica.

Siamo nella sala della colazione, una specie di pepaiola circolare che lo zio Bob ha appiccicato all'angolo sud-est della casa. Nel sole del mattino è piacevole sedersi lì. Emma è in piedi sulla soglia. Da quando è andata da sola alla conferenza di Larry, non l'ho vista quasi mai.

«È una bugia, vero?» dice.

Trascinandola delicatamente nella stanza, chiudo la porta per evitare che la signora Benbow possa sentirci. «Che cosa è una bugia?»

«Tu. Tu non esisti. Mi hai fatto andare a letto con uno che non c'era.»

«Vuoi dire Larry?»

«Voglio dire te! Non Larry. Te! Che cosa ti fa credere che io sia andata a letto con Larry? Te!»

Il fatto che ci sei andata, penso. Ma ecco che per nascondere il viso mi sta abbracciando. Abbassando lo sguardo vedo la mia mano destra che, agendo di propria iniziativa, le accarezza la schiena nel tentativo di confortarla in quanto ho frainteso ciò che ha detto. E mi viene in mente che, quando non c'è più nulla di utile da fare in tutto il creato, accarezzare la schiena a qualcuno è un modo come un altro di passare il tempo. Ansima e singhiozza contro di me, pronunciando i nomi di Larry e di Tim e accusando me per non accusare se stessa, anche se molto di ciò che dice si perde per fortuna sullo sparato della mia camicia. Colgo la parola facciata, o forse sciarada. E la parola finzione, ma potrebbe essere frizione.

Nel frattempo continuo a domandarmi a chi vada in definitiva attribuita la colpa di questa e altre scene del genere. Perché nel mondo dove siamo diventati adulti Larry e io sarebbe un errore immaginare che, per il semplice fatto che la mano destra offra consolazione, la sinistra non stia contemplando una sua azione segreta.

E non riesce ancora a lasciarmi. A volte, in piena notte, scivola in camera mia come una ladra e fa l'amore con me senza dire una parola. Poi si allontana in punta di piedi, lasciandomi le sue lacrime sul guanciale, prima che la luce del giorno la sorprenda. Trascorre una settimana e tra noi passa poco più che qualche vago cenno di saluto, ognuno se ne sta nel suo spazio. L'unico suono che proviene dall'ala della casa occupata da lei è il ticchettio della macchina da scrivere: Caro amico, Caro sostenitore, Caro Dio, portami via di qui; ma come? Telefona ma non so a chi, sebbene me lo immagini. Ogni tanto è Larry che chiama, e se rispondo io sono tutto un miele e lui pure, come si addice a due spie avversarie.

«Ehi, Timbo, come vanno le cose?»

C'è una sola cosa che mi venga in mente, e me l'ha combinata lui. Ma che importa, dal momento che siamo tanto amici?

«Benissimo, grazie. Proprio bene. È per te, tesoro. Dalla Centrale controllo missioni» dico, passandole la chiamata.

L'indomani chiedo alla centrale di staccarmi il telefono, ma lei non si decide né a fuggire né a rimanere.

«Per pura informazione, come farò a sapere quando mi avrai lasciato?» le domando una sera, mentre ci incontriamo come fantasmi sul pianerottolo fra le due ali della casa.

«Mi sarò portata via lo sgabello del piano» risponde. Allude allo sgabello pieghevole con schienale che si è portata appresso il giorno in cui è venuta a vivere con me. Glielo ha fatto un osteopata svedese amico suo; quanto amico posso soltanto immaginarlo.

«E ti restituirò i gioielli» aggiunge. Scorgo sul suo viso un lampo di rabbia e di panico, come se si stesse maledicendo per avere detto qualcosa di sbagliato. Allude alla prospera collezione di costosi gingilli che le ho comprato dal signor Appleby di Wells, così da colmare certi vuoti del nostro rapporto che non sono colmabili.

L'indomani, domenica, è mia doverosa abitudine andare in chiesa. Quando torno, il tappeto davanti al Bechstein reca i segni dello sgabello scomparso. Ma i gioielli non li ha lasciati. E tale è la follia degli amanti ingannati che la loro assenza in me lascia come una vana speranza; insufficiente, tuttavia, a indebolire la determinazione della mia mano sinistra.

Ero a letto vestito, la lampada da comodino accesa. Ero sdraiato dalla mia parte: i miei cuscini, la mia metà. Cercala, sussurrava il mio Tentatore. Ma prevalse la ragionevolezza e, invece di alzare il ricevitore, allungai il braccio e staccai la spina dal muro, evitandomi così l'umiliazione di passare ancora una volta da una voce indifferente a un'altra.

«Emma non è qui, Tim, mi spiace... Ti conviene provare con Lucy... Aspetta un momento, Tim, Lucy sta suonando a Parigi, prova Sarah... Ehi, Deb, sono Tim, qual è il nuovo numero di Sarah?» Ma Sarah, ammesso che si riesca a trovarla, non sa neppure lei dove possa essere Emma. «Forse da John-e-Gerry, Tim, però aspetta, sono andati a una festa. Oppure prova con Pat, lei lo saprà di certo.» Ma il telefono di Pat emette soltanto un gemito acuto, forse è andata alla festa anche lei.

Il campanile del villaggio batté le sei. Ma con l'occhio della mente vedevo le facce dei due poliziotti fluttuare nella lente dello spioncino. E dietro di loro la faccia di Larry, annegato, gonfio come loro, che sotto la luce della luna mi guardava dall'acqua di Priddy Pool.

3

Mentre una violenta pioggia pomeridiana tirava tendine sporche da una riva all'altra del Tamigi, rannicchiato sotto l'ombrello lungo la sponda meridionale dell'Embankment contemplavo la nuova sede di quello che in passato era stato il mio Servizio. Avevo preso il secondo treno della mattina e pranzato al circolo a un tavolino da uno, preparato a bella posta vicino al montavivande, per mettere a disagio i soci che venivano dalla provincia. Poi mi ero comprato un paio di camicie in Jermyn street, e una l'avevo già indosso. Ma niente poteva consolarmi della visione di quell'orribile edificio che si levava davanti ai miei occhi. Larry, pensai, se l'università di Bath è la Lubjanka, questo cos'è?

Mi aveva divertito, combattere il bolscevismo mondiale da Berkeley square. Sedere alla scrivania seguendo la marcia inarrestabile della grande rivoluzione proletaria e camminare la sera lungo i marciapiedi dorati della capitalistica Mayfair con le profumate signore della notte, gli alberghi scintillanti e le fruscianti Rolls-Royce: quel contrasto non mancava mai di aggiungere elasticità ai miei passi. Ma questo... questo tetro casermone a più piani, piantato in un traffico assordante fra caffè aperti tutta la notte e scalcinati negozi di vestiti, chi mai pensava di spaventare o di proteggere col suo cipiglio?

Tenendo stretto l'ombrello, mi accinsi ad attraversare la strada. Le prime luci spettrali erano già apparse dietro le tendine ricamate alle finestre: lampadari cromati e lampade da tavolo in svendita per i piani superiori, neon per quelli più bassi. Un corridoio riparato dal vento conduceva alla porta principale. Giovani arcigni in divisa da autista presidiavano una provvisoria reception in compensato. Cranmer, dissi, porgendo l'ombrello e la busta con dentro l'elegante scatola del camiciaio: sono atteso. Ma per essere accettato dai metal detector dovetti tirare fuori chiavi e monete dalle tasche.

«Tim! Favoloso! Quant'è che non ci vediamo! Come te la passi? Piuttosto bene, amico, a giudicare da quel che vedo, maledettamente bene! Ehi, senti, ti sei ricordato del passaporto?»

Tutto questo mentre Andreas Munslow mi stringeva vigorosamente la mano, mi dava una pacca sulla spalla, sottraeva un foglietto rosa dalle mani del portiere, lo firmava e glielo restituiva.

«Salve, Andy» dissi.

Munslow aveva lavorato come tirocinante nella mia sezione finché non lo avevo fatto trasferire altrove in quattro e quattr'otto. Tornerei a licenziarti domani, dissi allegramente in cuor mio mentre percorrevamo il corridoio, come due vecchi amici finalmente ritrovatisi.

Sulla porta c'era scritto H/IS. Niente sigle del genere in Berkeley square. L'arredamento dell'anticamera era in palissandro finto. In Berkeley square, invece, avevamo una predilezione per il chintz. Un cartello diceva: PREMERE IL CAMPANELLO E ASPETTARE IL VERDE. Munslow consultò il suo orologio da subacqueo e mormorò: «Un po' presto». Ci sedemmo senza premere il campanello.

«Ero convinto che Merriman sarebbe arrivato in qualche modo all'ultimo piano» dissi.

«Sì be', vedi, Jake ha pensato di lasciarti prima a quelli che si occupano di queste cose, Tim. Lo vedrai più tardi.»

«Quali cose?»

«Be', lo sai. Il mondo post-sovietico. La nuova era.»

Mi domandai cosa c'entrasse la nuova era con la scomparsa di un ex agente.

«E allora che cosa significa quella sigla, IS? Sezione Inquisitori? Scacciata Imminente?»

«Ti conviene chiederlo a Marjorie, Tim.»

«Marjorie?»

«Non sono versato in tutto, capisci?» Fece finta di animarsi. «Ehi, che piacere vederti. Magnifico. Non sei invecchiato neppure di un giorno.»

«Neanche tu, Andy. Non sei per niente cambiato.»

«Se potessi darmi quel passaporto, Tim.»

Glielo consegnai. Passò un po' di tempo.

«E allora, come vanno le cose nel Servizio?» domandai.

«L'impressione generale è buona, Tim. Un posto splendido. Eccitante.»

«Mi fa piacere.»

«Tu invece fai vino, Tim. Dico bene?»

«Pigio un po' di uva.»

«Grande. Favoloso. Dicono che il vino britannico stia facendo grandi progressi.»

«Davvero? Che gentili. Purtroppo un vino del genere non esiste. C'è il vino inglese. C'è il vino gallese. Il mio è uno scadente vino inglese, ma ci stiamo dando da fare per migliorarlo.»

Mi ricordai che aveva una pelle da rinoceronte; e infatti rimase impassibile.

«Ehi, come sta Diana? La regina degli esaminatori, la chiamavano ai vecchi tempi. E ancora adesso. È un bel complimento.»

«Grazie, Andy. Spero che stia bene. Ma siamo divorziati da sette anni.»

«Oh, Cristo. Mi spiace.»

«A me no. E neanche a Diana.»

Premette il campanello e tornò a sedersi in attesa del verde.

«Ehi, di' un po', come va la schiena?» chiese con un altro guizzo d'immaginazione.

«Mi fa piacere che te ne sia ricordato, Andy. Neanche il più piccolo disturbo, da quando ho lasciato il Servizio. Sono fiero di poterlo dire.»

Era una balla, ma Munslow era di quegli uomini con i quali non senti di volere condividere la verità; per questo non l'avevo voluto nella mia sezione.

Pew, disse. Significa banco di chiesa. Marjorie Pew.

La stretta di mano era salda e lo sguardo franco, tra il verde e il grigio, un tantino visionario. Si era messa cipria chiara del tipo traslucido. Indossava un abito blu marina dalle spalle larghe, e una cravattona bianca tipica secondo me delle avvocatesse, attorno alla quale era appesa una catena d'oro che immaginai fosse appartenuta al padre. Aveva un fisico giovanile e un portamento molto inglese. Chinandosi per tendermi la mano sollevò lateralmente il gomito, facendomi pensare a una ragazza di campagna, a una scuola privata. Aveva capelli castani tagliati corti.

«Tim» disse. «Tutti ti chiamano Tim, e quindi lo farò anch'io. Io sono Marjorie con la i-e. Nessuno mi chiama Marge.»

Di sicuro non ci provano due volte, pensai, e intanto mi sedetti.

Niente anelli alle dita, notai. Né foto incorniciate di un maritino che gioca con le orecchie di uno spaniel. O di ragazzini dai denti radi in campeggio in Toscana. Preferivo un tè o un caffè? Caffè, Marjorie, grazie. Alzò il ricevitore per ordinare. C'era abituata, a dare ordini. Niente fogli, penne, ninnoli o registratori. O comunque niente di visibile.

«Vogliamo cominciare dall'inizio?» suggerì.

«Perché no?» risposi con uguale affabilità.

Mi ascoltò come Emma ascolta la musica, restando immobile, sorridendo ogni tanto e ogni tanto accigliandosi, ma non quando me l'aspettavo. Aveva l'assennato atteggiamento di superiorità di una psichiatra. Non prese appunti e per farmi la prima domanda aspettò che avessi finito. Parlavo spedito. Una parte di me aveva continuato a provare questo monologo per tutto il giorno e probabilmente per tutta la notte. Neppure l'arrivo di un collega della cui esistenza mi ero quasi dimenticato mi fece perdere la concentrazione. Una porta, non quella da cui ero entrato io, si aprì; un uomo ben vestito posò in mezzo a noi un vassoio con i caffè e strizzandomi l'occhio disse che Jake sarebbe venuto fra un momento. Con un sussulto di gioia riconobbi Barney Waldon, il re della squadra di collegamento con la polizia. Se stavi organizzando un furto con scasso, se progettavi un piccolo rapimento o se tua figlia si era fatta sorprendere, imbottita di droga fino al collo, a correre all'impazzata lungo la M25 alle tre del mattino con la sua Mini truccata, era Barney a fare in modo che la forza della legge fosse dalla tua parte. La sua presenza mi fece sentire più al sicuro.

Con aria compassata, Marjorie aveva appoggiato il mento sulle mani. Mentre parlavo, mi osservava con uno sguardo da santarellina che mi mise subito in guardia. Evitai di nominare Emma, diedi scarsa importanza al mio nuovo numero di telefono (vaghi accenni a errori della centralina elettronica che rendevano la vita un vero inferno) e confessai di avere accolto con un certo sollievo la possibilità di una temporanea sospensione delle conversazioni notturne con Larry ubriaco. Tentai anche una lamentevole battuta di spirito, dicendo pressappoco che chi si addossa il peso dell'amicizia di Larry diventa immediatamente un esperto nell'arte di proteggersi. Riuscii a strapparle un sorriso annacquato. Forse avrei dovuto essere più franco con la polizia, dissi, ma ci tenevo a non apparire troppo legato a Larry per evitare che ne traessero conclusioni sbagliate... o giuste.

Poi mi appoggiai rilassato allo schienale della sedia, per dimostrarle che avevo detto tutta la verità e niente altro che la verità. Scambiai con Barney un'occhiata di simpatia.

«Brutta storia» disse.

«Insolita» ammisi. «Ma tipica di Larry.»

«Puoi dirlo forte.»

Poi entrambi guardammo Marjorie con la i-e. Non aveva detto nulla. Stava fissando un punto della scrivania come se vi avesse trovato qualcosa da leggere. Ma non c'era scritto nulla. Dietro di lei notai due porte, una per parte. Mi venne in mente che questa non fosse la sua stanza ma un'anticamera, e che la vita vera si svolgesse altrove. Avevo anche la sensazione che qualcuno ci stesse ascoltando. Ma nel Servizio questa è una sensazione costante.

«Scusa, Tim. Non ti è venuto in mente di dire alla polizia di ripassare più tardi, e di telefonarci immediatamente? Invece di aprire loro la porta?» domandò senza smettere di studiare la scrivania.

«Potevo scegliere... come in tutte le situazioni operative» spiegai, forse con un pizzico di condiscendenza. «Mandarli via e telefonare a voi, col risultato di fare scattare i loro allarmi. Oppure sdrammatizzare, comportandomi normalmente. Una normale indagine di polizia su un normale amico scomparso. E questa è la scelta che ho fatto.»

Le fece piacere, ascoltare il mio ragionamento. «E poi probabilmente era davvero tutto normale, no? E forse lo è ancora. Come dicevi, Larry non ha fatto altro che sparire.»

«Be', c'era il riferimento a Ceceev» le ricordai. «La descrizione del visitatore straniero di Larry, fatta dalla padrona di casa, calzava a pennello.»

Nel sentire nominare CC, i suoi occhi grigioverdi si levarono gelidi su di me.

«Davvero?» domandò, più a se stessa che a me. «Parlami di lui.»

«Di Ceceev?»

«Non è georgiano o qualcosa del genere?»

Oh, Larry, pensai, dovresti essere qui con noi.

«No, mi spiace, proprio il contrario. Veniva dal Caucaso settentrionale.»

«Quindi era ceceno» disse, con quello strano dogmatismo che cominciavo ad aspettarmi da lei.

«Be' quasi, ma non proprio» replicai con gentilezza, anche se mi stava venendo voglia di invitarla a consultare una carta. «È un inguscio. Dell'Inguscezia. Vicina alla Cecenia ma più piccola. La Cecenia è da una parte. L'Ossezia settentrionale dall'altra. L'Inguscezia è in mezzo.»

«Capisco» disse lei, con lo stesso sguardo vacuo.

«Nel contesto del Kgb Ceceev era un caso unico. Di regola, i russi reclutati tra le vecchie minoranze musulmane non arrivano al settore esteri del Kgb. E in ogni caso non fanno molta strada. Ci sono leggi speciali per controllarli, li chiamano culi neri e li tengono nelle province. CC era un'eccezione.»

«Capisco.»

«CC è il nome che gli aveva dato Larry.»

«Capisco.»

Avrei voluto che la smettesse di ripetere quella parola, visto che non stava evidentemente capendo nulla.

«Culo nero suona molto peggio in russo che in inglese. Una volta si applicava soltanto ai musulmani dell'Asia centrale. Ma con la ventata di apertura al nuovo il significato si è allargato fino a includere anche i caucasiani settentrionali.»

«Capisco.»

«Era una figura eroica, almeno secondo Larry. Affascinante, colto, vigoroso, un vero *gorets*, e a modo suo anche spiritoso. Dopo tutta la gentucola che Larry aveva dovuto sopportare per sedici anni, CC fu come una boccata d'aria fresca.»

«*Gorets?*»

«Montanaro. Plurale *gortsy*. Era anche un buon supervisore.»

«Davvero?» Si guardò le mani.

«A Larry piace idealizzare la gente» spiegai. «È un aspetto della sua eterna immaturità. E quando lo mollano, gli sembra di non dirne mai abbastanza male. Con CC però non è mai successo.»

Le avevo fatto tornare in mente qualcosa.

«Ma Larry non aveva una idea tutta sua, in riferimento al Caucaso?» domandò con aria di disapprovazione. «Mi sembra di ricordare che ci toccò fare intervenire il ministero degli Esteri, perché lo ascoltassero.»

«Negli ultimi giorni della potenza sovietica pensava che dovessimo interessarci di più a questa regione.»

«Interessarci in che senso?»

«Considerava il Caucaso settentrionale la polveriera del futuro. Il nuovo Afghanistan. Una fila di Bosnie in attesa di esplodere. A sentire lui, non bisognava lasciare la regione in balia dei russi. Non tollerava le loro interferenze. Dividere e regnare. Né tollerava che la demonizzazione dell'Islam avesse sostituito la crociata anticomunista.»

«E fare?»

«Prego?»

«Fare. Secondo Pettifer cosa avremmo dovuto fare, noi occidentali, per espiare i nostri peccati?»

Alzai le spalle, forse un po' sgarbatamente. «Smetterla di schierarci con i vecchi dinosauri russi... insistere sul dovuto rispetto per le nazioni minori... rinunciare al nostro amore per i grandi raggruppamenti politici e pensare un po' di più alle minoranze locali...» Stavo citando Larry parola per parola, le prediche domenicali di Pettifer. E come lui, avrei potuto continuare per tutta la giornata. «Preoccuparci dei particolari. Di quell'umanità che è il motivo principale per cui abbiamo combattuto la guerra fredda.»

«Abbiamo?»

«Lui sì.»

«E in questo subiva ovviamente l'influenza di Ceceev.»

«Ovviamente.»

In tutto questo tempo quasi non mi aveva tolto gli occhi di dosso. Occhi che adesso lampeggiarono accusatori. «E tu condividevi questa opinione? Tu, personalmente?»

«L'opinione di CC?»

«Questa concezione del nostro dovere di occidentali.»

No che non la condividevo, accidenti, pensai. Era il Larry dei momenti peggiori, pronto a scatenare una tempesta perché si annoiava. Ma non lo dissi. «Ero un professionista, Marjorie. Non avevo tempo di condividere opinioni né di respingerle. Credevo in tutto ciò che era necessario per il lavoro che dovevo fare.»

Ma mentre continuava a guardarmi, avevo la sensazione che stesse attenta non tanto alle mie parole quanto alle cose che non avevo detto.

«Comunque è stato ascoltato» disse, come se questo ci assolvesse da ogni colpa.

«Oh, certo che è stato ascoltato. L'hanno ascoltato i nostri analisti. L'ha ascoltato l'esperto di Russia meridionale al ministero degli Esteri. Ma non ha avuto successo.»

«Perché?»

«Gli hanno detto che in quella regione la Gran Bretagna non aveva interessi. Più o meno quello che gli avevamo detto anche noi, ma quando se lo sentì dire direttamente dalla fonte perse le staffe. Citò loro un proverbio mingreliano: "Che te ne fai della luce se sei cieco?"».

«Sapevi che Ceceev è andato in pensione due anni fa con tutti gli onori?»

«Naturalmente.»

«Perché naturalmente?»

«È successo nel periodo in cui ci stavamo liberando di Larry. Il ritiro di CC fu uno dei fattori che contribuirono alla decisione, presa su all'ultimo piano, di chiudere l'operazione Pettifer.»

«E a Ceceev offrirono un'altra posizione?»

«A sentire lui, no. Si era dimesso.»

«Per andare dove? A sentire lui.»

«A casa. Voleva tornare sulle sue montagne. Era stanco di fare l'intellettuale, voleva ritrovare le sue radici tribali.»

«O così diceva.»

«Così raccontò a Larry, il che è leggermente diverso.»

«Perché?»

«Gli piaceva credere che tra loro ci fosse un rapporto di fiducia. CC non gli aveva mai mentito. O almeno così diceva, e Larry gli credeva.»

«E tu?»

«Vuoi sapere se ho mai mentito a Larry?»

«Se credevi a Ceceev.»

«Non l'abbiamo mai colto in fallo.»

Marjorie Pew appoggiò pollice e indice della mano destra sul naso, come per regolarne la posizione.

«Ma naturalmente Ceceev non era il capo del loro ufficio qui a Londra, dico bene?» disse, pilotandomi come se stessi testimoniando davanti a una giuria.

Mi domandai, e non per la prima volta, fino a che punto sapesse e fino a che punto facesse assegnamento sulle mie risposte. Decisi che la sua tattica consisteva nel mescolare ignoranza e astuzia; mi metteva alla prova in cose che già sapeva, nascondendo quelle che ignorava.

«No, non era lui. Il capo era un certo Zorin. Un culo nero non sarebbe mai potuto diventare il numero uno in una sede importante del mondo occidentale. Neanche CC.»

«Avevi per caso rapporti con Zorin?»

«Lo sai benissimo.»

«Racconta.»

«Avvenivano sotto il controllo diretto di quelli dell'ultimo piano. Ci incontravamo circa ogni due mesi in una casa sicura.»

«Quale?»

«A Trafalgar. Shepherd Market.»

«Per quanto tempo?»

«Credo che in tutto saranno stati una dozzina di incontri. Tutti registrati, naturalmente.»

«Ci sono stati anche incontri non registrati?»

«No, e per precauzione lui si portava anche il suo, di registratore.»

«E lo scopo di quei colloqui?»

Le fornii l'elenco completo, esattamente come risultava dalle istruzioni che mi avevano dato: «Scambi informali fra i nostri Servizi su questioni di potenziale interesse reciproco, da condurre nel nuovo clima di cooperazione».

«Precisamente?»

«Problemi comuni. Traffico di droga. Commercianti d'armi indipendenti. Estremisti che lanciavano bombe. Grandi truffe internazionali che toccavano gli interessi russi. All'inizio cercavamo di agire in sordina, senza dirlo agli americani. Quando me ne andai, la collaborazione era praticamente ufficiale.»

«Avevi stabilito un legame con lui?»

«Con Zorin? Naturalmente. Era il mio lavoro.»

«Un legame duraturo?»

«Vuoi sapere se siamo ancora innamorati? Se avessi avuto altri rapporti con Zorin, ne avrei informato il Servizio.»

«Quando vi siete incontrati per l'ultima volta?»

«Poco prima che lasciasse Londra. Mi disse che a

Mosca lo aspettava un noioso lavoro d'ufficio. Non gli credetti. Né se lo aspettava. Dopo un ultimo bicchiere mi regalò la sua fiaschetta del Kgb. Nei fui debitamente commosso. Probabilmente ne aveva una ventina.»

Non le piacque, che mi fossi debitamente commosso. «Hai mai parlato con lui di Ceceev?»

Avevo ormai rinunciato a mostrarmi scandalizzato. «No di certo. CC ufficialmente era un addetto culturale, protetto da un'impenetrabile copertura, mentre Zorin ci era stato presentato come il diplomatico responsabile dei Servizi. Fare capire a Zorin che avevamo smascherato Ceceev era l'ultima cosa che volevo. Avrei rischiato di compromettere Larry.»

«Di che specie di truffe internazionali parlavate?»

«Casi specifici? Nessuno. Si trattava soprattutto di stabilire collegamenti futuri fra i loro e i nostri investigatori. Fare in modo che le persone oneste si incontrino: ne parlavamo in questi termini. Zorin era della vecchia scuola. Sembrava uscito da una parata della Rivoluzione d'ottobre.»

«Capisco.»

Aspettai. E anche lei. Solo che lei aspettò più a lungo. Sono di nuovo con Zorin per la nostra bicchierata d'addio in Shepherd Market. Finora abbiamo sempre bevuto il whisky del Servizio. Oggi tocca alla vodka di Zorin. Davanti a noi, sul tavolo, è posata una luccicante fiaschetta d'argento decorata con le insegne rosse dell'ente sovietico.

«Non so bene a quale futuro brindare, amico Timothy» confessa, mostrandosi insolitamente umile. «Forse ci riuscirai tu a proporre un brindisi che vada bene per tutti e due.»

Propongo allora la parola russa che sta per ordine, sapendo che era soprattutto all'ordine, e non al progresso, che teneva quel vecchio soldato comunista. Beviamo dunque all'ordine davanti alla nostra finestra al primo piano coperta da tendine ricamate, mentre sotto di noi la gente va e viene a fare compere, le prostitute sbirciano i clienti dai portoni e il negozio di musica spara a tutto volume suoni strazianti.

«Le domande dei poliziotti sulle operazioni finanziarie di Larry» stava dicendo Marjorie Pew.

«Sì, Marjorie.»

«Non ti hanno ricordato nulla?»

«Ho ritenuto che come al solito la polizia avesse sbagliato uomo. Larry è un bambino, quando si tratta di affari. La mia sezione doveva continuamente occuparsi delle sue dichiarazioni dei redditi, delle sue spese, di scoperti bancari e di bollette della luce non pagate.»

«Non pensi che si potesse trattare di una copertura?»

«Per coprire cosa?»

La sua alzata di spalle non mi piacque . «Per coprire somme di cui era entrato in possesso di nascosto, e di cui non voleva che si sapesse» disse. «Per coprire la sua abilità negli affari.»

«Assolutamente no.»

«È una tua teoria, che Ceceev sia in qualche modo collegato alla scomparsa di Larry?»

«Non è una mia teoria, è che la polizia sembrava puntare in quella direzione.»

«Non pensi quindi che la presenza di Ceceev a Bath sia di una qualche rilevanza?»

«Non ho opinioni in merito, Marjorie. E come potrei? Larry e CC erano legati. Questo lo so. Si erano creati una società di mutua ammirazione. So anche questo. Se esista ancora o meno è tutt'altra questione.» Vidi una possibilità e ci provai. «Non so neanche quando avrebbero avuto luogo, queste presunte visite di CC a Bath.»

Non abboccò. «Non credi possibile, per esempio, che Larry e Ceceev siano arrivati a una qualche intesa commerciale? E indipendentemente dai contenuti?»

Alla ricerca di qualcuno con cui condividere la mia irritazione gettai un'occhiata a Barney, che però fece il finto tonto.

«No. Assolutamente, no» dissi. «Come ho ripetuto più volte alla polizia.» E aggiunsi: «Impossibile».

«Perché?»

Non mi garbava, che mi si costringesse a ripetermi. «Perché a Larry dei soldi non importava un accidente, e non aveva nessun senso degli affari. Lo stipendio che gli passava il Servizio lo definiva la sua mercede di Giuda. Si sentiva a disagio, a prenderlo. Pensava...»

«E Ceceev?»

Mi stavo stufando anche delle sue interruzioni. «Ceceev cosa?»

«Aveva il senso degli affari?»

«Assolutamente no. Li aborriva. Capitalismo, profitto, il denaro come motivazione... tutte cose che odiava.»

«Vuoi dire che era al disopra di tutto questo?»

«O al disotto. Come preferisci.»

«Troppo sincero? Troppo onesto? Condividi l'opinione che ne aveva Larry?»

«I *gortsy* si vantano che sulle montagne, con i soldi, non si compra nulla. L'avidità, sostengono, rende stupidi.» Stavo citando di nuovo Larry. «Contano soltanto il coraggio e l'onore. Probabilmente è tutto un romanticume senza senso, ma questi erano i discorsi che faceva a Larry, e Larry ne rimaneva debitamente impressionato.» Ne avevo abbastanza. «Io non c'entro in tutto questo, Marjorie. Larry è a riposo, e anche CC, e lo stesso io. Ho ritenuto mio dovere farvi sapere che CC era andato a trovare Larry a Bath, e che Larry era scomparso. Se già non lo sapevate. Il perché non lo sa nessuno.»

«Ma tu non sei nessuno. A riposo o no, l'esperto sul rapporto fra Larry e Ceceev sei tu.»

«I soli esperti su quel rapporto sono Larry e CC.»

«Ma non sei stato tu a inventarlo? A tenerlo sotto controllo? Non era questo il tuo lavoro per tanti anni?»

«Una ventina d'anni fa ho fatto in modo che si stabilisse un rapporto fra Larry e l'allora capo residente del Kgb. Sotto la mia guida Larry gli si è messo alle costole, ha recitato la parte dell'osso duro e alla fine ha detto sì, farò la spia per Mosca.»

«Continua.»

Avrei continuato comunque. Non capivo perché mi spronasse, né ero sicuro che lo stesse facendo. Ma se voleva una conferenza sul curriculum di Larry, eccola accontentata. «Il primo fu Brod. Dopo Brod ci fu Miklov, poi Kranskij, poi Serpov, poi Mislanskij e infine Ceceev; il capo era Zorin, ma Larry lo controllava cc. Larry riuscì ad avvicinarsi a ognuno di loro. Gli agenti doppi sono dei camaleonti. Se sono in gamba non le recitano le loro parti, le vivono. Si identificano. Quando Larry era con Tim, era con Tim. Quando era col suo controllore sovietico, che a me piacesse o meno era col suo controllore sovietico. Il mio compito era di fare in modo che a guadagnarci fossimo noi.»

«E tu eri sicuro che funzionasse.»

«Nel caso di Larry, sì.»

«E lo sei ancora.»

«Adesso che sono a riposo, e posso ripensare con tranquillità a quanto è avvenuto... sì, lo sono ancora. Con gli agenti doppi devi dare per scontato che una certa dose di fedeltà andrà perduta. Inevitabilmente l'avversario li attira più della squadra di casa. È nella loro natura. Sono degli eterni ribelli. Lo era anche Larry. Ma era un ribelle dei nostri.»

«Insomma, Larry e i suoi controllori russi avrebbero potuto combinare qualsiasi cosa fosse loro passata per la mente senza che tu ne sapessi nulla.»

«No.»

«Perché no?»

«Riscontri esterni.»

«Da parte di chi?»

«Altri informatori. Sorveglianza audio. L'appartamento di un intermediario. Un ristorante in cui avevamo piazzato dei microfoni. Un'auto che tenevamo sotto controllo. E ogni volta che un microfono era acceso, corrispondeva punto per punto alla versione di Larry. Non siamo mai riusciti a coglierlo in fallo. Ma è tutta roba che puoi trovare negli archivi.»

Mi sorrise con durezza e riprese a esaminarsi le mani. Pareva avere perso lo slancio. Mi venne in mente che doveva essere stanca, e che era ingiusto da parte mia immaginare che avesse potuto leggere vent'anni di fascicoli in un week-end di crisi. Respirò a fondo.

«In uno dei tuoi ultimi rapporti accenni alla "singolare affinità" fra Larry e Ceceev. Potrebbe toccare settori di cui non sapevi nulla?»

«Se non ne sapevo nulla, come posso rispondere a questa domanda?»

«Che cosa riguardava, allora?»

«Te l'ho già detto. Larry aveva fatto di CC la sua università del Caucaso settentrionale. Larry è fatto così. Lui la divora, la gente. Quando CC arrivò qui, lui di quella regione sapeva poco o niente. Aveva una discreta conoscenza della Russia in generale, ma i popoli del Caucaso costituiscono argomento a parte. Dopo qualche mese era in grado di pontificare sui ceceni, gli osseti, i daghestani, gli ingusci, i circassi e tutti gli altri. CC se l'era curato proprio bene. Sapeva istintivamente come trattarlo. Era capace di schioccare la frusta e di convincerlo a scendere dall'albero. Un tipo buffo. Aveva un umorismo macabro. E teneva sotto carica la coscienza di Larry. Larry aveva sempre bisogno che la sua coscienza fosse carica...»

Di nuovo mi interruppe. «Stai dicendo che l'affinità fra Larry e te era più importante?»

No, cara Marjorie, non sto dicendo niente del genere. Sto dicendo che Larry era un rubacuori in costante oscillazione, e che appena finito di ammaliare CC, doveva tornare precipitosamente da me per riequilibrare le cose, perché non soltanto era una spia ma anche il figlio di un ecclesiastico con un senso di responsabilità ridotto, e gli serviva l'assoluzione di tutti per tradire tutti gli altri. Sto dicendo che con tutto quel suo battersi il petto e quel suo moraleggiare, e la sua presunta larghezza di vedute, si era dato allo spionaggio come a una droga. Sto dicendo che era anche un bastardo; subdolo, vendicativo, capace di rubarti la donna in un batter d'occhio; era naturalmente dotato per il nostro mestiere e per la magia nera, e la mia colpa era di avere favorito l'imbroglione che albergava in lui a scapito del sognatore, motivo per il quale a volte mi odiava un po' più di quanto non mi meritassi.

«Larry ama gli archetipi, Marjorie» replicai, adottando un tono volutamente esausto. «Se non esistono li crea. È un patito dell'azione, per usare un'espressione moderna. Gli piacciono le grandi dimensioni. E CC gliele offriva.»

«Tu no?»

Feci una risatina accondiscendente. Dove diavolo voleva arrivare... oltre che a me? «Io ero la squadra di casa, Marjorie. Ero la sua Inghilterra con tutti i suoi pregi e i suoi difetti. CC era l'esotismo. Un musulmano non dichiarato come Larry è un cristiano non dichiarato. Con CC Larry era in vacanza. Con me era a scuola.»

«Ed è andato avanti un bel po'» disse lei. Mi tenne un attimo in sospeso. «Grazie a te.» Consultò di nuovo le sue mani. «Quando gli altri nostri agenti dei tempi della guerra fredda erano stati ormai rimandati a casa, Larry continuava a essere operativo a tutti gli effetti. Mosca, di fatto, prolungò il soggiorno di Ceceev a Londra perché potesse occuparsi ancora di Larry. Non è un po' strano, ripensandoci?»

«Perché dovrebbe essere strano?»

«Visto che gli altri agenti della guerra fredda erano già stati liquidati?»

«Larry aveva con Mosca un rapporto unico. E noi avevamo mille ragioni di credere che potesse sopravvivere all'era comunista. E così i russi per i quali lavorava.»

«Una visione che di sicuro tu appoggiavi.»
«Certamente!» Avevo dimenticato la forza delle mie convinzioni di allora. «E va bene. C'era stata una svolta radicale. Non c'era più nessun esperimento comunista per suscitare l'ammirazione di Larry che però non era mai stato quel tipo di agente, né ai loro occhi né ai propri. Era un fustigatore del materialismo occidentale, un sostenitore della Russia nel bene e nel male. A motivarlo, nella finzione e nella realtà, era il suo romanticismo, il suo amore per i perdenti, il suo disprezzo istintivo per la classe dirigente britannica e per una soggezione strisciante nei confronti dell'America. Con il crollo del comunismo gli odi di Larry non cambiarono. E neppure i suoi amori. Né cambiarono i suoi sogni per un mondo migliore, più giusto; il suo amore per l'individuo al disopra della collettività, il suo amore per il diverso e per l'eccentrico. Non cambiò nemmeno la nostra società fatta di maiali ben pasciuti. Dopo, la guerra fredda peggiorò. Su entrambe le sponde dell'Atlantico. Divenne più corrotta, egoista, conformista, isolazionista, intollerante, compiaciuta. Meno equa. Ti sto ripetendo i discorsi di Larry, Marjorie. Di quell'umanista rinnegato che vuole salvare il mondo. La Gran Bretagna che in tutti questi anni Larry ha continuato a sabotare nella sua immaginazione è ancora viva e vegeta. Il peggiore dei governi, i leader meno brillanti, il più triste e deluso degli elettorati che abbiamo mai avuto... perché Larry non dovrebbe continuare a tradirci?»
Scendendo dal pulpito, notai con piacere che era arrossita. Immaginai qualche zio che faceva parte del Gabinetto e zie con i capelli tinti di blu che costituivano la spina dorsale della destra Tory. «Lasciamo fare a Larry. Questa era la mia tesi. Aspettiamo di vedere cosa ne vuole fare il nuovo Servizio segreto russo. Sono sempre quelli di prima, hanno soltanto cambiato cappello. Di certo non se ne staranno tranquilli lasciando che una superpotenza corrotta governi il mondo. Inve-

ce di mollarlo per poi cercare di correre ai ripari quando sarà troppo tardi, come facciamo di solito, aspettiamo il prossimo atto.»

«Ma la tua eloquenza non è riuscita a prevalere» mi fece notare, toccandosi pensierosa la catenina.

«Purtroppo è vero. Chiunque avesse avuto un grammo di storia nelle vene avrebbe capito che nel giro di un anno o due tutto sarebbe tornato come prima. Ma non quelli su all'ultimo piano. Non sono stati i russi a scaricare Larry. Siamo stati noi.»

Le sue mani lasciarono andare la catenina e tornarono a unirsi sotto il mento come in preghiera. C'era un che di premonitore nella sua immobilità. Dall'altra parte della stanza Barney Waldon guardava nel vuoto. A quel punto mi resi conto che avevano udito qualcosa su cui, a differenza di me, erano sintonizzati: un trillo, un ronzio, un tintinnio elettronico proveniente da un'altra stanza; mi tornò in mente quel giorno che Emma, nel frutteto, in occasione della prima visita di Larry, aveva sentito il rumore della macchina prima di me.

Senza dare spiegazioni, Marjorie Pew si alzò per dirigersi, come obbedendo a un ordine, verso una delle porte interne. Proseguì poi come un fantasma, dopo averla ermeticamente richiusa dietro di sé.

«Che cosa diavolo sta succedendo, Barney?» sussurrai appena restammo soli. Tenevamo entrambi le orecchie tese ma il silenzio era totale; io, almeno, non udivo nulla.

«Adesso girano un mucchio di donne in gamba negli uffici, Tim» replicò, restando sempre in ascolto. Non capivo se ne andasse fiero o se ci trovasse qualcosa da ridire. «Gli vanno bene quelle che cercano il pelo nell'uovo, sai. Fanno al caso loro».

«Ma cosa vuole da me?» insistetti. «Insomma, Cristo, sono a riposo io. Sono uno che ha fatto il suo tempo. Perché mi guarda in quel modo?»

Il ritorno di Marjorie Pew gli evitò di dovere rispondere. Il viso di lei era impassibile, e ancora più pallido di prima. Si sedette e congiunse le dita. Vidi che tremavano. Ti hanno fatto una bella ramanzina, pensai. Chiunque sia che se ne sta là dietro ad ascoltare, ti ha detto di diventare più aggressiva o di lasciare perdere. Sentii accelerare le mie pulsazioni. Avrei voluto alzarmi e camminare. Ero stato troppo loquace, pensai, e adesso l'avrei pagata.

4

«Tim.»

«Marjorie.»

«È ragionevole ipotizzare che, quando se ne andò, Larry fosse in disaccordo con noi?» Una voce più dura, più impastata. Uno sguardo più fermo.

«Era sempre stato in disaccordo con noi, Marjorie.»

«Ma alla fine in maniera più specifica, mi pare di capire.»

«Pensava che non meritassimo la fortuna che la storia ci aveva elargito.»

«Quale fortuna?»

«La vittoria nella guerra fredda. Si rammaricava di quanto il tutto fosse irreale.»

«Il tutto cosa?» chiese acida.

«La guerra fredda. Due ideologie screditate che si battevano per una pace che né l'una né l'altra voleva, e con armi che non funzionavano. È un'altra citazione di Larry.»

«E tu eri d'accordo?»

«Fino a un certo punto.»

«Secondo te, pensava che gli dovessimo qualcosa? Noi, come Servizio. Qualcosa che era suo diritto sottrarci, per esempio?»

«Rivoleva la propria vita. Ben più di quanto potessimo fare per lui.»

«E secondo te pensava che gli dovessero qualcosa anche i russi?»

«Al contrario. Era lui a sentirsi in debito con loro. Ha un notevole senso di colpa.»

Scosse il capo impaziente, come se i sensi di colpa non la riguardassero. «Stai dicendo che negli ultimi quattro anni in cui è stato operativo Larry non ha avuto rapporti finanziari con Konstantin Abramovic Ceceev? Niente, comunque, che tu abbia riferito?»

«Sto dicendo che se li aveva non ne sapevo nulla, e dunque non ho riferito.»

«E tu?»

«Prego?»

«Hai avuto con Ceceev rapporti finanziari di cui non hai riferito?»

«No, Marjorie. Non ho avuto rapporti finanziari con Ceceev né con altri membri passati o presenti del Servizio segreto russo.»

«Neanche con Volodja Zorin?»

«Neanche con Zorin.»

«E neanche con Pettifer?»

«No, se non per evitargli la bancarotta.»

«Hai dei capitali, naturalmente.»

«Sono stato fortunato, Marjorie. I miei genitori sono morti quando ero bambino, e così invece che amore ho avuto soldi.»

«Ti dispiacerebbe darmi un'idea delle tue spese personali nell'arco degli ultimi dodici mesi?»

Ho già detto che Merriman si era unito a noi? Forse no. Non ricordo con precisione il momento, ma probabilmente entrò in scena poco dopo il ritorno di Marjorie. Era un omone ma camminava con grazia, galleggiando, come spesso sanno fare gli uomini grandi e grossi; forse la porta da cui era entrato era già socchiusa, lasciata così da Marjorie. Un particolare, questo, che mi stupii di non avere notato poiché, per chi fa un mestiere come il mio, accorgersi di una porta non chiusa bene è quasi istintivo. Posso soltanto supporre che nello scompiglio provocato in me dall'assalto di Marjorie Pew non mi fossi accorto dello spostamento d'aria e di luce verificatosi nel momento in cui Merriman aveva silenziosamente posato il suo ampio deretano sul comodo bracciolo del divano di Barney. Mi ero voltato con indignazione verso quest'ultimo per protestare contro l'enormità di quella domanda. E invece mi trovai davanti Merriman. Colletto bianco inamidato, cravatta argento e garofano rosso. Merriman si vestiva sempre come se stesse andando a un matrimonio.

«Tim. Che piacere!»

«Salve, Jake. Arrivi giusto in tempo. Mi si chiede di dire quanto denaro ho speso quest'anno.»

«Sì, quanto? C'è il Bechstein, tanto per cominciare. Costa un capitale. Poi i piccoli pellegrinaggi alla bella gioielleria del signor Appleby, a Wells, cose da poco manco a parlarne, soltanto lì ci hai lasciato trenta bigliettoni, senza contare tutte le sottovesti e gli abiti eleganti che le hai comprato. Deve essere proprio una gran ragazza. E per fortuna non le piacciono le automobili, che già mi vedo una Bentley con i sedili di visone. So che a suo tempo hai ereditato dai tuoi genitori, e so che lo zio Bob ti ha lasciato lo Schloss con tutto ciò che conteneva; ma il resto? O viene tutto dal quella scostumata della zia Cecily, morta così a proposito in Portogallo qualche anno fa? Per essere uno che ai soldi non ci ha mai tenuto, sei stato certamente bravo a sceglierti i parenti.»

«Se non mi credi, controlla con i miei avvocati.»

«Mio caro, quelli confermano tutto. Mezzo milione di sterline, aggiunte a quello che già possedevi, versate in due rate da un simpatico fondo fiduciario delle isole della Manica. Ma gli avvocati, nota, con la zia non si sono mai incontrati. Hanno soltanto ricevuto istruzioni dal suo amministratore, un avvocato di Parigi. Davvero, Tim, ho visto tante volte riciclare denaro ma non avevo mai visto riciclare avvocati.» Si rivolse a Marjorie Pew, parlandole come se non fossi stato presente. «Stiamo ancora controllando, e perciò non deve credere di essere al sicuro. Ma se salta fuori che la zia Cecily è seppellita in una fossa comune, per Cranmer saranno guai grossi.»

«Tim?»

Era di nuovo Marjorie. Voleva tornare alla logica che aveva guidato il mio comportamento la sera precedente, disse. Si chiedeva se potessi raccontarle di nuovo tutto per essere sicura di avere capito bene, Tim.

«A tua disposizione» dissi; una frase che non avevo mai usato in vita mia.

«Tim, perché ci hai telefonato da casa tua? Ci hai detto che sospettavi la polizia di avere effettuato controlli illegali, e che si fossero inventati come copertura la storia della padrona di casa scozzese con la mania di controllare tutto. Non è possibile che anche il tuo apparecchio fosse sotto controllo? Mi aspettavo che, data la tua professionalità e la tua esperienza, saresti andato in paese per chiamarci dalla cabina.»

«Ho utilizzato la solita procedura.»

«Non ne sono sicura. La regola numero uno è accertarsi di non correre rischi.»

Diedi un'occhiata a Merriman che, assunto un atteggiamento da spettatore ostile, mi guardava come se fossi un detenuto sul banco degli imputati.

«La polizia avrebbe potuto mettere sotto controllo anche la cabina in paese» dissi. «Ma non ne avrebbero tratto un gran divertimento. Di solito è fuori uso.»

«Capisco» disse, mostrandomi ancora una volta che non aveva capito nulla.

«E poi sarebbe parso molto strano se io, alle undici di sera, avessi fatto un chilometro e mezzo in macchina per andare fino in paese a telefonare. Soprattutto se la polizia stava sorvegliando casa mia.»

Si contemplò le punte delle dita ben curate, poi riprese a guardarmi, cominciando a enumerare i punti che la lasciavano perplessa. Merriman aveva optato per il soffitto, Waldon per il pavimento.

«Ti sei isolato da Pettifer. Pensi che forse la sua scomparsa è del tutto normale. Ma ti preoccupa al punto che non vedi l'ora di parlarcene. Sai che Ceceev è a riposo. E così Pettifer. Ma sospetti che stiano architettando qualcosa, anche se non sai cosa o perché. Pensi che forse la polizia ti stia controllando il telefono. Ma lo usi per chiamarci. Passi venti minuti a contemplare questo edificio prima di trovare il coraggio di entrare. Dovresti quindi perdonarci se abbiamo l'impressione che, dopo la visita di ieri della polizia, ti abbia preso un'agitazione del tutto sproporzionata alla scomparsa di Pettifer. Si potrebbe perfino supporre che ti senta un peso addosso. Talmente pesante da indurre anche una persona come te, solitamente ipercontrollata, a fare una serie di errori che contrastano con la sua professionalità.»

La mia apprensione aveva lasciato il posto a una totale esultanza. Le perdonai tutto: la sua ampollosità tribunalesca, la sua ferocia velata, la definizione di me come persona solitamente ipercontrollata. Cori angelici cantavano nelle mie orecchie, e per quel che mi riguardava Marjorie Pew, dal nome di un banco di chiesa, era uno degli angeli. Non le avevo raccontato nulla. Che non potesse o non volesse dirmi la data dell'ultima visita di CC era irrilevante. Mi aveva detto qualcosa di ben più importante: non sapevano di Emma e di Larry.

Sapevano di Emma e di me perché, come prescrivevano le regole del Servizio, ero stato costretto a informarli. Ma non avevano tracciato il terzo lato del triangolo. E questa, per usare un'espressione in voga ai miei tempi, era un'informazione a tre stelle: valeva il viaggio.

Scelsi un tono sentimentale, sofferto. «Larry è stato qualcosa di più che un mio agente, Marjorie» dissi. «È stato mio amico per un quarto di secolo. Al che va aggiunto che era il miglior informatore che avessimo. Era uno di quegli agenti che si costruiscono la loro fortuna da soli. All'inizio il Kgb lo reclutò a rischio. Non era abbastanza importante per diventare un agente influente, e non aveva accesso quasi a nulla. Gli diedero un piccolo stipendio e lo sguinzagliarono nel giro dei convegni internazionali, munito di una pila di fascicoli prodotti dal Centro di Mosca, nella speranza che col tempo diventasse qualcuno. E così fece. Diventò il loro uomo, abile nello scoprire studenti sinistrorsi di talento, nell'individuare futuri amici del Cremlino e nel sondare opinioni ai convegni internazionali. Nel giro di pochi anni, grazie a Larry il nostro Servizio poté mettere assieme un cast di docili agenti comunisti, in parte britannici e in parte stranieri ma tutti interamente controllati da noi, che durante la guerra fredda fornirono a Mosca alcune tra le più sofisticate ed erronee informazioni. E il Kgb non se ne accorse mai. Larry attirava sovversivi come carta moschicida. Si lavorava gli indecisi del Terzo Mondo fino a farsi venire le vesciche al fondoschiena. Aveva una memoria per la quale molti di noi sarebbero stati disposti a uccidere. Conosceva tutti i venduti tra i parlamentari di Westminster, tutti i giornalisti britannici corrotti, gli esponenti delle lobby e i personaggi influenti che comparivano sul libro paga londinese del Centro di Mosca. C'erano, nel Kgb e nel Servizio, persone che dovevano a lui stipendio e carriera. Io ero uno di loro. Perciò è vero, ero interessato. Lo sono ancora.»

Nel silenzio rispettoso che seguì questa perorazione, mi resi conto di sapere per cosa stava H/IS. Se Jake Merriman era il capo del personale e Barney Waldon l'incaricato dei collegamenti con Scotland Yard, Marjorie Pew era quell'odiato sciacallo del Servizio noto un tempo ai ranghi inferiori come commissario politico, e asceso ora alla dignità di capo della Sicurezza interna. Il suo compito comprendeva le mansioni più diverse, dallo svuotare i cestini della carta straccia al farsi venire idee oscene sulla vita sentimentale dei dipendenti passati e presenti, informando poi Jake Merriman dei propri sospetti. Perché mai, se le cose non stavano così, Merriman e Waldon la trattavano con tanta deferenza? Perché mi stava chiedendo di descrivere con parole mie, quasi che stessi meditando di usare quelle di un altro, come fossi riuscito a suo tempo a reclutare Larry per il Servizio? Marjorie Pew voleva perseguire una qualche assurda idea di complotto secondo la quale Larry e io saremmo stati in combutta fin dall'inizio; secondo cui non ero stato io a reclutarlo ma era stato lo stesso Larry a reclutarsi da solo; o meglio, secondo la quale Larry e CC insieme mi avevano reclutato per qualche operazione ambigua da portare a termine a loro vantaggio.

Procedetti comunque con cautela. Nel nostro mestiere teorie di tal sorta, prima di essere seppellite con un certo imbarazzo, hanno rovinato la vita a tante brave persone su entrambe le sponde dell'Atlantico. Le risposi con diligenza e precisione, pur concedendomi qualche frivolezza qua e là per dare prova di tranquillità.

«Quando lo conobbi era un perfetto zingaro» dissi.

«Avvenne a Oxford?»

«No, a Winchester. Larry arrivò nello stesso trimestre in cui io divenni prefetto degli studenti ai primi anni. Era una specie di borsista. La scuola gli pagava metà della retta e la Chiesa d'Inghilterra, essendo lui figlio di un ecclesiastico impoverito, gli dava una borsa di studio con la quale venivano coperte le altre spese. Si era ancora in pieno Medio Evo. Supersfruttamento delle matricole, nerbate, prepotenze d'ogni genere, il vecchio programma di Arnold per filo e per segno. Larry non si adattava perché non voleva. Sciatto e intelligente, si rifiutava di imparare le nozioni ma non era capace di tenere la bocca chiusa, il che lo rese impopolare in certi ambienti, facendone una sorta di eroe in altri. Veniva picchiato a sangue. Io cercavo di proteggerlo.»

Marjorie Pew sorrise tollerante, troppo astuta per verbalizzare il sottofondo omosessuale pur avendolo riconosciuto. «Proteggerlo come, Tim?»

«Aiutandolo a tenere la lingua a freno. A smetterla di rendersi così maledettamente impopolare. Funzionò per qualche semestre ma poi lo sorpresero a fumare e poi a bere. Poi si fece sorprendere alla scuola femminile St. Switchin a fare quell'altra cosa, suscitando l'invidia di anime meno coraggiose...»

«Come la tua?»

«... e restando così tagliato fuori dalla imperante tendenza omosessuale» continuai, con un bel sorriso per Merriman. «Quando neppure le nerbate ottennero l'effetto desiderato, la scuola lo espulse. Il padre, canonico in una delle grandi cattedrali, se ne lavò le mani; la madre, era morta. Un parente lontano sganciò i soldi per mandarlo a studiare in Svizzera, ma dopo un solo trimestre gli svizzeri dissero no grazie e lo rispedirono in Inghilterra. Come sia riuscito a ottenere una borsa di studio per Oxford è un mistero; fatto sta che la ottenne, e inevitabilmente Oxford si innamorò di lui. Era molto bello, non c'era ragazza che non impazzisse per lui. Era affascinante, sregolato» mi sentii improvvisamente in imbarazzo... «estroverso» aggiunsi, usando una parola che pensavo le sarebbe piaciuta.

Intervenne Jake Merriman. «E marxista, che Dio lo protegga.»

«E trotzkista, ateo, pacifista, anarchico e qualsiasi altra cosa potesse spaventare i ricchi» ribattei. «Per un po' si batté per una fusione tra Marx e Cristo, ma il tutto crollò quando decise che in Cristo non poteva credere. Era un libertino.» Pronunciai quest'ultima parola con noncuranza, e mi fece piacere vedere le labbra non truccate di Marjorie Pew che si tendevano. «Alla fine del secondo anno l'università dovette decidere se cacciarlo o se dargli una borsa per All Souls. Lo cacciarono.»

«Per quale ragione, precisamente?» chiese Pew, sforzandosi di frenare la mia eloquenza.

«Per il troppo. Troppo alcol, troppa politica, troppo poco lavoro, troppe donne. Era troppo libero. Esagerato. Dovevano sbarazzarsene. Lo rividi a Venezia.»

«E a quel punto, naturalmente, eri sposato» disse lei, riuscendo così a insinuare che il mio matrimonio fosse stato come un tradimento dell'amicizia con Larry. Vidi la testa di Merriman che si piegava di nuovo all'indietro, e gli occhi che riprendevano a osservare il soffitto.

«Sì, ed ero già nel Servizio» confermai. «Anche Diana. Eravamo in luna di miele. E all'improvviso, in piazza San Marco, ecco Larry avvolto in una bandiera britannica, con la paglietta di Winchester appesa in cima a un ombrello chiuso.» Nessun sorriso, a parte i miei. «Faceva da guida a un gruppo di matrone americane; tutte, come al solito, innamorate di lui. Né avrebbe potuto essere altrimenti. Sapeva di Venezia tutto quanto c'era da sapere, emanava un entusiasmo inesauribile, conosceva bene l'italiano, parlava l'inglese come un lord e non aveva ancora deciso se convertirsi al cattolicesimo o se mettere una bomba in Vaticano. "Larry!" gridai. Quando mi vide lanciò in aria paglietta e ombrello per abbracciarmi. Poi lo presentai a Diana.»

Parlavo, ma intanto pensavo a quanto era rimasto inespresso: la penosa monotonia e i tristi amplessi della nostra luna di miele, giunta allora alla seconda settimana, e finalmente il sollievo (anche da parte di Diana, me lo avrebbe confessato in seguito) di una terza persona che entrava nella nostra vita, e per di più un tipo scatenato come Larry, nonostante la prendesse in giro per i suoi modi convenzionali. Rivedevo Larry, nella sua T-shirt rossa bianca e blu, inginocchiarsi teatralmente ai piedi di lei, una mano sul cuore e l'altra che tendeva il cappello: il suo cappello, la paglietta da studente dei tempi di Winchester, quello stesso miracoloso superstite che si era messo in testa ancora un anno fa, alla festa dell'uva di Honeybrook. Questo copricapo tenuto insieme con lo scotch, verniciato e smaltato, si era lasciato alle spalle ormai da un pezzo i suoi anni migliori. E intorno al cocuzzolo, a brandelli ma vittorioso, il nastro sacro della nostra scuola. Udivo la sua voce pastosa, con un finto accento italiano, che squillava penetrante nel sole di Venezia, gridando una folle litania: "Ma è Timbo! Il bimbo, il vescovo in persona! E tu sei la sua bella sposa!".

«Lo portammo in vari ristoranti e visitammo il suo orribile alloggio: viveva, naturalmente, con una contessa della Pomerania; finché una mattina, svegliandomi, ebbi un'ispirazione: è esattamente l'uomo che stiamo cercando, quello di cui abbiamo continuato a parlare nei seminari del venerdì. Lo assumeremo, e ne faremo un professionista.»

«E non ti dava fastidio che fosse un tuo amico?» domandò lei.

Alla parola amico sentii una fitta di tutt'altro genere. Amico? In realtà non gli sono mai stato vicino fino a quel punto, pensai. Intimo forse, amico no. Un rischio del genere non lo avrei mai corso.

Sentii la mia voce che rispondeva suadente: «Mi avrebbe dato molto più fastidio se fosse stato un mio nemico, Marjorie. Eravamo nel pieno della guerra fredda. Una lotta per la sopravvivenza. Ci credevamo, in quel che stavamo facendo.» Non resistetti al piacere di fare una battuta maligna. «Immagino che adesso sia un po' più difficile.»

E poi, nell'eventualità che la nuova era avesse cancellato in lei il ricordo della vecchia, spiegai cosa significasse formare un professionista: come la sezione che destinava gli agenti fosse costantemente sotto pressione per trovare un giovane (a quei tempi doveva essere un uomo) capace di farsi notare dai russi, affaccendati fra Oxford e Cambridge a reclutare qualcuno da inserire presso l'ambasciata sovietica di Kensington Palace Gardens. E come Larry corrispondesse quasi alla lettera al profilo da noi tracciato dell'uomo che sognavamo di trovare, o che loro sognavano di trovare. Avremmo anche potuto rimandarlo a Oxford, fargli fare il terzo anno e poi gli esami finali.

«Quel maledetto si diplomò con il massimo dei voti, mentre io non ero arrivato oltre uno striminzito secondo livello» dissi, con una risatina alla quale nessuno si unì: né Merriman, che continuava a osservare il soffitto, né Waldon, che teneva le mascelle talmente strette da farti pensare che non avrebbe mai più aperto bocca.

Le spiegai che avevamo offerto ai reclutatori russi esattamente ciò che cercavano, e che in passato avevano trovato da soli: un inglese di classe ma in decadenza, un uomo pieno di curiosità intellettuali, una grande promessa che stava finendo male, un'anima in cerca di Dio che aveva simpatie per il Partito, ma non si era compromesso facendo la tessera, una personalità disancorata, immatura, instabile, politicamente onnivora, vagamente scaltra e pronta, se necessario, a sporcarsi le mani...

«Insomma, proponesti il suo nome» mi interruppe Marjorie Pew, dando con la sua voce l'impressione che avessi raccattato Larry in una latrina pubblica.

Risi. Le mie risate la infastidivano, e le ripetevo quindi con una certa frequenza.

«Oh, mio Dio, ci vollero dei mesi, Marjorie. Ci toccò prima vincere le resistenze interne. Molta gente, su all'ultimo piano, sosteneva che non avrebbe mai accettato le regole. I giudizi della scuola erano spaventosi, quelli dell'università peggio ancora. Ammettevano tutti che fosse brillante, ma per fare cosa? Posso fare una precisazione?»

«Prego.»

«Reclutare Larry fu un'operazione di gruppo. Quando infine accettò di prendere il velo, il mio caposezione decise che a occuparsene sarei stato io. A condizione di fargli rapporto prima e dopo ogni nostro incontro.»

«Ma perché prese il velo, per usare la tua espressione?» domandò.

Quella domanda fece calare su di me una stanchezza profonda. Se non l'hai ancora capito non lo capirai mai, avrei voluto dirle. Perché era indipendente. Perché era un soldato. Perché Dio gli aveva detto di farlo e lui in Dio non ci credeva. Perché soffriva dei postumi di una sbronza. Oppure no. Perché anche la tenebra che albergava in lui aveva bisogno di emergere. Perché lui era Larry e io Tim e le cose stavano così.

«Gli piaceva mettersi alla prova, immagino» dissi. «Essere ciò che si è, ma un po' di più. Gli garbava l'idea di essere un libero servitore. Corrispondeva al suo senso del dovere.»

«Di essere cosa?»

«Gli ronzava in testa una certa frase in tedesco. *Frei sein ist Knecht.* Essere libero significa essere un vassallo.»

«Tutto qui?»

«Tutto qui cosa?»

«Si riducevano a questo le sue motivazioni, o toccavano anche considerazioni più pratiche?»

«A sedurlo era l'atmosfera, gli sembrava magica. Gli dicevamo che non era affatto così, col solo risultato di suscitare in lui un'attrazione ancora più forte. Si considerava una specie di cavaliere templare eretico nell'atto di pagare il suo tributo all'ortodossia. Gli piaceva avere due padri, il Kgb e noi, anche se non lo ammise mai. Se mi chiedessi di mettere tutto per iscritto, ti troveresti a leggere una sfilza di contraddizioni. Ma Larry è così. Così sono gli agenti. Le motivazioni in astratto non esistono. Non conta chi siano le persone. Conta ciò che fanno.»

«Grazie.»
«Non c'è di che.»
«E i soldi?»
«Prego?»
«I soldi che gli davamo. Un reddito cospicuo ed esentasse. Che parte avevano i soldi nei suoi calcoli, secondo te?»
«Oh, per l'amor di Dio, Marjorie, a quei tempi nessuno lavorava per i soldi, e Larry non lo ha mai fatto in vita sua. Te l'ho già detto. Chiamava la paga mercede di Giuda. In fatto di quattrini è un analfabeta. Un troglodita della finanza.»
«Eppure ha scialacquato somme enormi.»
«Era un irresponsabile. Quello che aveva lo spendeva. Dava retta a tutti coloro che avessero una storia commovente da raccontargli. Aveva anche un paio di costose abitudini aristocratiche, che noi avevamo deciso di assecondare perché i russi sono degli snob, ma in generale non era affatto un materialista.»
«Quali abitudini, per esempio?»
«Per esempio comprare il vino da Berry's; per esempio farsi fare le scarpe a mano.»
«Il che, direi, non significa rifiutare il materialismo. Significa essere uno spendaccione.»
«Sono soltanto parole» ribattei.
Per un po' nessuno aprì bocca; mi sembrò un buon segno. Marjorie stava facendo un ennesimo ripasso alle sue unghie non laccate. Barney aveva l'aria di uno che avrebbe preferito tornarsene al sicuro con i suoi poliziotti. Infine Jake Merriman, riaffiorando dal suo innaturale stato di trance, si raddrizzò, e passate le mani sul panciotto fece scorrere un dito all'interno del colletto inamidato per liberarlo dalle pieghe di carne che minacciavano di inghiottirlo.
«Il tuo Konstantin Abramovic Ceceev ha sottratto al governo russo trentasette milioni di sterline e forse più» disse. «Stanno ancora facendo i conti. Venerdì

scorso l'ambasciatore russo ha chiesto un colloquio con il ministro degli Esteri, e gli ha presentato tutto un fascicolo di prove. Perché abbia scelto un venerdì, quando il ministro stava partendo per la sua dacia, Dio solo lo sa. Comunque così ha fatto, e tutto il fascicolo è pieno di impronte delle zampe di Larry. Un atto scoperto e premeditato di banditismo, Tim Cranmer, da parte del tuo ex agente e del suo ex controllore del Kgb. È probabile che Ceceev, avuto sentore che stava per scoppiare la bomba, si sia precipitato a Bath, per consigliare a Larry di tagliare la corda prima che l'ambasciatore facesse la sua *démarche*. Stai cercando di dire qualcosa? Evita.»

Per quanto ne sapessi, non avevo dato alcun segno di volere parlare; scossi il capo, ma lui intanto aveva già ripreso il discorso.

«Avevano messo in piedi un racket abbastanza semplice, ma non sottovalutiamoli. Sono pochissime le banche russe autorizzate a trasferire denaro all'estero. E quelle poche hanno in genere uno stretto legame con l'ex Kgb. Un complice nel Regno Unito crea una società britannica di copertura, import-export per esempio, e spicca tratte fasulle sui suoi complici a Mosca. Queste tratte vengono avallate da funzionari corrotti, legati alla mafia. Poi vengono pagate. C'è un corollario che mi è poi particolarmente piaciuto. Sembra che il codice russo non sia ancora arrivato a occuparsi di eccentricità moderne come le frodi bancarie: di conseguenza nessuno ha grane, e quelli che potrebbero fare scoppiare uno scandalo si beccano una percentuale. Le banche russe sono ancora nell'era glaciale, e i profitti un'astrazione che nessuno prende sul serio; quindi, per citare le parole immortali di Noel Coward, manda giù il caviale e ringrazia Dio.»

Un altro intervallo, durante il quale Merriman mi guardò inarcando le sopracciglia per invitarmi a parlare; ma io rimasi zitto.

«Presi i quattrini, Ceceev faceva ciò che avrebbe fatto ciascuno di noi. Li seppelliva in una serie di conti al portatore in Gran Bretagna e all'estero. In quasi tutte queste operazioni il tuo vecchio amico Larry faceva da intermediario, da commesso viaggiatore e da avido complice: registrando le società, aprendo i conti, presentando le tratte, nascondendo il malloppo. Tra un minuto mi dirai che è tutto frutto dell'astuta immaginazione di Ceceev, il quale ha semplicemente falsificato la firma di Larry. Ma ti sbagli. Larry c'è dentro fino al collo e, per quanto ne sappiamo, ci sei dentro anche tu. O no?»

«No.»

Si rivolse allora a Barney. «A che punto sono gli sbirri?»

«Il comandante dello Special Branch farà rapporto al segretario del Gabinetto questa sera alle cinque» disse Barney, dopo essersi schiarito la gola.

«È da lì che vengono Bryant e Luck?»

Barney Waldon stava per confermarmelo ma Merriman intervenne con durezza: «Sono cose che noi sappiamo e che lui dovrà indovinare, Barney».

Ma io avevo già la risposta: sì.

«Corre voce che le loro indagini finiranno presto nel nulla, ma potrebbe essere un bluff» continuò Barney. «L'ultima cosa che posso fare è mostrarmi troppo interessato. Ho detto a quelli dello Special Branch che non è un problema nostro. Mi sono portato una mano al cuore, mentre lo dicevo. L'ho detto ai funzionari della Metropolitan Police, l'ho detto alla polizia del Somerset. Ho mentito spudoratamente.» Sembrava che questo lo preoccupasse.

Di nuovo Merriman: «Perciò non rovinare il nostro gioco, capito Tim Cranmer? Se prendono Larry e quello sostiene di avere lavorato per noi, noi neghiamo e continueremo a negare fino al processo e anche dopo. Se dice che lavorava per te, allora Timothy Cranmer, ex funzionario del Tesoro, viene scaricato in una buca molto profonda. E nel nuovo spirito di franchezza, che Dio ti aiuti se fai tanto di aprire la bocca».

«Il loro ambasciatore parla di CC come di un autentico diplomatico?» domandai.

«Ex diplomatico. Sì. E noi, non avendo mai alzato un dito per lamentarci di lui nei quattro anni in cui è rimasto a Londra, per l'ovvia ragione che volevamo lasciare scorrere il flusso di informazioni, assumiamo la stessa posizione. Se qualcuno dovesse sussurrare la parola spia, al ministero degli Esteri avrebbero un attacco isterico.»

«E come la mettete con i rapporti fra CC e Larry?»

«Come dovremmo metterla? Erano più che legittimi. Ceceev era un addetto culturale, stimato ed efficiente. Larry era un intellettuale progressista in disarmo che accettava viaggi gratuiti nella Madre Russia, a Cuba e in altri angoli del globo altrettanto ripugnanti. Adesso è un tranquillo professore a Bath. I loro rapporti erano naturali e corretti e, se non lo erano, nessuno andrà a raccontarlo.» Merriman non mi aveva tolto gli occhi di dosso. «Se ai russi venisse mai il sospetto che Larry Pettifer lavorava per questo Servizio, che ci ha lavorato per venti e più anni, come tu ci hai ripetutamente ricordato, e che è stato il più obbediente dei nostri servitori, ci sarebbe un terremoto, mi segui? Hanno già sommariamente liquidato il tuo caro amico Zorin: per alcolismo, per cospirazione passiva, perché ha la testa nel culo; adesso è agli arresti domiciliari e, a quanto si dice, ha buone probabilità di essere fucilato all'alba. Devi ammettere che siamo stati estremamente gentili a non avere fatto lo stesso con te. Se mai dovesse entrare nella loro testolina – della polizia, dei russi, di uno dei due o di entrambi (in questa situazione è lo stesso, visto che la polizia sta procedendo alla cieca e noi vogliamo che continui così) – che questo Servizio, in combutta con qualche organizzazione mafiosa russa, ha scelto proprio il momento in cui l'economia russa sta morendo di un comune raffreddore per alleggerirla dell'equivalente di trentasette milioni di sterline...» Si interruppe. «Puoi finirla tu la frase. Sì, cosa succederebbe?»

Mi rimbombava in testa un eterno ritornello. Nonostante l'agitazione, non riuscii a trattenermi. «Quando è stato visto Larry per l'ultima volta?» chiesi.

«Puoi domandarlo alla polizia, solo che non devi farlo.»

«Quando è venuto per l'ultima volta in Inghilterra CC?»

«Nessun Ceceev è entrato in Gran Bretagna negli ultimi sei mesi. Ma, essendo di pubblico dominio che Ceceev non è mai stato il suo nome, non ci sarebbe da sorprendersi se fosse tornato nei panni di qualcuno che non è mai stato.»

«Avete provato con i suoi pseudonimi?»

«Posso ricordarti che sei a riposo?» Era stufo di chiacchiere. «Tu non devi fare niente, mio giovane Tim Cranmer, chiaro? Devi startene tranquillo nel tuo castello, compiere le tue opere buone, distillare la tua pipì d'annata, comportarti con naturalezza e assumere un'aria innocente. Né devi lasciare il paese senza il permesso della Mamma; tanto più che ce l'abbiamo noi, il tuo passaporto, anche se al giorno d'oggi purtroppo non è più una garanzia come una volta. Non devi fare la più piccola mossa in direzione di Larry, né a parole né con azioni, gesti o telefonate. Né tu né i tuoi agenti o strumenti, né la tua deliziosa Emma. Non devi parlare con nessuno, colleghi e conoscenti compresi, né di Larry né della sua scomparsa né di nessun punto di questa nostra conversazione. Larry flirta ancora con Diana?»

«Non lo ha mai fatto. Le stava dietro soltanto per infastidirmi. E perché entrambi avevano deciso di odiare il Servizio.»

«Non è accaduto assolutamente nulla. Non è scomparso nessuno. Tu sei un ex cervellone del Tesoro che vive con una giovane compositrice nevrotica o quel che è, e che produce un vino schifoso. Punto e basta. Se devi metterti in contatto con noi, chiamaci in totale segretezza da un telefono pubblico. Nel numero che ti daremo la cifra finale cambia ogni giorno. L'uno è domenica, il due lunedì. Credi di riuscire a ricordartelo?»

«Visto che sono stato io a inventarlo, questo sistema, penso di sì.»

Marjorie Pew mi porse un foglietto sul quale era stato battuto a macchina il numero 071. Merriman continuò a parlare.

«Se gli sbirri vorranno ancora interrogarti, devi mentire a denti stretti. Cercheranno di scoprire quali ricerche facevi per il Tesoro, ma il Tesoro soffre come sempre di ritenzione anale, e di conseguenza non arriveranno a niente. Per quel che ci riguarda tu non esisti. Cranmer? Cranmer? Mai sentito nominare.»

Eravamo soli: Merriman e Cranmer, fratelli di sangue come sempre. Merriman mi aveva preso per un braccio. Ti prendeva sempre per un braccio, per congedarti.

«Dopo tutto quello che abbiamo fatto per lui» disse. «Una pensione, la possibilità di ricominciare da capo, un buon lavoro dopo che tutte le università d'Inghilterra o quasi lo avevano rifiutato, il prestigio. E adesso, guarda un po'.»

«Un vero peccato» ammisi. Sembrava che non valesse la pena aggiungere altro.

Merriman mi rivolse un sorriso furbesco. «Non è che sei stato tu a manovrarlo in questa operazione, eh, Tim?»

«Perché mai l'avrei fatto?»

Per la prima volta nella giornata, arrivai a un pelo dal perdere quello che Marjorie Pew aveva definito il mio eccessivo autocontrollo.

«Perché no?» ribatté malizioso Merriman. «Di solito non fanno così gli imbroglioni, invece di dividersi il malloppo?» Una risatina senza allegria. «E con Emma è davvero meraviglioso? Sei follemente innamorato?»

«Sì, ma in questo momento è via.»

«Ma no. Dove?»

«Nelle Midland, per assistere a un paio di esecuzioni delle sue opere.»

«Non dovresti essere là anche tu a farle da chaperon?»

«Queste cose preferisce farle da sola.»

«Naturale. La sua vena d'indipendenza. Ma non è troppo giovane per te?»

«Quando lo sarà, sono sicuro che me lo dirà.»

«Bravo, Tim. Un ragazzo coraggioso. Mai ritirare la cavalleria dalla battaglia, dico sempre. Le Emme di questo mondo richiedono la nostra costante attenzione. Da' un'occhiata al suo passato.»

«No grazie.»

Ma con Merriman non si può mai vincere. «No grazie? Non gli hai dato neanche una sbirciatina?»

«No e non intendo farlo.»

«Eppure devi, ragazzo mio! Così ricco, così vario, *quel courage*! Cambiando i nomi, potresti scrivere un best-seller quando sarai vecchio. Molto più redditizio del piscio di donnola dello zio Bob. Tim?»

«Che c'è?»

Le sue dita si strinsero intorno al mio bicipite. «Quel lungo, lungo rapporto che hai avuto con il caro Larry. Winchester, Oxford, il Servizio... così fruttuoso, a suo tempo. Così appropriato. Ma adesso no, ragazzo mio, assolutamente.»

«Di cosa diavolo stai parlando?»

«Dell'immagine, carissimo. Del nobile passato, della vecchia epoca. In mano a quelli di Grub street è dinamite. Strilleranno al giro delle spie universitarie e all'amore che non osa dire il proprio nome prima ancora che tu possa dire Kim Philby. Non lo eravate, vero?»

«Non eravamo cosa?» replicai, cercando di scacciare il ricordo di Emma che, nuda davanti alla finestra in camera mia, mi faceva la stessa domanda.

«Be', insomma. Larry e te. Lo eravate?»

«Se mi stai chiedendo se eravamo omosessuali e traditori, non eravamo né l'uno né l'altro. Larry era una rarità, nel sistema delle scuole private: un perfetto eterosessuale.»

Mi diede un'altra lunga stretta al braccio. «Poverino. Chissà che delusione, per un ragazzo sano e robusto. Oh be', così va il mondo, no? Puniti per delitti che non abbiamo mai commesso, la facciamo franca da qualche altra parte per reati enormi. Per questo è importante essere tutti molto, molto cauti. La cosa peggiore è uno scandalo. Menti quanto ti pare, ma risparmiami lo scandalo. Oggi come oggi è così difficile, per il Servizio, trovarsi una sua nicchia. Troppe mosche intorno al miele. Io sono sempre qui, ragazzo mio. Quando vuoi.»

Munslow stava gironzolando in anticamera. Vedendomi uscire mi si avvicinò. Le mani gli penzolavano a disagio lungo i fianchi. Nessuna delle due portava il mio passaporto.

5

Avevo due ore da ammazzare prima dell'ultimo treno per Castle Cary, e probabilmente le trascorsi camminando. Da qualche parte devo aver comprato un giornale della sera, anche se li detesto. Me lo ritrovai l'indomani mattina nella tasca dell'impermeabile, un sudicio rotolo pieno di frasi da analfabeti e di cruciverba zeppi di maiuscole appuntite, che non sembravano scritte da me. Lungo il cammino devo anche avere bevuto un paio di scotch perché del viaggio ricordo poco, a parte il riflesso che mi seguiva nel finestrino buio; la faccia era a volte quella di Larry, a volte la mia, a volte quella di Emma con i capelli raccolti e la collana settecentesca di perle. Gliel'avevo regalata il giorno in cui aveva portato a Honeybrook lo sgabello per il piano. Avevo in testa tante di quelle cose che me la sentivo vuota. Larry ha rubato trentasette milioni di sterline; CC è un suo complice, e un altro dovrei essere io. È scappato col malloppo; Emma gli è andata dietro... Larry: gli ho insegnato a rubare, a svuotare scrivanie, a scassinare serrature, a fotografare documenti, a memorizzare, a temporeggiare e, se necessario, a scappare, a nascondersi. Il colonnello Volodja Zorin, la perla della Sezione inglese di Mosca, è agli arresti domiciliari. Percorrendo il cavalcavia della stazione, a Castle Cary, rimasi turbato da uno scalpiccio di giovani scarpe su quella struttura in ferro vittoriana; mi sembrava di sentire un odore di vapore e di brace. Tornato ragazzo, stavo trascinando la valigia della scuola lungo i gradini di pietra, in vista di un'ennesima vacanza solitaria con lo zio Bob.

La mia vecchia e splendida Sunbeam era lì dove l'avevo lasciata, nel parcheggio della stazione. Che ci avessero messo su le mani, montando microfoni e congegni per localizzarla, spruzzandoci su la più recente delle vernici magiche? La tecnologia moderna mi risultava incomprensibile. Da sempre. Una volta partito, mi ritrovai infastidito da un paio di fari che mi stavano alle calcagna, ma lungo quel viottolo tortuoso solo un pazzo o un ubriaco tenterebbe un sorpasso. Superato il crinale, attraversai il paese. Certe sere la chiesa era illuminata a giorno. Non stasera. Nelle finestre dei villini gli ultimi schermi televisivi guizzavano come tizzoni morenti. I fari mi furono improvvisamente addosso; gli abbaglianti lampeggiavano. Udii il suono di un clacson. Accostando per dare strada, vidi Celia Hodgson che mi salutava allegramente dalla sua Land-Rover. Salutai allegramente anch'io. Celia era stata una delle mie conquiste locali ai vecchi tempi, prima di Emma, quando ero il proprietario assenteista di Honeybrook e il più desiderabile divorziato della parrocchia per trascorrere un fine settimana. Viveva in ristrettezze in una grande proprietà vicino a Sparkford, partecipava alla caccia alla volpe e organizzava i programmi delle vacanze per i bambini della zona. Una domenica che l'avevo invitata a pranzo, mi ero ritrovato sorprendentemente a letto con lei prima dell'avocado. Continuavo a presiedere il suo comitato e quando ci incontravamo dal droghiere scambiavamo due chiacchiere. Ma a letto insieme non ci eravamo più andati. Non credo che mi serbasse rancore per via di Emma. A volte mi domandavo se ricordasse ancora quell'episodio.

Mi si pararono davanti i pilastri di pietra del cancello di Honeybrook. Rallentando quasi fino a fermarmi, accesi i fari antinebbia e mi dedicai a studiare le impronte degli pneumatici sul vialetto. Prima di tutto il furgone postale di John Guppy. Chiunque altro sterza a sinistra per evitare tre grosse buche ma John, nonostante le mie suppliche, preferisce voltare a destra perché sono quarant'anni che fa così, maciullando il bordo del prato e schiacciando i bulbi delle giunchiglie.

Accanto a John Guppy scorreva la linea sottile e ardimentosa dei copertoni della bicicletta di Ted Lanxon. Ted era il giardiniere, lasciatomi in eredità dallo zio Bob con l'ordine di tenerlo finché non fosse crollato, cosa che si rifiutava risolutamente di fare, preferendo perpetuare i molti errori di mio zio. E sobbalzando in mezzo a tutto questo ecco le sorelle Toller sulla loro Subaru color giungla, un po' a contatto del suolo e un po' in aria. Le Toller, aiutanti saltuarie, erano l'incubo di Ted ma anche la sua gioia. E a cavalcioni delle Toller ecco ora l'impronta aliena di un camion. Dovevano avere consegnato qualcosa. Ma cosa? Il concime che avevamo ordinato? Era arrivato venerdì. Le nuove bottiglie? Erano arrivate il mese scorso.

Sullo spiazzo coperto di ghiaia davanti a casa, non vedendo nulla di insolito cominciai a preoccuparmi. Perché non c'erano tracce di pneumatici sulla ghiaia? Le Toller non erano passate di lì a tutta birra per raggiungere il giardino cintato? Non aveva parcheggiato lì John Guppy, quando era venuto a portarmi la posta? E che dire del camion misterioso arrivato fin qui per poi decollare verticalmente?

Lasciando i fari accesi, scesi dalla macchina per ispezionare il terreno, cercando tracce di passi o di veicoli. Qualcuno aveva rastrellato la ghiaia. Spensi i fari e salii i gradini di casa. In treno la schiena mi aveva dato fastidio. Ma quando entrai nel portico il dolore scomparve. Sullo stuoino giacevano una dozzina di buste, quasi tutte marrone. Niente da Emma, niente da

Larry. Studiai i timbri postali. Erano tutte in ritardo di un giorno. Studiai gli orli gommati. Erano chiuse troppo bene. Quando mai avrebbero imparato, quelli del Servizio? Posai le buste sul ripiano di marmo di un tavolino. Salii i sei scalini che portavano al salone senza accendere la luce, e rimasi immobile.

Ascoltai. Annusai. E colsi la zaffata di un corpo caldo nell'aria immobile. Sudore? Deodorante? Brillantina? Non potevo definirlo ma ero in grado di riconoscerlo. Percorsi con cautela il corridoio verso il mio studio. A metà strada lo percepii di nuovo: lo stesso deodorante, un leggero effluvio di fumo stantio. La sigaretta non era stata fumata sul posto, sarebbe stata una follia; ma in un pub, o in auto, e non necessariamente dalla persona i cui abiti erano impregnati di quell'odore stantio; era comunque il fumo di una sigaretta estranea.

Quel mattino, prima di partire per Londra, non avevo piazzato trappole astute, né messo capelli nelle serrature, né steso pezzetti di cotone sui cardini o scattato foto con la Polaroid. Non era stato necessario. C'era la polvere. Il lunedì è il giorno di libertà della signora Benbow. La sua amica, la signora Cooke, viene soltanto quando c'è lei: esprime così la propria disapprovazione per Emma. Tra il venerdì sera e il martedì mattina, quindi, nessuno spolvera la casa; a meno che non ci pensi io. E di solito è così. Mi diverte, sbrigare qualche faccenda domestica, e il lunedì mi piace lucidare la collezione di barometri settecenteschi, nonché un paio di oggetti che di solito non ricevono attenzioni sufficienti dalle cure peraltro scrupolose della signora Benbow: i miei sgabelli cinesi Chippendale e il tavolo da campo che tengo nello spogliatoio.

Ma stamattina mi ero alzato presto e, con quella professionalità che sembrava essermi stata inculcata fin dall'infanzia, avevo lasciato la polvere dov'era. Con un fuoco nel caminetto del salone e un altro in salotto, il lunedì mattina me ne ritrovo una notevole quantità, e una ancor maggiore il lunedì sera. Eppure, quando entrai nello studio non vidi traccia di polvere sulla scrivania di noce. Non un granello sull'intera superficie. Le maniglie di ottone incontaminate. Sentivo l'odore della vernice.

E così sono venuti, pensai con freddezza. È un dato di fatto: sono venuti. Merriman mi convoca a Londra e, mentre mi tiene comodamente sott'occhio, manda i suoi scagnozzi con il furgone di un mobiliere, dell'elettricità o quel che è, perché si intrufolino a casa mia e la perquisiscano, sapendo che il lunedì è una buona giornata. Sapendo che Lanxon e le Toller lavorano a cinquecento metri dall'edificio principale, in un giardino cintato di mattoni e isolato da tutto tranne che dal cielo. E già che ci siamo Merriman mi rifila un controllo della posta, tanto per fare le cose per bene, e a questo punto, indubbiamente, anche del telefono.

Salii di sopra. Ancora fumo. La signora Benbow non fuma. Neanche suo marito. E io non solo non fumo, ma detesto l'abitudine e l'odore. Se rientro da fuori con i vestiti che puzzano di fumo, sento il bisogno di cambiarmi da capo a piedi, di fare un bagno e di lavarmi i capelli. Dopo una visita di Larry, clima permettendo, dovevo spalancare tutte le porte e le finestre. Sul pianerottolo sentivo ancora l'odore stantio del fumo di sigaretta. Nel mio spogliatoio e in camera, ancora fumo. Attraversai la galleria dirigendomi verso l'ala che aveva occupato Emma: la sua ala, la mia ala, e la galleria come una spada in mezzo a noi. La spada di Larry.

Con la chiave in mano, mi fermai davanti alla sua porta come la sera prima, ancora una volta incerto se entrare o meno. Era di quercia, borchiata, una porta da esterno che in qualche modo era riuscita a salire le scale. Girai la chiave ed entrai. Poi mi affrettai a richiudere, come per difendermi non so bene da chi. Non avevo più messo piede là dentro dal giorno in cui ero venuto a riordinare dopo la sua partenza. Inspirai lentamente, bocca e naso insieme. Una zaffata di talco profumato mescolata alla puzza di stantio. E così avevano mandato una donna. Una donna incipriata. O due. O sei. Donne, comunque: qualche stupida norma di buona creanza che vige negli uffici del Servizio insiste su questo punto. Non si può permettere a uomini sposati di frugare fra gli indumenti di una giovane donna. Rimasi lì in piedi, in camera sua. Alla mia sinistra il bagno. Di fronte il suo studio. Niente polvere sul tavolino da notte. Sollevai il guanciale. L'elegante camicia da notte in seta della White House di Bond street, che avevo infilato nella sua calza a Natale e che non le avevo mai visto addosso, era là sotto. Il giorno in cui mi lasciò l'avevo trovata in fondo a un cassetto, ancora avvolta nella carta velina. Fedele al mio ruolo di uomo d'azione l'avevo aperta, spiegazzata e messa sotto il guanciale come copertura. La signorina Emma è andata nel nord per un concerto di musiche da lei composte, signora Benbow... La signorina Emma tornerà fra qualche giorno, signora Benbow... La madre della signorina Emma è gravemente malata, signora Benbow... La signorina Emma è sempre in un fottuto limbo, signora Benbow...

Aprii il guardaroba. Tutti i vestiti che le avevo comprato erano appesi con ordine alle grucce, esattamente come li avevo trovati il giorno della sua scomparsa: abiti lunghi di seta, tailleur, una pelliccia di zibellino che si era rifiutata anche soltanto di provare, scarpe di una grande firma, cinture e borsette di una firma ancora più grande. Guardando queste cose, mi domandai chi fossi quando le avevo comprate e quale donna avessi creduto di rivestire.

Era un sogno, pensai. Eppure, perché un uomo che ha Emma nella realtà dovrebbe avere bisogno di sognare? Udii la sua voce nel buio: non sono cattiva, Tim. Non ho bisogno di cambiare, di camuffarmi in continuazione. Sto bene come sono. Davvero. Udii la voce di Larry che mi scherniva nella notte buia delle Mendip. Tu non le ami le persone, Timbo. Le inventi. Questo è compito di Dio, non tuo. Udii ancora Emma: non sono io che ho bisogno di cambiare, Tim, ma tu. Da quando Larry è entrato nel nostro giardino cintato, ti comporti come uno che stia fuggendo. Udii di nuovo la voce di Larry: mi hai rubato la vita. Io ti ho rubato la donna.

Chiusi il guardaroba, entrai nello studio, accesi le luci e riuscii a dare un'occhiata rapida, come chi è pronto a trovare una scusa nel momento in cui si presenta qualcosa di inatteso. Ma i miei occhi non scorsero nulla da evitare. Era tutto come l'avevo lasciato quando avevo ricreato le apparenze dopo la sua partenza. La scrivania Regina Anna che le avevo regalato per il compleanno era diventata, grazie alle mie fatiche, una gemma di efficienza. I cassetti, tutti in ordine, erano pieni di cancelleria nuova. Sulla grata del caminetto, ora lucidissima, erano posati fogli di giornale e ramoscelli secchi. A Emma piaceva il fuoco acceso. Vi si stendeva davanti come un gatto, girata su un fianco e con un braccio piegato a sostegno della testa.

Queste indagini mi permisero di alleviare momentaneamente il peso che mi portavo addosso. Se l'intera squadra degli invasori si fosse concentrata qui con macchine fotografiche, guanti di gomma e cuffie, cosa avrebbero visto oltre a ciò che erano tenuti a vedere? La donna di Cranmer non ha nessuna importanza, dal punto di vista operativo. Suona il piano, indossa abiti lunghi di seta e scrive testi sulla campagna seduta a una scrivania per signora.

Dei suoi raccoglitori di corrispondenza, della sua rinnovata determinazione a guarire le malattie del mondo intero, del ticchettare e dell'ansimare della sua macchina da scrivere elettrica a tutte le ore del giorno e della notte, non sapevano nulla.

Avevo improvvisamente fame. Razziando il frigorifero alla maniera di Larry, finii il resto di un fagiano avanzato da una lancinante cena che avevo offerto ad alcuni dignitari del paese. C'era anche una mezza bottiglia di Pauillac che aspettava di essere finita, ma adesso avevo da fare. Mi costrinsi ad accendere il televisore per il notiziario, ma su professori scomparsi e compositrici in fuga non c'erano né participi lasciati in sospeso né infiniti con frapposizione d'avverbio. A mezzanotte tornai di sopra, accesi la luce nello spogliatoio e, protetto dalle tendine tirate, indossai un pullover scuro con la lampo, un paio di pantaloni di flanella grigia e scarpe di tela nera. Accesi la luce del bagno perché fosse visibile dall'esterno, e la spensi dopo dieci minuti. Feci lo stesso in camera mia, poi sgattaiolai da basso; sempre al buio, mi misi un berretto da campagna e mi avvolsi una sciarpa nera intorno alla faccia; poi scesi per la scala di servizio nelle cucine dove, alla luce della fiamma pilota del fornello a gas, sganciai dal muro della dispensa una vecchia chiave lunga venticinque centimetri, che mi infilai nella tasca dei calzoni.

Aprii la porta posteriore e la richiusi dietro di me, rimanendo immobile nella notte gelida in attesa che gli occhi si abituassero all'oscurità. In un primo momento sembrò che non ci sarebbero mai riusciti: era una notte completamente buia, neanche una stella. Il freddo avvolgeva come un mantello di ghiaccio il mio corpo tremante. Udii richiami di uccelli e una bestiola che uggiolava.

A poco a poco cominciai a scorgere il sentiero di pietra. Ritmato da quattro piani di gradini di arenaria, scendeva lungo il terreno terrazzato fino al ruscello da cui la casa prende il nome. Questo ruscello era attraversato da una passerella; sull'altra riva, un cancelletto si apriva su una collinetta spoglia sulla quale distinsi gradualmente la sagoma ben nota di una chiesa piccola e massiccia, così solida contro il cielo da sembrare un'impronta stampata in rilievo nell'oscurità.

Avanzai con cautela. Stavo andando in chiesa. Ma non per pregare.

Non sono un uomo di Dio, anche se credo che la società sia migliore con Lui che non senza. A differenza di Larry, che poi Gli corre dietro per scusarsi, non Lo rifiuto. Ma neanche Lo accetto.

Se nel profondo credo in un significato originario, in quello che Larry chiamerebbe un *Urgeist*, la mia via per raggiungerlo sarà molto probabilmente quella estetica: per esempio la bellezza autunnale delle Mendip, o Emma che mi suona Liszt; e non la via della preghiera.

Ma il destino aveva stabilito che diventassi un difensore della fede perché una volta ereditato Honeybrook dalla buonanima dello zio Bob, e dopo aver deciso di farne il mio rifugio di ex guerriero della guerra fredda, acquisii anche il titolo di Cavaliere e con esso il diritto di collazione di beneficio della chiesa di San Giacomo Minore, una cattedrale in miniatura del primo gotico appollaiata sul confine orientale delle mie terre, che comprendeva vestibolo, tetto a botte, campanile esagonale in miniatura e uno splendido paio di corvi giganti; purtroppo giaceva ormai in disuso a causa della posizione remota e del declino della fede.

Arrivato fresco fresco da Londra, colmo di rispettoso entusiasmo per la mia nuova esistenza bucolica, decisi col pieno consenso delle autorità diocesane di rimettere in uso quella chiesa come luogo di culto, senza rendermi conto, né io né d'altro canto il vescovo, che così facendo avrei messo in pericolo la già ridotta congregazione della chiesa parrocchiale, situata a un chilometro e mezzo di distanza. Feci riparare a mie spese il tetto e salvai le travi del piccolo portico, che era un vero splendore. Incoraggiato personalmente dalla moglie del vescovo feci anche restaurare la tovaglia dell'altare, organizzai turni di pulizia tra le anime volonterose e, quando tutto fu pronto, mi assicurai i servizi di un pallido curato di Wells che, per un compenso nominale, distribuì pane e vino a un gruppo eterogeneo di contadini, turisti del fine settimana e noi pensionati, tutti a fare del proprio meglio per mostrarci devoti.

Ma dopo un mese la diocesi e io fummo costretti ad ammettere che i nostri sforzi erano stati mal riposti. Anzitutto le mie anime volonterose smisero di essere volonterose, a quanto pare per via di Emma. Non erano per nulla contente, dissero, quando arrivavano in Land-Rover armate di stracci e di secchi, di vedersela appollaiata nella galleria a suonare all'organo Peter Maxwell Davies per una congregazione composta da una sola persona. Mi fecero sgarbatamente capire che se il seduttore londinese di minorenni e la sua amante intendevano usare la chiesa come sala da concerto privata, potevano anche provvedere a tenersela pulita. Poi si presentò un antipatico individuo in blazer e scarponi di pelle scamosciata, come quelli di Larry, che sostenendo di rappresentare un organismo ecclesiastico mai sentito nominare chiese informazioni sul mio conto: per esempio il numero di fedeli della nostra congregazione, l'ammontare e la destinazione delle nostre offerte e i nomi dei predicatori che arrivavano fin qui. In un'altra vita avrei diffidato delle sue credenziali, poiché mi domandò anche se fossi massone, ma se n'era appena andato che avevo già deciso: i miei giorni da salvatore di San Giacomo Minore erano finiti. Il vescovo approvò con gioia.

Ma non venni meno alle mie responsabilità. In qualche angolo del mio io probabilmente si nasconde uno spirito da maggiordomo: in breve tempo scoprii le rasserenanti soddisfazioni del lavare i lastroni del pavimento, dello spolverare banchi e del lucidare candelabri d'ottone nella quiete della mia chiesa privata, vecchia di settecento anni. A quel punto avevo anche altre ragioni per insistere: oltre al conforto spirituale, San Giacomo mi stava offrendo la migliore casa sicura che potessi mai sperare di trovare.

Non mi riferisco alla cappella della Madonna con il rivestimento a pannelli divorato dai vermi, divelto al punto da poterci infilare dentro tutto un archivio senza che si vedesse; né alle ampie cripte dove le pietre tombali in sfacelo degli abati-contadini fornivano un gran numero di cassette naturali per lettere da non recapitare. Mi riferisco al campanile; a uno stanzino segreto per il prete, esagonale, senza finestre, cui si accedeva da una credenza per i piviali della sagrestia e da lì, salendo una minuscola scala a chiocciola, oltre una seconda porta da cui, ne sono convinto, non passava da secoli anima viva; finché non accadde a me di scoprirla per puro caso, dopo essermi scervellato sulla discrepanza tra le misure esterne e interne del campanile.

Ho detto senza finestre, ma quel genio che aveva progettato il mio stanzino segreto, nascondiglio o lupanare che fosse, aveva avuto l'ulteriore ingegnosità di aprire sottili feritoie orizzontali nella parte alta del muro, in ognuno dei punti dove i travetti principali sostengono la volta di legno che circonda l'esterno del campanile. Di conseguenza, stando in piedi e spostandomi da una feritoia all'altra, potevo spiare perfettamente l'avvicinarsi del nemico da qualsiasi direzione.

In quanto alla luce, avevo ripetuto la prova una dozzina di volte. Dopo avere installato un rudimentale impianto elettrico avevo compiuto elaborati giri della chiesa, ora a distanza ora da vicino. Soltanto appiattendomi contro il muro del campanile, e allungando il collo verso l'alto, riuscivo a scorgere il riflesso di un pallido chiarore sull'interno della volta di legno.

Ho descritto minuziosamente il mio stanzino segreto poiché riveste grande importanza per la mia vita interiore. Chi non abbia vissuto in segretezza non può rendersi conto di quanto una simile esperienza possa dare assuefazione. Chi abbia rinunciato al mondo segreto, o sia stato costretto a rinunciarvi, non si riprende più da questa privazione. La nostalgia per la vita interiore, religiosa o clandestina che sia, è a volte insopportabile. In qualsiasi momento quell'individuo sognerà il silenzio segreto che lo reclama fra le proprie braccia.

Così era per me ogni volta che, entrato nello stanzino del prete, rivedevo il mio piccolo bottino di ricordi: diari che non avrei dovuto tenere ma che, avendo cominciato continuavo a conservare; verbali di vecchi incontri, giornali di bordo non purgati delle operazioni, appunti buttati giù con la freddezza del cospiratore, trascrizioni di nastri non censurate, e qua e là interi fascicoli che su all'ultimo piano avevano ordinato di distruggere, e che ufficialmente lo erano stati; salvo poi sparire nel mio archivio privato, in parte allo scopo di illuminare i posteri ma soprattutto come mia assicurazione personale per quei giorni difficili di cui avevo sempre temuto l'arrivo, e che adesso erano arrivati: quando qualche abbaglio dei miei datori di lavoro o qualche mia sciocchezza avrebbero gettato a posteriori una luce negativa su cose da me dette e fatte in tutta coscienza.

Infine, oltre alle carte, avevo tutta l'attrezzatura per fuggire nel momento in cui nulla, nemmeno i documenti, avrebbe più potuto proteggermi: la mia identità di riserva a nome Bairstow con tanto di passaporto, carta di credito e patente automobilistica, tutti documenti che avevo legittimamente acquisito per non so più quale operazione mai conclusasi, e poi conservato e rinnovato, mettendoli più e più volte alla prova fino a raggiungere la certezza che l'ufficio forniture al Servizio ne avesse dimenticato l'esistenza. E la validità, chiaro. Stiamo parlando del Servizio e della sua efficienza sul suolo patrio, non di qualche falsario da quattro soldi che corre un rischio una sola volta. Ognuno di questi documenti era collegato ai computer giusti e protetto da indagini esterne; grazie a loro un uomo, purché avesse la necessaria professionalità, e io ce l'avevo, e il denaro, e io avevo anche quello, poteva vivere tutta un'altra vita, una vita più sicura della propria.

Una nube di gelida foschia mi si avvinghiò addosso, levandosi dal ruscello mentre attraversavo la passerella. Arrivato al cancelletto, sollevai il catenaccio per poi rimetterlo subito a posto. Spinsi la porta il più velocemente possibile, provocando un indignato cigolio che si aggiunse per un attimo ai rumori della notte. Avanzai furtivo lungo il viottolo attraversando il vecchio cimitero, dove lo zio Bob godeva dell'estremo riposo, sino al portico dove cercai a tentoni il buco della serratura. Nella totale oscurità infilai la chiave e, giratala con decisione, spinsi la porta ed entrai.

L'aria di una chiesa è diversa da tutte le altre. È l'aria che respirano i morti, umida, vecchia, raggelante. Riecheggia anche in assenza di rumori. Avanzando tastoni sino alla cripta con tutta la rapidità di cui ero capace, trovai la credenza dei piviali, la aprii, e tenendo i palmi premuti sulle antiche pietre salii la scala a chiocciola che conduceva al mio rifugio, poi accesi la luce.

Ero al sicuro. Adesso potevo concedermi di pensare l'impensabile. Tutta una vita interiore che non osavo riconoscere, né tanto meno esplorare, se non quando ero finalmente nel mio stanzino segreto, si offriva per l'ennesima volta al mio esame.

Signor Timothy d'Abell Cranmer. Come dice? Ha o no, la notte del diciotto settembre, a Priddy Pool, nella contea di Somerset, assassinato, aggredendolo e facendolo poi affogare, un certo Lawrence Pettifer, suo ex amico e agente segreto?

Ci battiamo come soltanto due fratelli possono fare. Tutto il mio ammansirlo e vezzeggiarlo, tutti gli insulti sconsiderati che ho dovuto subire – iniziati con commenti acidi sulla mia prima moglie, Diana, continuati per altri vent'anni con frasi sarcastiche sulla mia inadeguatezza emotiva, su quello che chiama il mio sorriso da finto tonto, sulle mie buone maniere che sostituiscono il senso del dovere, e culminati quando mi ha deliberatamente portato via Emma – tutta la mia sopportazione cancerogena si è trasformata in rivolta furiosa ed esplicita.

Lo tempesto di pugni e probabilmente mi percuote anche lui, ma non sento nulla. Ciò che mi sta colpendo non è che un ostacolo sulla strada che porta a lui, poiché ho deciso di ucciderlo. Sto per raggiungere l'obiettivo che mi sono prefisso. Lo colpisco come ci si colpiva da ragazzi: pugni selvaggi, ansanti, rozzi, tutto ciò che ci hanno insegnato a non fare durante le esercitazioni di lotta. Lo dilanierei con i denti, se le mie dita non fossero abbastanza forti. E va bene! Sto urlando. Mi hai dato dello spiopatico, e adesso eccoti uno spiopatico assetato di sangue! E intanto, senza la minima speranza di ricevere una risposta, urlo al suo indirizzo le domande che hanno continuato a bruciarmi dentro da quando Emma mi ha lasciato: che ne hai fatto di lei? Quali bugie, intendo dire quali verità, le hai raccontato su di noi? Cosa le hai promesso che io non posso darle?

È una notte di luna piena. L'erba lunga e secca ai nostri piedi è cresciuta a grandi ciuffi sotto la spinta dei venti sferzanti delle Mendip. Avanzando verso di lui, menando colpi, sento zolle di terra contro le ginocchia. Ho la sensazione di cadere, perché la luna scivola via da me e poi ritorna, e vedo un profilo di colline verticali con i bordi che le miniere a cielo aperto rendono frastagliati. Ma ancora lo colpisco con le mani inguantate, ancora urlo domande come il più terribile degli inquisitori. Ha la faccia bagnata, calda, tutta sanguinante credo, ma nella luce vaga della luna non ci si può fidare di niente: un velo di sudore e di fango può sembrare una faccia tumefatta. Perciò non mi fido di nulla e continuo a colpirlo urlando: dov'è? Ridammela! Lasciala in pace! Le battutine hanno lasciato il posto ai singhiozzi, adesso che sto per vincere la partita.

L'ho finalmente sconfitto. Larry, la versione autentica di me; così si definisce, il Timbo liberato, quello con una vita che non aveva mai osato vivere prima di farlo indirettamente attraverso di lui. Allora muori, gli urlo, colpendolo col gomito: mi sento stanco, adesso, e mi tornano in mente certi trucchi. Tra un minuto lo colpirò di taglio alla trachea, o gli ficcherò quei suoi occhi bramosi nelle orbite con le dita della mia mano inguantata. Muori, e soltanto uno di noi resterà a vivere la mia vita. Perché due, caro il mio Larry, sono già una folla.

Era stata, capirete, una lunga conversazione, si era parlato di chi avesse violato l'omertà e a chi appartenesse la vita di chi e a chi appartenesse la ragazza di chi e dove si fosse nascosta e perché. Eravamo andati a toccare il nostro passato buio e lontano. Ma le chiacchiere sono soltanto chiacchiere e io sono qui per ucciderlo. Ho la calibro 38 nella cintura e a tempo debito intendo spararagli. È una pistola anonima, non ha numero di matricola né provenienza certa. La polizia britannica o il Servizio non ne hanno mai sentito parlare. Sono arrivato qui su una macchina che con me non ha nulla a che fare, indossando vestiti che non porterò mai più. Adesso mi è chiaro che l'assassinio di Larry l'avevo progettato da anni, sia pure senza rendermene conto, forse dal giorno in cui ci eravamo abbracciati in piazza San Marco. Forse già a Oxford, dove si divertiva tanto a umiliarmi in pubblico: Timbo, che non vede l'ora di essere di mezza età; Timbo, il vergine del college, il nostro borghese rampante, il nostro vescovo in erba; forse addirittura a Winchester dove, malgrado tutte le attenzioni che avevo per lui, non mostrò mai sufficiente rispetto per la mia posizione.

Sono stato abile. Tutto in segreto come ai vecchi tempi. Nessun pranzo domenicale cucinato da Timbo, nessun dialogo per gentile concessione di Larry né supplemento di passeggiata romantica con Emma. L'ho invitato a un incontro clandestino qui sulle colline Mendip, su questo altopiano dal paesaggio lunare più vicino al cielo che alla terra, dove gli alberi gettano ombre di morti sul sentiero imbiancato e dove non passano macchine. Per dissipare i suoi sospetti ho accennato a un urgente e non meglio specificato problema operativo. E Larry è arrivato in anticipo perché, nonostante le pose da bohémien, dopo vent'anni di mie pazienti manipolazioni è un agente operativo dalla testa ai piedi.

E io? Grido, forse? No, no, non credo. «Si tratta di Emma, Larry» spiego per introdurre la questione quando ci troviamo faccia a faccia sotto la luna. Gli faccio probabilmente uno dei miei sorrisi da finto tonto. Il Timbo liberato non si è ancora affrancato dai ceppi. «Del nostro rapporto.»

Il nostro rapporto? Il rapporto fra chi? Fra Emma e me? Fra Larry e me? Fra loro e me? Sei stato tu a spingermi verso di lui, dice Emma fra le lacrime. Mi hai destinata a lui senza nemmeno rendertene conto.

Ma Larry vede il mio viso, sicuramente distorto dal chiaro di luna, e già abbastanza alterato da metterlo in guardia. E invece di spaventarsi viene fuori con una risposta così insolente, così in perfetta sintonia con tutto quanto di lui ho imparato a odiare in trenta e più anni, da firmare senza rendersene conto la propria condanna a morte. È una risposta che da allora mi risuona nella testa. Oscilla davanti a me nel buio come una lampada che devo raggiungere e spegnere. Perfino in pieno giorno mi rimbomba sfacciata nelle orecchie.

«È un problema tuo, no, Timbo? Tu mi hai rubato la vita. Io ti ho rubato la donna. È semplicissimo.»

Mi rendo conto che ha bevuto. Sento nel vento delle Mendip l'odore dello scotch mescolarsi con quello dell'autunno. Percepisco quel tocco in più di arroganza che affiora in lui quando si accinge a recitare uno dei suoi monologhi perfettamente calibrati, con tanto di subordinate, frasi relative e punti e virgola. L'idea che non sia lucido mi riempie di indignazione. Lo voglio sobrio, che sappia dare conto di sé.

«È una vera donna, idiota!» ansima. «Non un giocattolo da letto per un ritardato!»

Furibondo, estraggo la 38 dalla cintura, lateralmente, così come ci hanno insegnato, e da una distanza di neanche mezzo metro gliela punto tra gli occhi.

«Mai visto una di queste, Larry?» gli domando.

Ma la mia mossa sembra semplicemente provocare una reazione stupida. La guarda furtivo, poi inarca le sopracciglia con un sorriso di ammirazione.

«Be', ce l'hai davvero grosso» dice.

Allora perdo le staffe e, usando entrambe le mani, gli sfascio il viso con il calcio della pistola.

O perlomeno credo.

Forse è stato allora che l'ho ucciso.

O forse ricordo ciò che sembra e non è.

Forse gli altri miei colpi, se davvero li ho sferrati, sono andati sprecati su un corpo morto o morente. Non lo so più, né in sogno né da sveglio. I giorni e le notti trascorsi da allora non mi hanno dato chiarimenti, soltanto terribili variazioni della stessa scena. Lo trascino allo stagno, lo colpisco e lo faccio rotolare in acqua: non si sente un vero tonfo ma soltanto una specie di risucchio, come se fosse stato subito trascinato sul fondo. Non saprei dire se mentre compio questo atto finale abbia la meglio il panico o il rimorso. Forse vince l'istinto di conservazione perché anche mentre lo trascino con i piedi avanti sull'erba a ciuffi, e vedo la sua testa ciondolante e imbiancata dalla luna sogghignarmi prima di affondare, sto seriamente valutando se tirargli un colpo di pistola o portarlo a rotta di collo al pronto soccorso di Bristol.

E invece non faccio né l'una né l'altra cosa. Né in ciò che sembra né in ciò che è. Scivola in acqua a testa in giù e il suo migliore amico torna a casa da solo, sostando soltanto per cambiare macchina e vestiti. Sono euforico? Disperato? Sono entrambe le cose, prima con il cuore più leggero di quanto non lo fosse da anni, e un attimo dopo col rimorso dell'assassino.

Ma l'ho davvero assassinato?

Non ho sparato nessun colpo. Dalla rivoltella non manca neanche una pallottola.

Non c'è sangue, sul calcio.

Respirava. Ho visto le bolle. E i morti, a meno che non siano Larry e ubriachi, anche se sogghignano non respirano.

Chissà, forse ho soltanto ucciso me stesso.

In qualche lontana stazione decentrata del mio cervello penso che Larry sia la mia ombra e intanto, distaccato come in sogno, passo fra i pilastri in arenaria di Honeybrook. L'unico modo per afferrarlo è di cascargli addosso. Poi ricordo cosa mi disse una volta, citando da una delle sue icone letterarie: «Uccidere senza essere uccisi è un'illusione».

Di nuovo al sicuro nel mio studio, con mani che finalmente tremano, mi verso una dose abbondante di whisky che butto giù in un sorso. Non bevo più così da una notte del cinque novembre a Oxford quando, dopo il falò a ricordo di Guy Fawkes, Larry e io rischiammo di morire avvelenati tracannando a gara un bicchiere dopo l'altro. È la luce nera, penso, allontanando da me la bottiglia vuota e iniziandone, ostinatamente sobrio, una seconda: la luce nera che vede il pugile quando va al tappeto; la luce nera che attira nella brughiera persone dabbene le quali, rivoltella alla cintura, vanno a uccidere i loro migliori amici; la luce nera che da questa notte in poi splenderà nella mia mente su tutto ciò che accadde o non accadde a Priddy Pool.

Mi svegliai. Sedevo con la testa fra le mani al tavolino montato su cavalletti del mio stanzino segreto, con i miei fascicoli e i miei ricordi ammucchiati intorno.

Possibile, mi domandai, che oltre a essere la mia defunta nemesi Larry fosse anche un ladro? Un malversatore, un cospiratore, un amante di ricchezze segrete e non soltanto di donne?

Tutto quanto sapevo su Larry e su di me si ribellava a questa idea. Non sapeva che farsene dei soldi: quante volte dovevo gridarlo nel vuoto, prima che qualcuno mi credesse? L'avidità istupidisce.

Mai una volta, in tutte le occasioni in cui lo avevo spronato a compiere questo o quel passo, mi aveva domandato: quanto mi pagherai?

Mai che avesse chiesto un aumento della sua mercede di Giuda o si fosse lamentato della spilorceria dei nostri rimborsi spese, minacciando di gettare via cappa e spada se non gli promettevamo più soldi.

Mai una volta, quando riceveva dal controllore sovietico la borsa mensile con gli stipendi dei suoi subagenti immaginari (ed erano decine di migliaia di sterline) aveva sollevato qualche obiezione per il regolamento del Servizio che lo obbligava a consegnare a me l'intera somma.

E adesso, all'improvviso, un ladro? Compare, complice di Ceceev? Trentasette e più milioni di sterline dirottati da Larry su conti presso banche straniere? E da Ceceev? Con la connivenza di Zorin? Tutti e tre insieme a truffare?

«Ehi, Timbo!»

È sera, e siamo a Twickenham. Né io né lui abitiamo qui, ed è per questo che ci siamo venuti. Ci sediamo nella sala interna di un pub: forse il Cabbage Patch, forse il Moon Under Water. Larry sceglie un pub unicamente in base al nome.

«Ehi, Timbo. Lo sai cosa mi ha raccontato CC? Rubano. I *gortsy*. Rubare è un atto onorevole, purché si derubino i cosacchi. Esci col fucile, spari a un cosacco, gli freghi il cavallo e quando torni a casa ti accolgono come un eroe. Una volta riportavano a casa anche le teste delle vittime per farci giocare i bambini. Salute.»

«Salute» dico, facendomi forza per ascoltare Larry che vuole impressionarmi a tutti i costi.

«Non ci sono leggi, contro l'omicidio. Se ti trovi coinvolto in una faida, noblesse oblige che tu faccia fuori tutti quelli che ti capitano a tiro. Oh, e agli ingusci piace iniziare il Ramadan prima del previsto per metterlo nel sedere ai loro vicini dimostrando quanto sono pii.»

«E allora cosa intendi fare?» domando paziente. «Rubare per lui, uccidere per lui o pregare per lui?»

Ride ma evita di rispondermi. Mi devo così sorbire una dissertazione su come i *gortsy* praticano il sufismo, e sul ruolo influente delle comunità segrete nel preservare l'unità etnica; devo tenere presente che il Caucaso è il vero crogiuolo della Terra, la grande barriera contro l'Asia, l'ultimo baluardo delle piccole nazioni e dell'individualità etnica. Quaranta lingue in un'area grande come la Scozia, Timbo! Mi dice anche di rileggere Lermontov e *I cosacchi* di Tolstoj, lasciando perdere quello sbrodolone romantico di Alexandre Dumas.

E fino a un certo punto, se Larry è contento lo sono anch'io. Prima che CC arrivasse a Londra, non avrei puntato un soldo sull'avvenire dell'operazione. E invece, con grande gioia di tutti e tre si è rimessa in moto. A pensarci bene, anzi, di questo torbido segreto è a parte anche l'imperscrutabile capo di CC, il venerabile Volodja Zorin. Ma a un altro livello diffido maggiormente del rapporto di Larry con CC, che non di quello che aveva con i controllori russi precedenti.

Perché?

Perché CC tocca in Larry una corda che i suoi predecessori non erano riusciti a sfiorare. E nemmeno io.

Larry troppo perfetto in ogni dettaglio. Stavo leggendo una nervosa nota a piè pagina sul verbale di un incontro. Convinto che CC e lui stiano macchinando qualcosa... Sì, ma cosa? mi domandavo, spazientito da questa inutile intuizione. Rapinare contadini per divertimento? Assurdo. Larry, influenzato da un uomo più forte, era capace di una quantità di cose. Ma falsificare ricevute, aprire conti su banche straniere? Prendere parte a una frode reiterata e sofisticata per la bellezza di trentasette milioni di sterline? Un Larry così non lo conoscevo. Ma quale Larry conoscevo?

CC PERSONALE lessi nelle austere maiuscole di Cranmer, sulla copertina di un grosso fascicolo blu contenente le mie carte segrete su Ceceev, dal giorno del suo arrivo a Londra a quello dell'ultimo viaggio ufficialmente documentato di Larry in Russia.

«CC è una star, Timbo... metà nobile e metà selvaggio, tutto *Mensch* e simpatico da morire...» sta dicendo Larry in estasi. «... Una volta odiava tutto quanto fosse russo per ciò che Stalin aveva fatto alla sua gente, ma quando arrivò Chruscev divenne un uomo del Ventesimo Congresso del Partito. Quando si ubriaca ripete in continuazione: "Io credo nel Ventesimo Congresso del Partito", lo recita come un Credo.

«CC, come ci sei entrato nel giro dello spionaggio? gli domando. È stato quando studiava a Grozny, dice. Era arrivato all'università superando pesanti intoppi burocratici. Sembra che gli ingusci non siano graditi, nell'unica università della vicina Cecenia. Un gruppo di teste calde cercò di coinvolgerlo in un tentativo di fare saltare in aria la sede del Partito per protestare contro i maltrattamenti di cui erano fatti oggetto gli ingusci. CC disse che erano matti, ma quelli non vollero ascoltarlo. Disse che era un uomo del Ventesimo Congresso, e ancora non volevano ascoltarlo. Così li riempì di botte, aspettò che fossero scappati sulle colline e andò a denunciarli al Kgb...

«E al Kgb ne rimasero talmente colpiti che quando finì gli studi lo presero e lo mandarono in una scuola fuori Mosca dove per tre anni studiò inglese, arabo e spionaggio. Ehi, senti questa: ha recitato la parte di Lord Goring in *Un marito ideale*. Dice che è stato un trionfo. Un inguscio nella parte di Lord Goring! Lo adoro!»

Confermato da intercettazioni microfoniche, aveva coscienziosamente annotato il prosaico Cranmer nella sua grafia da impiegato di banca.

Grozny in Russia? mi sento chiedere.

Per l'esattezza in Cecenia. Caucaso del nord. Hanno proclamato l'indipendenza.

Come ci sei arrivato?

Con l'autostop. In volo ad Ankara. In volo a Baku. Ho strisciato un po' lungo la costa. Voltato a sinistra. Una pacchia.

Il tempo, pensai, guardando senza vederlo il muro di pietra davanti a me.

Aggrappati al tempo.

Il tempo, grande guaritore dei morti. Gli ero rimasto aggrappato per cinque settimane, ma adesso era una questione di vita o di morte.

Il primo agosto mi faccio tagliare il telefono.

Qualche domenica dopo, la domenica è il nostro giorno del destino, Emma prende lo sgabello del piano e i gioielli antichi, e se ne va senza lasciare un recapito.

Passano quattro giorni e il diciotto settembre uccido

oppure non uccido Larry Pettifer a Priddy Pool. Prima che Emma partisse, sapevo soltanto che, nella miglior tradizione della pubblica amministrazione, bisognava prendere qualche provvedimento. Il tempo diventa uno spazio vuoto illuminato da una luce nera.

Il tempo ridiventa tempo quando il dieci ottobre, primo giorno dell'annunciato corso di Larry all'università di Bath, e ventiduesimo giorno dopo Priddy, il dottor Lawrence Pettifer risulta ufficialmente scomparso.

Domanda: da quanto tempo era scomparso Larry prima che fosse ufficialmente tale?

Domanda: dov'era Emma mentre io uccidevo o non uccidevo Larry?

Domanda: dov'è Emma adesso?

E la più grande di tutte le domande, alla quale nessuno mi avrebbe dato risposta, ammesso che qualcuno la conoscesse: quando era andato Ceceev a trovare Larry? Se infatti l'ultima visita di CC a Bath era avvenuta dopo il diciotto settembre, la resurrezione di Larry era totale. Se invece era avvenuta prima, dovevo continuare a vagare nella luce nera, assassino ai miei occhi se non a quelli di Larry.

Dopo il tempo, la materia: dov'è il cadavere di Larry?

C'erano due stagni a Priddy, il Mineries e il Waldegrave. Era il Mineries che noi del posto chiamavamo Priddy Pool, d'estate i bambini correvano tutto il giorno lungo la riva. Durante i week-end c'erano famigliole che venivano a fare picnic nella brughiera erbosa, lasciando le loro Volvo parcheggiate in una piazzola. Come poteva allora un cadavere delle dimensioni di quello di Larry, o qualsiasi altro cadavere, puzzare, marcire e galleggiare per trentasette giorni e altrettante notti?

Prima teoria della materia: la polizia ha trovato il corpo di Larry e sta mentendo.

Seconda teoria della materia: la polizia temporeggia con me, aspettando che io fornisca la prova mancante.

Terza teoria della materia: sto sopravvalutando l'intelligenza della polizia.

E il Servizio cosa fa? Oh, caro mio, quello che abbiamo sempre fatto! Montiamo contemporaneamente tutti i cavalli che partecipano alla corsa, e non arriviamo a nulla.

Quarta teoria della materia: la luce nera diventa luce bianca e il corpo di Larry non è morto.

Quante volte ero tornato a Priddy per dare un'occhiata? C'ero andato vicino. Tiravo fuori la macchina, mi mettevo una vecchia giacca sportiva, uscivo dal vialetto e mi inventavo ogni volta una scusa diversa: fare un salto a Castle Cary, comprare qualcosa o dare un'occhiata da Appleby, a Wells.

Avevo letto da qualche parte che le donne morte galleggiano a pancia in su. Gli uomini invece tengono la faccia nell'acqua. O era il contrario? Era il ghigno accusatore di Larry che se ne stava ancora lì a guardarmi al chiaro di luna? O era invece la nuca della sua testa fracassata, la sua testa che contemplava per sempre le acque melmose dell'aldilà?

Avevo tirato fuori un riassunto scritto a matita della carriera di Ceceev, composto sulla base della sua biografia ufficiale e dei ritocchi apportati da Larry:

> 1970. Iran, col nome di Grubaev. Si fece una fama entrando in contatto con il Partito comunista locale (fuorilegge). Citato ed elogiato dal Comitato centrale, del quale il capo del personale del Kgb è membro di diritto. Promosso.
> 1974. Yemen del sud, col nome di Klimov, vicecapo della missione permanente. Imprese temerarie, scaramucce nel deserto, gole tagliate. [Descrizione indelicata di Larry: un Lawrence russo, che viveva di piscio di cammello e di sabbia arrostita.]

1980-82. Trasferimento improvviso a Stoccolma, col vero nome di Ceceev, per sostituire il numero due locale espulso per attività incompatibili ecc. Si annoiava a morte. Odiava tutto, della Scandinavia, tranne l'acquavite e le donne. [Larry: ne faceva fuori in media tre alla settimana. Donne e bottiglie.]
1982-86. Alla sezione inglese del Centro di Mosca, a rodersi il fegato e subire lavate di capo per la sua sfrontatezza.
1986-90. A Londra, come Ceceev, numero due della missione permanente agli ordini di Zorin (come avevo detto alla cara Marjorie, nessun culo nero diventerà mai il numero uno in una sede importante del mondo occidentale).

Da una busta fissata alla copertina interna del fascicolo, estrassi un mucchietto di istantanee scattate per la maggior parte da Larry: CC davanti alla dacia dell'ambasciata sovietica a Hastings, dove Larry veniva a volte invitato per il week-end; CC al Festival di Edimburgo, a incarnare il ruolo di attaché culturale davanti a manifesti che annunciano "Uno spettacolo caucasico di danze & musica".

Guardai ancora il viso di Ceceev, come già avevo fatto tante volte in passato: affilato ma gradevole, senso dell'umorismo sarcastico e spirito d'iniziativa. Occhi sereni per trentasette milioni di sterline.

E continuai a guardarlo. Presi la vecchia lente di ingrandimento dello zio Bob per guardarlo più a fondo che mai. I grandi generali, avevo letto, si portavano appresso le fotografie dei loro avversari, le appendevano nella tenda e ci fantasticavano su prima di dire le preghiere al terribile Dio delle battaglie. Ma nei miei sentimenti per CC non albergava nulla di ostile. Mi ero chiesto come diavolo facesse Larry a ingannarlo, ed era la stessa cosa che sempre mi chiedevo pensando all'altro padre di Larry. Ma era così che agivano gli agenti doppi di tutto il mondo. Quando stavi dalla parte dei buoni, i cattivi ti sembravano assurdi. E quando stavi con i cattivi, ti battevi furiosamente per convincere la gente che la parte giusta fosse la tua, finché non era troppo tardi. E mi ero ovviamente chiesto come uno la cui gente è stata perseguitata per trecento anni dal governo coloniale russo potesse convincersi a servire gli oppressori.

«È un lupo mannaro del Caucaso, mio caro Timbo» sta dicendo Larry tutto eccitato. «Di giorno spia raziocinante, di notte *gorets*. Alle sei di sera puoi vedergli spuntare le zanne...»

Aspettavo che il suo entusiasmo si smorzasse. Ma una volta tanto non accadde. A poco a poco quindi, con Larry in veste di intermediario, CC cominciò a piacere anche a me. Imparai a fare assegnamento sulla sua professionalità. Mi meravigliai della sua capacità di fare sì che Larry mantenesse il rispetto nei suoi confronti. E se non capivo cosa fosse il lupo che Larry vedeva in lui riuscivo tuttavia, sia pure per interposta persona, a sentire un'energia ribelle che andava contro il tetro sistema di cui si era messo al servizio.

Sono nella casa di sorveglianza a Lambeth, seduto accanto a Jack Andover, il nostro sorvegliante capo, che proietta un video nel quale CC, ai Kew Gardens, svuota una finta cassetta per le lettere riempita un'ora prima da Larry. Eccolo che cammina fino a oltrepassare il segnale da cui risulta che la cassetta è piena, e l'obiettivo ci mostra lo scarabocchio infantile che Larry ha tracciato sul muro di mattoni. CC lo nota con la coda dell'occhio e prosegue la passeggiata. Il suo passo è deciso, quasi maleducato, come se sapesse che lo stanno filmando. Procede con noncuranza verso un'aiola di rose. Si china, fingendo di leggere il cartellino sui gambi. Nel fare questo, la parte superiore del suo corpo si muove rapidamente in avanti; la mano estrae un pacchetto dal nascondiglio e lo occulta dentro i vestiti: ma con tanta destrezza, e in maniera così impercettibile, da farmi tornare in mente una parata militare che una volta mi aveva portato a vedere lo zio Bob, con cavallerizzi cosacchi che, lanciate al galoppo le loro cavalcature non sellate, scivolavano loro sotto il ventre per riemergere al momento di fare il saluto.

«Il suo uomo ha per caso sangue gallese?» mi domanda Jack, mentre CC riprende a ispezionare con innocenza le aiole.

Jack ha ragione. CC ha una precisione e un'andatura da minatore.

«I miei ragazzi e le mie ragazze vanno matti per lui» mi assicura Jack mentre sto andando via. «Sfuggente non è la parola giusta. Dicono che pedinarlo è un vero privilegio, signor Cranmer.» Poi, timidamente: «Ha per caso notizie di Diana, signor Cranmer?».

«Sta bene, grazie. Si è felicemente risposata e siamo buoni amici.»

Diana, la mia ex moglie, prima di vedere la luce aveva lavorato nella sezione di Jack.

Di nuovo il denaro.

Dopo il tempo, la materia e Konstantin Ceceev, pensiamo al denaro. Non a quanto ne spendo in un anno, o a quanto abbia ereditato da zio Bob o da zia Cecily, o a come abbia potuto permettermi il Bechstein di Emma, che lei neppure voleva. Il denaro vero, i trentasette milioni spillati al governo russo, un atto premeditato di banditismo impiegatizio, con impronte delle zampe di Larry su tutto il fascicolo.

Alzatomi dal tavolo, feci un giro del mio stanzino segreto sbirciando una dopo l'altra da tutte le feritoie. Cercavo di afferrare ricordi che si allontanavano a passo di danza non appena cominciavo a inseguirli.

Denaro.

Richiamare alla mente le occasioni in cui Larry avesse parlato di denaro in qualsiasi contesto che non riguardasse imposte, debiti, bollette dimenticate, il sozzo materialismo dell'Occidente e gli assegni che non si era preso la briga di versare.

Tornato al tavolo, passai di nuovo al setaccio i fascicoli finché non trovai l'appunto che stavo cercando, pur senza sapere bene quale fosse: un foglio protocollo giallo su cui, usando un pennarello blu, avevo annotato con grande ordine certe informazioni. E su in cima la domanda, espressa nei termini imbarazzati che uso quando parlo tra me ad alta voce: perché Larry mi ha mentito sul suo amico ricco di Hull?

Affronto la domanda lentamente, proprio come farebbe Larry. Sono un funzionario dei Servizi segreti. Nulla esiste che non abbia un contesto.

Larry è appena tornato da Mosca. Stiamo entrando nell'ultimo anno della sua carriera. Il nostro appartamento sicuro stavolta non è in Tottenham Court road ma a Vienna, in Hohe Warte, un grande edificio destinato alla demolizione con tegole verdi e mobili Biedermeier del ministero dei Lavori pubblici. È già spuntata l'alba ma non siamo ancora andati a letto. Larry è arrivato in aereo ieri sera tardi e, come al solito, ci siamo messi subito al lavoro. Fra poche ore dovrà tenere una conferenza plenaria a un congresso di giornalisti internazionali politicamente impegnati, che ha prevedibilmente ribattezzato segaioli. È disteso sul divano: una delle sue mani sottili penzola come in un disegno di Sickert, l'altra tiene in equilibrio sulla pancia un whisky color mogano. Una congrega di attempati analisti della Russia (l'espressione osservatore a Mosca è già antiquata) lo ha reso ostile all'avvicinarsi del giorno. Sta parlando del mondo: della parte che è nostra. Perfino quando sta per affrontare il tema del denaro, Larry deve prima parlare del mondo.

«L'Occidente non ha più compassione, Timbo» annuncia al soffitto, senza preoccuparsi di soffocare un grosso sbadiglio. «Gira a vuoto. Ci fotte.»

Sei ancora a Mosca, penso guardandolo. Con gli anni l'andirivieni fra i due fronti diventa sempre più faticoso, e ci metti più tempo per tornare a casa. Quando guardi il soffitto, so che stai guardando il profilo dei tetti di Mosca. Quando mi guardi stai paragonando il mio volto ben pasciuto ai visi macilenti che hai lasciato alle tue spalle. E quando imprechi in questa maniera, so che ti senti a pezzi.

«Votiamo per la nuova democrazia russa» riprende vago. «Antisemita, antislamica, antioccidentale, e tanta tanta corruzione. Ehi, Timbers...»

Ma anche quando sta per parlare di soldi, Larry deve prima mangiare. Uova, pancetta e pane fritto, il suo piatto preferito. Non c'è niente che lo faccia ingrassare. Le uova devono essere di fattoria e rivoltate come piacciono a lui. Il tè è Fortnum & Mason English Breakfast, arrivato in volo con la congrega. Latte intero e zucchero raffinato. Pane integrale. Grandi quantità di burro salato. La signora Bathurst, la nostra fidata governante stabile, sa tutto delle piccole abitudini di Larry; e io pure. Mangiando si è placato. Come sempre. Nella lunga vestaglia marrone divorata dalle tarme, che si porta appresso dappertutto, è ricomparso il mio amico.

«Che c'è?»

«Chi conosciamo nel campo dei soldi?» domanda con la bocca piena. Siamo arrivati alla meta. Non sapendolo, sono insolitamente brusco. Forse, adesso che la guerra fredda è finita, mi stanca più di quanto sia disposto ad ammettere.

«E va bene, Larry, in che razza di pasticcio ti sei cacciato stavolta? Abbiamo dovuto pagarti la cauzione non più tardi di due settimane fa.»

Scoppia a ridere; troppo di cuore, per i miei gusti. «Andiamo, asino. Non è per me. È per un mio amico. Ho bisogno di un feroce banchiere fascista. Chi conosciamo?»

E continuiamo così. A parlare di denaro. Questo mio amico sta all'università di Hull, mi spiega tutto garbato, e intanto si spalma la marmellata. Uno che non conosci, aggiunge, prima che possa chiedergli come si chiama. Quel povero diavolo ha ereditato un sacco di quattrini, dice. Un mega sacco. Del tutto inaspettato. Un po' come è successo a te, Timbo, quando ha tirato le cuoia quella tua zia, come diavolo si chiamava. Ha bisogno di qualcuno che lo tenga per mano. Ha bisogno di commercialisti, avvocati, fedecommessi e tutto quel ciarpame. Qualcuno di serie A, un fuoribordo, un tipo sofisticato; chi conosciamo? Andiamo, Timbo, tu conosci tutti.

Mi metto a riflettere per lui, ma cerco soprattutto di capire perché abbia scelto proprio questo momento per affrontare l'argomento irrilevante delle preoccupazioni finanziarie del suo amico di Hull.

Per puro caso appena due giorni prima, in qualità di amministratore onorario di un'istituzione benefica privata, il Charles Lavender Urban and Rural Trust for Wales, ero seduto proprio a fianco di un banchiere del genere.

«Be', c'è sempre il grande e buon Jamie Pringle» suggerisco con cautela. «Non lo si potrebbe definire sofisticato ma di serie A lo è sicuramente, ed è lui il primo a dirtelo.»

Pringle studiava a Oxford, ai nostri tempi: giocatore di rugby e rampollo di quelle che Larry chiama le classi insopportabili.

«Jamie è un deficiente» dichiara Larry, tracannando il suo tè English Breakfast. «Dove bazzica, comunque? Casomai il mio amico fosse interessato.»

Ma Larry sta mentendo.

Come faccio a saperlo? Lo so. Non occorrono le intuizioni esacerbate della depressione da post-guerra fredda, per capire le sue astuzie. Quando hai pilotato un uomo per vent'anni, addestrandolo all'inganno, immergendocelo dentro, tirando fuori la scaltrezza che era in lui per servirtene, quando lo hai mandato a dormire a casa del nemico e ti sei mangiato le unghie aspettando che rientrasse, quando lo hai assistito nei suoi amori e nei suoi odi, nelle sue crisi di disperazione, nei suoi livori gratuiti e nella sua eterna noia, lottando con tutta l'anima per separare l'istrionismo dalla sua vera natura, a quel punto o gli conosci la faccia o non conosci nulla, e io la faccia di Larry la conoscevo come la mappa della mia anima. Avrei potuto disegnarla, se fossi stato un artista: ogni rilievo dei lineamenti, il sollevarsi e l'abbassarsi di ogni linea in grado di rivelare qualcosa, e i punti in cui non avviene nulla, raccolti in un sacro silenzio nel momento in cui mente. Sulle donne, su se stesso. O sul denaro.

Appunto a labbra serrate di Cranmer, senza data: chiedere a Jamie Pringle cosa diavolo stesse combinando LP.

Ma con la scure di Merriman sospesa sopra di noi, e LP che gli dava insolitamente sui nervi, Cranmer aveva probabilmente altro a cui badare.

Così non più tardi di un paio di mesi fa, quando siamo due uomini liberi più Emma, e ci stiamo godendo l'ennesimo pranzo domenicale a Honeybrook, e io sono riuscito a stornare la nostra conversazione un po' troppo ampollosa dalle sofferenze della Bosnia, dallo sterminio etnico degli abcasiani, dalla decimazione dei molucchesi e da non so più quali altre scottanti questioni di attualità da cui entrambi sono afflitti, salta fuori per caso il nome di Jamie Pringle. O forse qualche demone in me gli dà una spintarella, perché sto cominciando a diventare un po' irrequieto.

«Sì, Dio mio, a proposito, come è poi andata quella faccenda con Jamie?» domando a Larry, con quel pizzico di noncuranza in più cui ricorriamo noi spie nel liberare un argomento dal suo involucro segreto in presenza di un comune mortale. «Ha potuto dare una mano al tuo amico di Hull? Gli è stato utile? Che cosa è successo?»

Larry guarda prima Emma e poi me, ma ormai ho smesso di chiedermi perché guardi prima lei poiché tutto ciò che avviene fra noi tre è diventato un fatto di tacita consultazione fra loro due.

«Pringle è uno stronzo» replica secco Larry. «Lo era. Lo è. E lo sarà sempre. Amen.»

Poi, mentre Emma fissa pudica il proprio piatto, si lancia in una diatriba contro quelle che chiama le bocche inutili della nostra generazione di oxfordiani, trasformando così l'argomento Jamie Pringle in un'ennesima concione contro l'Occidente che non prova più compassione.

L'ha rivoltata, mi dico, usando il gergo del nostro mestiere. Se n'è andata. Ha defezionato. È passata dall'altra parte. E non lo sa nemmeno.

Dalle feritoie comparivano strisce di luce oltre le colline grigie. Un gufo giovane e sgraziato volava basso sull'erba lungo il fianco della collina gelata, in cerca di colazione. Tante albe in comune, pensai: tanta vita profusa in un solo uomo. Che lo abbia ucciso o no, Larry per me è morto, e io lo sono per lui. Rimane un'unica domanda: chi è morto, per Emma?

Tornai al tavolo, mi immersi ancora una volta nelle mie carte, e quando mi toccai il viso sentii con sorpresa una barba vecchia di quasi due giorni. Perlustrai di sottecchi il mio rifugio segreto e contai le tazze di caffè. Consultai l'orologio, rifiutandomi di credere che fossero le tre del pomeriggio. Ma l'orologio era giusto, e il sole entrava dalla feritoia a sud-ovest. Non stavo vivendo per interposta persona una notte bianca a Helsinki né camminando avanti e indietro nella mia camera d'albergo, pregando che Larry tornasse sano e salvo da Mosca, dall'Avana o anche soltanto da Grozny. Ero qui nel mio stanzino del prete, e avevo tirato fuori i fili; ma non li avevo ancora intrecciati.

Guardandomi attorno, posai gli occhi su un angolo del mio regno al quale per mia stessa decisione mi era proibito accedere. Era una nicchia, riparata da una vecchia tenda da oscuramento trovata in solaio, che avevo inchiodato all'entrata. L'archivio di Emma, la chiamavo.

«La tua amatissima Emma è proprio un bel tipo» annuncia Merriman con gusto, due settimane dopo che sono stato costretto a sottoporre alla sua approvazione il nome di lei quale mia futura compagna. «Nessun rischio per nessuno, sarai contento di saperlo; se non, forse, per te. Ti piacerebbe dare un'occhiatina proibita alla sua biografia, prima di buttarti? Ti ho preparato un sacchetto con gli avanzi, puoi portartelo a casa.»

«No.»

«La sua famiglia spaventosa?»

«No.»

Il sacchetto con gli avanzi, come lo chiama lui, è già in mezzo a noi sulla scrivania, un'anonima cartelletta marrone da cui spunta una mezza dozzina di anonimi fogli bianchi.

«I suoi anni perduti? I suoi esotici vagabondaggi in terre straniere? La sua sciagurata vita amorosa, la lotta per cause assurde, le marce a piedi nudi, i picchettaggi, il cuore sempre spezzato? Certo, con questi giovani musicisti d'oggi uno si chiede dove trovino il tempo per imparare le scale.»

«No.»

Come potrebbe capire che Emma è il rischio che ho imposto alla mia sicurezza, la mia nuova vita allo scoperto, la mia glasnost al femminile? Non voglio informazioni rubate sul suo conto, non voglio nulla che lei non mi racconti spontaneamente. Pur vergognandomene prendo il fascicolo, già sapeva che l'avrei fatto, e me lo ficco con rabbia sotto il braccio. Il richiamo della professione è ancora troppo forte. La conoscenza non uccide mai. L'ho predicato per vent'anni a chiunque fosse disposto ad ascoltarmi: soltanto l'ignoranza può uccidere.

Dopo aver rimesso tutto in ordine per la prossima visita, affidai il mio corpo stanco alla scala a chiocciola che porta all'armadio dei piviali. Nella cripta mi munii di una tuta, di una scopa, di uno strofinaccio e di una lucidatrice. Così equipaggiato mi avviai lungo la navata principale fermandomi di fronte all'altare dove, con le movenze furtive di noi agnostici, mi profusi in un goffo atto di omaggio o di riverenza a quel Creatore nel quale non potevo indurmi a credere. Dopodiché mi dedicai alle pulizie, non essendo mai stato un uomo che trascuri le azioni di copertura.

Per prima cosa spolverai i banchi medievali, poi lavai i lastroni del pavimento e ci passai la lucidatrice, disturbando una famiglia di pipistrelli. Mezz'ora dopo, sempre in tuta e brandendo la scopa a ulteriore prova delle mie fatiche, mi avventurai alla luce del giorno. Il sole era sparito dietro un banco di nubi bluastre. Strisce scure di pioggia tormentavano le nude vette. Il mio cuore cessò di battere. Stavo guardando quella collina che chiamiamo il Faro. È la più alta delle sei, butterata di pietre lavorate e di tumuli ritenuti i resti di un antico luogo di sepoltura. Tra queste pietre, che spiccavano nere sullo sfondo in fermento del cielo, si ergeva la figura di un uomo con un cappotto o un impermeabile lungo che sembrava senza bottoni poiché sbatteva e fluttuava tra le folate di vento, nonostante quell'individuo avesse le mani in tasca.

Teneva la testa girata da un'altra parte, come se lo avessi appena colpito con il calcio di una calibro 38. Aveva il piede sinistro in avanti, in quella posa buffamente napoleonica che piaceva tanto a Larry. Portava un berretto piatto e sebbene non ricordassi di avere mai visto Larry con un berretto non significava nulla, data la sua abitudine di lasciare i propri cappelli nelle case della gente, scambiandoli con altri che preferiva. Cercai di chiamarlo ma non uscì alcun suono. Aprii la bocca, volevo gridare "Larry!", ma questa volta la mia lingua non riuscì a pronunciare la L. Torna, lo supplicai muto, scendi. Ricominciamo da capo. Cerchiamo di essere amici e non rivali.

Feci un passo in avanti, poi un altro. Intendevo aggredirlo come a Priddy, credo, scavalcando i muri di pietra, ignorando la pendenza, gridando "Larry! Larry! Stai bene?". Ma come lui stesso mi diceva sempre, la spontaneità non è mai stata il mio forte. Così mi limitai a posare la scopa, portandomi le mani a coppa intorno alla bocca e gridando qualcosa di generico come "Salve, chi va là, sei tu?".

O forse a quel punto mi ero reso conto che, per la seconda volta in altrettanti giorni, mi stavo rivolgendo alla sgradevole persona di Andreas Munslow, già membro della mia sezione e ora custode del mio passaporto.

«Cosa diavolo credi di fare?» gli urlai. «Come osi venire qui a spiare? Vattene. Levati dai piedi.»

Scendeva a lunghi passi la collina, strisciando i piedi come un ragno. Non mi ero mai reso conto di quanto fosse agile.

«Buon pomeriggio, Tim» disse, senza traccia alcuna della deferenza del giorno prima. «Stai facendo le pulizie per Dio?» domandò, guardando prima la scopa e poi me. «Non ti radi più, ultimamente?»

«Che ci fai qui?»

«Veglio su di te, Tim. Per tua sicurezza e comodità. Ordini dall'ultimo piano.»

«Non ho bisogno di nessuno che vegli su di me. So farlo benissimo da solo. Vattene.»

«Jake Merriman pensa di sì. È convinto che stia facendo il furbo con lui. Mi ha ordinato di pedinarti. Di metterti un campanello al culo, per citare le sue parole. Sono al Crown, giorno e notte.» Mi porse un foglietto. «Questo è il numero del mio cellulare. Daniel Moore, camera 3.» Mi puntò l'indice contro il petto. «E fottiti, Cranmer. Fottiti e basta. Prova a combinarmi qualcosa e ti renderò pan per focaccia. Sei avvertito.»

In salotto mi stava aspettando il fantasma di Emma. Seduta al Bechstein, sul suo sgabello speciale, pensava ad alta voce le note, in quella tipica posizione di rigidezza che le fa la vita sottile e i fianchi larghi. Portava, per farmi piacere, tutti i suoi gioielli antichi.

«Hai di nuovo flirtato con Larry?» mi domandò senza smettere di suonare.

Io però non avevo nessuna voglia di farmi prendere in giro, e men che meno da lei.

Scese la sera ma io ero già entrato nella luce nera della mia anima. La luce del giorno non sarebbe bastata a salvarmi. Vagai per la casa toccando cose, aprendo libri e chiudendoli. Mi cucinai qualcosa e non lo mangiai. Misi su della musica e non l'ascoltai. Mi addormentavo per poi svegliarmi con lo stesso sogno che mi aveva interrotto il sonno. Tornai allo stanzino del prete. Quale pista stavo seguendo? Quali indizi? Frugavo fra le macerie del mio passato, in cerca di frammenti della bomba che lo aveva distrutto. Più di una volta mi alzai disperato dal tavolo, andandomi a mettere davanti a quella tenda vecchia e cenciosa che risaliva agli anni di guerra; la mia mano si preparava a squarciare la barriera che mi ero imposta, e che mi separava dal territorio proibito di Emma. Ma ogni volta mi trattenevo.

6

«Il solito, signor Cranmer?»
«Grazie, Tom.»
«Immagino che non veda l'ora di andarsene in pensione.»
«E invece, Tom, dovrò ancora aspettare qualche anno; il che non mi dispiace.»
Mi unisco alla risata: questa è l'eterna battuta che ci scambiamo un venerdì sì e uno no mentre compro il biglietto per Paddington, prima di andare al binario tra le sagome in completo scuro in attesa del treno per Londra. E se quello fosse stato un venerdì normale avrei certamente fantasticato un poco, immaginando di essere ancora in servizio. Ai bei tempi Emma mi raddrizzava allegramente il nodo della cravatta e mi lisciava il bavero della giacca, augurandomi una piacevole giornata in ufficio, tesoro, poi mi dava un ultimo delizioso e, ahimè, ammiccante bacio. E quando le cose andavano male assisteva alla mia partenza dalla penombra della finestra al piano superiore, forse senza rendersi conto che anch'io la guardavo nello specchietto laterale della Sunbeam; sapeva che l'avrei lasciata sola tutto il giorno con la macchina da scrivere, il telefono, e Larry a cinquanta chilometri di distanza.

Ma quel mattino, anziché lo sguardo vagamente indagatore di Emma, mi sentivo addosso quello scientifico di un professionista. Stavo scambiando due parole con uno sciagurato baronetto, soprannominato in paese Percy il povero, che dopo avere ereditato una fiorente azienda meccanica e averla fatta fallire, era ridotto a vendere assicurazioni sulla vita a provvigione; proprio in quel momento vidi la figura di Tom, in biglietteria, allungarsi verso il telefono e parlare voltandomi le spalle. E quando il treno lasciò la stazione notai un uomo, berretto da campagnolo e impermeabile, che dal parcheggio mandava zelanti cenni di saluto a una donna la quale, seduta un paio di sedili davanti a me, non lo degnò di uno sguardo. Era lo stesso individuo che, alla guida di un furgone Bedford, mi aveva seguito non appena mi ero immesso nella strada su cui sbocca il vialetto di casa mia.

Attribuii arbitrariamente Tom alla polizia, berretto e impermeabile a Munslow. Buona fortuna, pensai. Che tutti i pedinatori prendano nota: anche questo venerdì Tim Cranmer si sta dedicando regolarmente ai suoi soliti affari.

Mi ero messo il gessato blu. Mi vesto in modo diverso a seconda di chi devo vedere. Non posso farci nulla. Se faccio visita al vicario, mi metto un abito di tweed; se vado a un incontro di cricket, blazer e cravatta sportiva. E se, dopo quattro giorni di angosciosa reclusione all'interno della mia testa, devo partecipare alla riunione quindicinale del consiglio di amministrazione del Charles Lavender Urban and Rural Trust for Wales, nella sede della società Pringle Brothers di Threadneedle street, non riesco a evitare di somigliare a un banchiere che sta prendendo il treno; studio le pagine finanziarie del giornale, monto sulla macchina con autista che mi aspetta fra gli splendidi archi di Brunel, e una volta alla Pringle do il buongiorno al portiere in livrea; e vedo riflesso nella porta di vetro e mogano quello stesso taxi, senza passeggeri e con la luce spenta, che da Praed street in poi ha continuato a seguirmi.

«Signor Cranmer, salve, è un vero piacere vederla» uggiolò nel suo finto accento cockney Pandora, la remissiva segretaria di Jamie, quando entrai nel salottino edoardiano in pelle che costituiva il suo regno.

«Per tutti i diavoli, Tim!» esclamò Jamie Pringle con tutti i suoi cento chili, camicia a righe e bretelle color gelso, costringendomi a una stritolante stretta di mano. «Non dirmi che è già la settimana del venerdì, eh, eh?»

Pringle è uno stronzo, sento dire da Larry con il mio orecchio interiore. Lo era. Lo è. E lo sarà sempre. Amen.

Monty entrò quasi di soppiatto; era l'ombra di se stesso. Indossava un panciotto nero bucherellato e pantaloni dal risvolto largo; puzzava di quelle sigarette che non era autorizzato a fumare al piano dove regnavano i soci. Monty teneva la contabilità e ogni tre mesi ci pagava le spese con assegni firmati da Jamie.

Dopo di lui arrivò Paul Lavender, ancora tremante per il rischioso trasferimento in Rolls-Royce dalla casa in Mount street. Astuto, di carnagione chiara, settant'anni, si trascinava con estrema lentezza in mocassini di vernice dai languidi fiocchi. Suo padre, il nostro benefattore, aveva cominciato la carriera come maestro di scuola a Llandudno, prima di fondare una catena di alberghi che aveva poi venduto per cento milioni di sterline.

Dopo Paul ecco Dolly ed Eunice, le sue due sorelle zitelle. Dolly sfoggiava un cavallo da corsa fatto di diamanti. Anni prima aveva vinto il Derby, o almeno così sosteneva; Eunice invece giurava che la sorella non aveva mai posseduto nulla di più grosso di un chihuahua ipernutrito.

Infine entrò Henry, l'avvocato della famiglia Lavender. Era grazie a lui che ci riunivamo così spesso. E a quattrocento sterline l'ora, chi poteva biasimarlo?

«Il tuo vinello continua a tenere?» domandò dubbioso mentre mi stringeva la mano.

«Oh, direi di sì, grazie. Va piuttosto bene.»

«Non è che il vino francese da quattro soldi ti sta per caso rovinando il mercato? O forse ho letto i giornali sbagliati.»

«Temo di sì, Henry» dissi.

Eravamo seduti al famoso tavolo intorno al quale si riunisce il consiglio della Pringle. Ognuno di noi aveva davanti a sé una copia del verbale della seduta precedente, un estratto conto e una tazza da tè di porcellana Wedgwood con un biscotto zuccherato di pasta frolla sul piattino. Pandora cominciò a servire. Paul appoggiò la testa su una delle sue mani esangui e chiuse gli occhi.

Jamie, il nostro presidente, stava per prendere la parola. Quei pugni, che trent'anni prima avevano ghermito palle da rugby infangate in mischie furibonde, stringevano ora un minuscolo paio di mezze lenti cerchiate d'oro, che sistemarono prima dietro un orecchio e poi dietro l'altro. Il mercato, disse Jamie, non tirava. Secondo lui era colpa degli stranieri.

«Con i tedeschi che si rifiutano di abbassare il tasso di sconto, lo yen alle stelle e gli introiti di High street ridotti al lumicino» si guardò attorno perplesso, come se avesse dimenticato dove si trovava, «ho paura che i titoli di stato britannici si stiano avviando verso il minimo storico.» A questo punto fece un cenno a Henry che, fatti saltare con un formidabile schiocco i ganci di un portacarte in vetroresina, ci lesse un interminabile rapporto:

I colloqui con le autorità locali sulla fornitura di impianti sportivi alle città dell'interno stanno procedendo alla velocità che ci si può aspettare da funzionari pubblici di provincia, Jamie...

L'offerta da parte del Trust per l'espansione del reparto pediatria del Lavender Hospital for Mothers non può essere concretizzata finché non si saranno destinati altri fondi del Trust per il pagamento del personale. E al momento non ci sono fondi disponibili per questo scopo, Jamie...

La nostra proposta di fornire una biblioteca mobile per venire incontro alle necessità dei bambini in zone ad alto tasso di analfabetismo si è scontrata con le obiezioni politiche del Consiglio locale: certi sostengono che i tempi delle biblioteche gratuite sono morti e sepolti, altri che la scelta dei libri dovrebbe essere fatta dalle autorità didattiche della contea; Jamie...

«Stronzate!»

Eunice era esplosa. Più o meno a questo punto della seduta, capitava quasi sempre.

«Nostro padre si rivolterebbe nella tomba» urlò col suo sopito accento gallese. «Libri gratis agli ignoranti? Questo è un vergognoso, spudorato esempio di comunismo!»

Con uguale furia, Dolly dissentì. Come al solito.

«È una bugia bella e buona, Eunice Lavender. Papà si alzerebbe a battere le mani. Ha continuato a pregare per i bambini fino all'ultimo respiro. Ci amava. Non è vero, Paulie?»

Ma Paul era in un qualche lontanissimo Galles che si era costruito tutto lui. Aveva ancora gli occhi chiusi e un vago sorriso sulle labbra.

Jamie mi passò con abilità la patata bollente. «Tim. Sei così tranquillo, oggi. Cosa ne pensi, tu?»

Per una volta le mie arti diplomatiche fecero cilecca. In qualsiasi altro momento avrei saputo escogitare una manovra diversiva: avrei sollecitato Henry a muoversi con maggiore rapidità nelle trattative con le autorità municipali, aggrottando le sopracciglia di fronte ai costi di gestione della Pringle, unica voce in crescita del bilancio. Ma quel mattino avevo soltanto Larry, in testa. Ogni volta che mi guardavo attorno lo vedevo adagiato su una delle sedie vuote, in quel mio abito grigio che non mi aveva mai restituito, a raccontare qualche storia sul suo amico di Hull.

«Monty. Tocca a te» ordinò Jamie.

Tutto ubbidiente, Monty si schiarì la gola, prese un

foglio dalla pila che aveva davanti e ci fece una relazione sui nostri dividendi. Ma purtroppo, una volta dedotti gli oneri, i costi e un certo numero di pagamenti, per la decima seduta consecutiva di profitti da distribuire non ce n'erano. Nemmeno la Società Pringle aveva finora inventato una formula per dispensare percentuali del nulla alle persone povere e bisognose del Galles, come venivano definite da non so quale legge sulle zone di confine.

Pranzammo. Di questo sono sicuro. Nell'antro rivestito di pannelli dove pranzavamo ogni volta. Ci servì in guanti bianchi la signora Peters, e demmo fondo a un paio di magnum di quel Cheval Blanc del 1955 che il Trust aveva con lungimiranza messo da parte vent'anni prima, allo scopo di rianimare i suoi affaticati amministratori. Ma di quelle orribili conversazioni, grazie a Dio, ho quasi tutto. Dolly odiava i negri: questo lo ricordo. A Eunice erano simpatici. Monty pensava che stessero benissimo in Africa. Paul manteneva il suo sorriso da mandarino. Uno splendido orologio di bordo, che per tradizione segnava il tempo negli uffici della Società Pringle, registrava rumorosamente il progredire della riunione. Alle due e mezzo Eunice e Dolly si precipitarono fuori rosse di collera. Alle tre Paul ricordò che doveva fare qualcosa, o andare in un posto o incontrare una persona. Doveva trattarsi del suo barbiere, decise. Henry e Monty se ne andarono con lui, Henry bisbigliandogli all'orecchio cose importanti a quattrocento sterline l'ora e Monty in frenetica attesa di fumare la prima delle numerose sigarette di cui aveva bisogno per rimettersi in pari.

Jamie e io rimanemmo pensosi davanti alla caraffa di porto.

«Eccellente» disse con tono profondo. «Sì. Bene. Salute. Alla nostra.»

Nel volgere di un istante, se non avessi fatto nulla per fermarlo, si sarebbe messo a concionare sulle grandi questioni della nostra epoca: la sfrontatezza delle donne, il mistero di dove fossero andati a finire i profitti petroliferi del mare del Nord (aveva una gran paura che se li fossero intascati i disoccupati), o perché i computer avevano mandato in rovina il settore bancario. E fra trenta minuti esatti Pandora sarebbe comparsa sulla porta con la sua stupida faccia cavallina, per ricordare al signor Jamie che prima della fine della giornata aveva un'altra riunione: il che, nel linguaggio in codice della Pringle Brothers, poteva significare "L'autista sta aspettando di condurti all'aeroporto per la partita di golf a St. Andrew" oppure "Hai promesso di portarmi a Deauville per il week-end".

Domandai di Henrietta, la moglie di Jamie. Lo facevo sempre, e non osavo interrompere il rito.

«Henrietta sta che è una meraviglia, grazie» rispose Jamie mettendosi sulla difensiva. «Hunt insiste perché rimanga ancora, ma la vecchia Hen non è sicura di averne voglia. A dire la verità si sta un po' stufando di tutti i pasticci che combinano gli Anti.»

Gli domandai dei figli.

«I ragazzi se la cavano splendidamente; grazie, Tim. Marcus è capitano della squadra di pallacanestro, e Penny debutterà in società la prossima primavera. Non sarà certo un debutto vero e proprio, come succedeva alle ragazze ai nostri tempi. Comunque è molto meglio di niente» aggiunse, guardando oltre le mie spalle i nomi illustri dei caduti della Pringle nelle due guerre.

Domandai se aveva visto di recente qualcuno della banda, alludendo alla nostra combriccola di Oxford. No. Dalla festa di Oriel da Boodle, replicò. Domandai chi ci fosse andato. Dovetti fare ancora un paio di mosse prima che, apparentemente di sua iniziativa, cominciasse a parlare di Larry. Ma devo dire che la mia non fu una grande impresa: tra quelli del nostro anno, quando si parlava di vecchi compagni si finiva prima o poi per parlare sempre di lui.

«Un tipo straordinario» dichiarò Jamie con la sicurezza assoluta di quelli della sua specie. «Dotato, grandi qualità, fascino. Un buon retroterra cristiano, padre ecclesiastico e tutto il resto. Ma nessuna stabilità. E nella vita, se non hai stabilità non hai niente. Sinistroide una settimana, e pronto a piantare tutto quella dopo. Ma stavolta ha piantato tutto per sempre. I comunisti sono tutti capitalisti, adesso. Peggio degli yankee.» E poi un'aggiunta fin troppo facile, come se il mio angelo custode gli avesse sussurrato qualcosa all'orecchio: «È venuto a trovarmi un po' di tempo fa. Piuttosto male in arnese, mi è sembrato. Piuttosto avvilito. Quasi si fosse accorto di essersi schierato dalla parte sbagliata, direi. Il che è abbastanza naturale, se ci pensi bene».

Risi allegramente. «Jamie! Non mi starai dicendo che Larry è diventato un imprenditore, un capitalista? È troppo grossa.»

Ma Jamie, che pure era capace di mettersi a ridere come un pazzo senza preavviso, e di solito senza che fosse stato detto qualcosa di divertente, si limitò a versarsi un altro po' di porto prima di iniziare di nuovo a pontificare. «Che cosa sia diventato, francamente non lo so. Non è affar mio. Di sicuro qualcosa di più che un semplice imprenditore. Qualcosa che esprime meglio il momento attuale, se vuoi il mio parere» aggiunse cupo, spingendo verso di me la caraffa come se non volesse rivederla mai più. «E senza il rispetto che la questione meriterebbe, se devo essere sincero.»

«Oh, mio Dio» dissi.

«Una concezione del proprio ruolo alquanto esagerata.» Uno sdegnato sorso di porto. «Un eccesso di compensazione. Una quantità di cazzate sul dovere di aiutare le nazioni che si sono liberate da poco a reggersi in piedi, riparare antichi torti, stabilire regole di giustizia sociale. Mi ha chiesto se intendessi passare dall'altra parte. "Calma, vecchio mio" gli ho detto. "Aspetta un momento. Non eri di quelli che davano una mano ai sovietici? Mi hai messo un po' in difficoltà, scusami se te lo dico. Sono sconcertato. Confuso."»

Mi sporsi in avanti, per mostrargli che aveva tutta la mia attenzione. Mi finsi incredulo, affascinato. Con tutto il linguaggio che il mio corpo riusciva a esprimere mi sforzai di stanare quella dannata storia dai boschetti nebbiosi del suo cervellino: «Continua, Jamie. È appassionante. Prosegui».

«Il solo dovere che io abbia è nei confronti di questa Società, gli ho detto. Non ha voluto ascoltarmi. Credevo che fosse una specie d'intellettuale. Ma come si può essere un intellettuale e non stare ad ascoltare? Mi interrompeva in continuazione. Mi ha dato dello struzzo. A me, a un padre di famiglia. Patetico.»

«Ma che diavolo aveva in mente di fare, Jamie? Consegnare la Pringle Brothers a Oxfam?» Mentre lo dicevo, pensai per un attimo che non sarebbe stata una cattiva idea. Ma se stava facendo bene il suo lavoro, il mio viso esprimeva soltanto una grande simpatia per Jamie, fatto bersaglio di tanta indelicatezza.

Mezzo minuto di silenzio, durante il quale chiamò a raccolta tutte le sue risorse intellettuali. «Il Partito comunista sovietico si sta privatizzando. Capisci?»

«Capisco.»

«Questo mi ha raccontato. Erano in vendita le proprietà del Partito. Palazzi, case di riposo, uffici, trasporti, impianti sportivi, scuole, ospedali, ambasciate all'estero, terre in quantità, quadri senza prezzo, Fabergé e Dio sa che altro. Miliardi di dollari. Ha senso?»

«Certo che ha senso. Russia s.r.l. Hanno cominciato in segreto con Gorbaciov, e adesso non hanno più freni.»

«Come Larry sia entrato nel giro lo sa il cielo. La Pringle Brothers, mi fa piacere dirlo, non ha i contatti che ha lui.» Un altro sorso abbondante di porto. «Né li vorrebbe. Non li toccherebbe neanche con la punta di un bastone. No grazie. Non se ne parla neppure.»

«Eppure, Jamie...» Non osavo mostrarmi troppo interessato, però il tempo a mia disposizione stava per scadere. «Ma Jimminy» (era il suo nomignolo a Oxford) «amico mio, cosa ti ha chiesto di fare? Di comprare il Cremlino? Sono tutto orecchie.»

Gli occhi arrossati di Jamie tornarono a fissare l'elenco dei caduti della Pringle. «Stai ancora lavorando con quelli per cui lavoravi una volta?»

Esitai. Una volta Jamie aveva chiesto, ma senza risultato, di unirsi a noi. E da allora mi aveva passato ogni tanto qualche piccola informazione, che di solito avevamo già ottenuto in forma più precisa da altre fonti. La apprezzava, la nostra mistica, o lo irritava? Mi avrebbe raccontato qualcos'altro, se avessi risposto di sì? Scelsi una via di mezzo.

«Qualche tocco qua e là, Jamie. Niente di grosso. Senti, sto morendo di curiosità. Cosa diavolo aveva in mente Larry?»

Indugiò, poi un'altra dose di porto e di smorfie.

«Prego?»

«Due schiocchi di frusta. Un paio di anni fa mi telefona per dirmi un sacco di cazzate, che ha intenzione di propormi un affare coi fiocchi, mi chiede se ci sto, una faccenda di milioni, una cosa tra vecchi amici, verrà a trovarmi la prossima volta che capiterà in città eccetera eccetera. Poi non si è più fatto vivo.»

«E la seconda volta? Quando è stato?»

Non sapevo bene su che puntare: se sul cosa o sul quando. Decise Jamie per me.

«Larry Pettifer aveva in mente quanto segue» annunciò con un rimbombo allarmante. «Larry Pettifer sosteneva di essere stato autorizzato da un certo ente statale ex sovietico, di cui non fece il nome – mi correggo, da persone di quell'ente, e neppure di queste fece i nomi – ad avviare un dialogo con questa Società sulla possibilità di aprire un conto presso questa stessa Società... una serie di conti, segreti naturalmente, dopo di che questa Società avrebbe ricevuto somme cospicue in valuta forte da fonti non meglio precisate, fondi da conservare in forma anonima, e avrebbe fatto certi pagamenti in conformità con le istruzioni periodicamente ricevute da persone in grado di presentare un nome in codice o una lettera, che corrispondessero al nome o alla lettera depositati presso questa Società. I pagamenti sarebbero stati sostanziosi ma non avrebbero mai superato le disponibilità, e a noi non sarebbe mai stato chiesto di concedere un fido.»

Il monologo di Jamie era sceso a quindici giri al minuto mentre, a giudicare dall'orologio di bordo, di minuti ne restavano soltanto nove.

«Erano somme grosse? Voglio dire grosse per una banca? Di quali cifre parlava Larry?»

Jamie consultò ancora il tabellone alle mie spalle. «Se dovessi pensare a una cifra nell'ordine di quella su cui deliberavano stamattina certi amministratori e i loro consulenti, direi che non saresti molto lontano dal vero.»

«Trenta milioni di sterline? Cosa diavolo volevano comprare? Dove li avevano presi? Insomma, sono soldi, no? Perfino per te. Figuriamoci poi per me. Che cosa aveva in mente? Sono assolutamente affascinato.»

«Un'operazione di riciclaggio, ecco cos'era in sostanza. Secondo me agiva obbedendo a istruzioni ricevute, di cui non capiva il senso. Aveva un socio con il quale avremmo trattato su nel nord. Fino a una certa cifra costui sarebbe stato una specie di cofirmatario.»

Il tempo a mia disposizione stava per esaurirsi. E così Jamie.

«Ti ha detto dove, nel nord?»

«Come?»

«Hai detto che aveva una specie di socio, su nel nord.»

«Macclesfield. Un socio a Macclesfield. O forse Manchester. No. Macclesfield. Io ci andavo a scopare una ragazza. Cindy. Lavorava nel commercio della seta. Una Cindy di seta.»

«Ma Larry Pettifer dove diavolo li avrà trovati, trenta milioni di sterline? D'accordo, non saranno suoi, ma di qualcuno devono essere!»

Aspetta. Conta. Prega. Sorridi.

«Mafie» ringhiò Jamie. «Non le chiamano così da quelle parti? Mafie in concorrenza? I giornali ne sono pieni.» Scosse il capo, borbottando qualcosa tipo: affari suoi.

«E tu allora cos'hai fatto?» domandai, cercando disperatamente di mantenere il tono di chi si sta divertendo. «Hai chiamato i tuoi soci? Lo hai mandato via?»

L'orologio di bordo ticchettava come una bomba ma, con mia disperazione, Jamie continuava a tacere. Finché all'improvviso ebbe un violento sussulto d'impazienza, come se fossi stato io a fare aspettare lui.

«Non si manda via la gente, in situazioni del genere. La si invita a pranzo. Si parla dei vecchi tempi. Si dice che ci si penserà, che se ne discuterà col Consiglio di amministrazione. Gli spiegai che c'erano dei problemi di ordine pratico e morale. Suggerii che sarebbe stata una bella cosa se avessero detto chi era in realtà il loro cliente, che cosa si proponeva di negoziare e quale sarebbe stata la sua posizione fiscale. Una qualche autenticazione avrebbe potuto rivelarsi utile. Proposi loro di organizzare un approccio tramite il ministero degli Esteri, naturalmente ad alto livello. Avevano una lettera dell'ambasciata di Londra. Firmata da un funzionario. Non dall'ambasciatore. Forse era autentica. Forse no. Come si fa a saperlo?»

Stava studiando il marchio di fabbrica sulla parte posteriore del cucchiaino da caffè, e lo confrontò con quello del cucchiaio che era stato messo al posto vuoto accanto al suo. «Un servizio scompagnato» mormorò.

«Incredibile.» Era mortificato. «Come diavolo può essere successo? Devo parlarne con mamma Peters. Una negligenza spaventosa.»
«Tu hai detto "loro", Jamie» ripresi.
«Cosa, vecchio mio?»
Gli appoggiai una mano sulla manica. «Scusa, Jamie, forse ho sentito male, ma mi sembrava che avessi detto "loro". Volevi dire che Larry non è venuto da solo? Non credo di avere afferrato bene questo particolare.»
«Loro, esatto.» Stava ancora studiando i cucchiai.
Il cervello mi stava andando in orbita. Ceceev? Il socio di Macclesfield? Oppure l'amico di Larry all'università di Hull?»
«E allora chi c'era con lui?» domandai.
Con mia sorpresa Jamie mi sciorinò un sorriso di superiorità, decisamente lascivo. «Pettifer si era portato appresso un'assistente. Una bambola, la definirei. Questa assistente, disse, sarebbe stata la sua intermediaria. L'avrebbe fatto lei, il lavoro di calcolo. Certo, la matematica non è mai stata la specialità di Larry, ma questa ragazza era un fenomeno. Mille volte più in gamba di lui, quando si trattava di numeri.»
Ero molto divertito. Dovevo esserlo, dal momento che sbottai in un'allegra risata; eppure dentro di me mi sentivo raggelare. «E va bene, Jamie. Non essere reticente. Era una russa. Aveva la neve sugli stivali.»
Il suo sorriso di superiorità non era scomparso. Posò i cucchiai che lo avevano offeso. «Sbagli. Una rispettabile ragazza inglese, da quanto era possibile capire. Vestita a modo. Parlava un ottimo inglese, come te e me. Non mi sorprenderebbe che fosse stata lei la mente dell'operazione. Le offrirei subito un impiego.»
«Carina?»
«No. Non carina. Bella. Una parola che uso molto di rado. Come diavolo le sia venuto in mente di mettersi con uno stronzo come Pettifer, solo Dio lo sa.» Era entrato nel territorio che gli piaceva di più. «Un corpo da

impazzire. Un culetto delizioso. Gambe lunghissime. Mi sedeva proprio di fronte, e me le faceva dondolare sotto il naso.» Si concesse una riflessione filosofica. «È una delle cose più straordinarie della vita, Tim, l'ho già notato tante volte. Una ragazza carina, una che potrebbe avere chiunque; e di chi si innamora? Di uno stronzo. Dieci contro uno che Pettifer la picchia. E probabilmente le piace. Una masochista. Come mia cognata Angie. Soldi da buttare via, bellezza da vendere, e passa da uno stronzo all'altro. Visto come la trattano, è già una fortuna che le sia rimasto qualche dente.»

«Aveva un nome?» domandai.

«Sally. Sally non so che.» Abbassò un angolo della bocca, producendosi in una terribile smorfia. «Capelli corvini raccolti sulla sommità della testa, ad aspettare che tu glieli sciogliessi. Una debolezza fatale, la mia. Le chiome nere mi fanno impazzire. Sono così femminili. Così meravigliose.»

Non udivo nulla, non vedevo nulla, non sentivo nulla. Mi limitavo a stare calmo, a raccogliere e a registrare. Non facevo altro, e intanto Jamie annuiva con uno sguardo vecchio, triste, continuando a tracannare porto.

«E da allora non l'hai più sentito?»

«Neanche una parola. Nessuno dei due. Devono avere capito l'antifona. Non è la prima volta che mettiamo un truffatore alla porta. O la sua amichetta.»

Mi restavano cinque minuti, secondo l'orologio di bordo.

«Lo hai passato a qualcun altro? Gli hai suggerito a chi rivolgersi?»

Una smorfia orribile, un ultimo attacco. «Alla Pringle, ringraziando il cielo, non ci intendiamo molto di questo genere di affari. Una volta su questa stessa strada c'era la BBCI, una piccola ditta che si occupava di roba del genere. Ma deve essere finita male.»

Avevo ancora una penultima domanda. Misi su un

sorriso da finto tonto, accompagnandolo con una dose abbondante di cameratismo e una sorsata di porto colma di gratitudine.

«E quando se n'è, o se ne sono andati, non hai pensato, Jamie, di telefonare a quelli per cui lavoravo, avvertendoli di ciò che Larry stava architettando?... adesso che non sono più in quell'ufficio?... Larry e la sua ragazza?»

Jamie mi fissò con un'espressione dura, offesa.

«Tradire Larry? Ma che diavolo stai dicendo? Sono un banchiere, io. Se avesse immerso mia madre in un secchio di acido dopo averla strangolata, probabilmente avrei preso in mano il telefono per raccontarlo a qualcuno. Ma quando un compagno di Oriel viene qui a farmi una proposta di carattere bancario, sebbene, lo ammetto, puzzi fortemente di bruciato, io mi sento vincolato da una totale e assoluta segretezza. Se vuoi raccontarglielo tu è affar tuo. Padronissimo.»

Adesso sapevo quello che volevo sapere. Restava soltanto l'ostacolo più impervio. Forse era stato quell'autotorturatore che albergava in me a decretare che, dopo avere rivolto con troppa insistenza la domanda alla polizia e a Pew-Merriman, adesso dovessi tenermela dentro fino all'ultimo momento. O forse era semplicemente la mia abitudine alle operazioni sul campo che mi imponeva di raccattare tutto il resto prima di tentare di mettere le mani sui gioielli della corona.

«E allora quando, Jamie?»

«Che cosa, vecchio mio?»

Si era quasi addormentato.

«Quando? Quando sono calati su di te, Larry e la sua ragazza? Avevano preso un appuntamento, immagino, altrimenti non li avresti invitati a pranzo» suggerii, sperando così di invogliarlo a consultare l'agenda o a chiamare l'interno di Pandora.

«Pernicioso» mi sembrò di sentirgli dire, e subito pensai che volesse dirmi che lui, o Larry, magari anche Emma, avessero commesso non so quale fatale errore.

«Gli ho offerto pernici bianche» continuò. «Cucinate da mamma Peters. Un compagno di Oriel. I vecchi tempi. Non lo vedevo da venticinque anni. Ho steso il tappeto rosso. Dovere. Ultima settimana di settembre: le ultime pernici bianche della stagione, almeno per quanto riguarda la nostra Società. Quei maledetti arabi ne ammazzano troppe. Si comportano addirittura peggio degli italiani. Il risultato è che a metà settembre non ne rimangono quasi più. L'autodisciplina è fondamentale. Qualsiasi cosa facciano gli stranieri, la famiglia deve trattenersi. Ormai non si può più dire negri. E neppure sbirri.»

Avevo la bocca intorpidita. Come dopo un'iniezione dal dentista. Le gengive superiori mi si erano paralizzate, e la lingua scomparsa nella gola.

«Insomma alla fine di settembre» riuscii a dire, come se mi stessi rivolgendo a un vecchio decrepito o a un sordo. «Giusto? Giusto, Jamie? Sono venuti l'ultima settimana di settembre? Sei stato davvero generoso a offrirgli le pernici bianche. Spero che si siano mostrati riconoscenti. Considerando che avresti potuto benissimo metterli alla porta. Insomma, io sarei stato riconoscente, al posto loro. E anche tu. Fine di settembre. Giusto?»

Continuai a farfugliare, ma non so se Jamie mi rispose, se non con alzate di spalle, smorfie e gorgoglii da ultimo banco tipo "Nooo" e "Certo". So che l'orologio batté le ore. Ricordo che si presentò alla porta la faccia da ciambella di Pandora, per annunciare la carrozza di Cenerentola. Ricordo di avere pensato, mentre un coro di mille angeli cominciava a cantarmi in testa, che se uno vuole festeggiare il momento in cui emerge dalla luce nera, una bottiglia di Cheval Blanc del '55 e una dose massiccia di porto Graham del '27 sono un accompagnamento giustamente celestiale.

Jamie Pringle, alzatosi a fatica, era agitato come mai lo avevo visto fuori da un campo da rugby.

«Pandora. Proprio tu. Guarda qui. Una cosa scandalosa. Parlane subito con la signora Peters, capito cara? Cucchiaini da tè scompagnati. Roba da rovinare l'intero servizio. Vedi di scoprire perché e dove e chi.»
Io intanto avevo scoperto quando.

L'euforia, se pure sopravvisse in certi angoli della mia mente, negli altri ebbe vita breve. La luce bianca cui ero stato restituito mi lasciava vedere con chiarezza ancora maggiore la mostruosità del tradimento. Certo, avevo impugnato una pistola. Avevo cospirato, tramato, noleggiato una macchina e guidato nella notte, deciso ad ammazzare il mio amico e agente di tutta una vita. Ma se l'era meritato! E lei pure!

Mi misi a camminare.
Emma.
Ero ubriaco. Ma non di vino. Dopo venticinque anni nel Servizio, ho la testa solida come un bue. Ma ero ugualmente ubriaco: ubriaco di ingenuità, di umiliazioni.
Emma.
Chi sei, o chi sembri, mentre con i capelli raccolti sul capo dondoli le gambe davanti a Jamie Pringle? Quali altre parti hai recitato, mentre insieme a lui ridevi di me alle mie spalle: Timbo, quel vecchio e retrogrado di un Timbo, quel ritardato col sorriso da finto tonto.
Recitando la parte dell'angelo. Sgobbando per le tue Cause Disperate fino a tarda notte. Telefonando, tamburellando, un'aria seria, un'aria nobile, preoccupata, distaccata, prendendo in prestito la Sunbeam per correre alla posta, alla stazione ferroviaria, a Bristol. Per gli oppressi della Terra. Per Larry.

Camminavo. Mi arrabbiavo. Mi rallegravo. Mi arrabbiavo di nuovo.

Ma per quanto fossi infuriato, non mi era sfuggita la coppia anonima che sull'altro lato della strada aveva smesso di studiare la vetrina di un negozio, avviandosi sul marciapiede alla mia stessa velocità e nella mia stessa direzione. E sapevo che doveva esserci un terzo uomo dietro di me, nonché una macchina qualsiasi, un furgone o un taxi pronto a entrare in azione. Compresi quindi che nonostante la rabbia, il sollievo, la nuova fermezza e il cambiamento intervenuto in me nel momento in cui ero ridiventato una creatura alla normale luce del giorno, dovevo stare attento alle apparenze. Dovevo evitare qualsiasi gesto che facesse pensare a me come a qualcosa di diverso da un amministratore ben nutrito, una ex spia intenta alle sue legittime occupazioni. Ed ero grato a Larry, a Emma e ai miei sorveglianti, di avermi imposto questa responsabilità. Perché l'apparenza era da sempre un'attività con delle regole, una disciplina per tenere a bada l'anarchia; e dentro di me, in quel momento, l'anarchia avrebbe voluto scatenarsi.

Emma! Come è riuscito, in nome di Dio, a spingerti a tanto?

Larry! Ladro bastardo, vendicativo, manipolatore!

Voi due! Che diavolo state combinando, e perché?

Cranmer! Non sei un assassino! Puoi camminare a testa alta! Sei pulito!

Ero un imbecille.

Un imbecille furibondo, imbestialito, eccessivamente controllato; un imbecille appena liberato. Mi ero creduto follemente innamorato e avevo accolto una vipera in seno.

L'avevo adottata, viziata, servita, venerata, crogiolandomi nelle sue eccentricità. Le avevo generosamente elargito gioielli e libertà, ne avevo fatto il mio manichino, il mio amore, la mia donna, così da chiudere con tutte le altre: icona, dea, figlia e, come diceva

Larry, schiava. La amavo per il suo amore per me, per i suoi momenti di solennità e di allegria; per la sua fragilità e promiscuità, per la sua fiducia nel sentirsi protetta da me. E tutto questo in base a cosa? A quale impulso, a parte l'umidiccia bramosia di un ritardato?

Nel mio nuovo ed esasperato furore, mi sentii squassare da un'autentica bufera di irragionevolezza: Emma era una trappola, una dolce trappola tesami da una banda di nemici in combutta! Io, Cranmer, lo sfuggente, il romantico segreto, l'uomo navigato, esperto in futili relazioni amorose, mi ero lasciato abbindolare dal più vecchio di tutti i trucchi!

E me l'avevano appioppata fin dal primo giorno! Era stato Larry. CC. Zorin. Due di loro, tre di loro insieme, tutti e quattro!

Ma perché? A quale scopo? Per servirsi di me come copertura? Di Honeybrook come copertura? Assurdo.

Vergognandomi per essermi lasciato prendere da queste fantasie irragionevoli e dilettantesche, cercai altri modi per alimentare la mia nascente paranoia.

Cosa ne sapevo di lei? Nulla, nonostante le mie insistenze, se non ciò che aveva voluto raccontare a me o a Larry, la domenica, quando erano a portata delle mie orecchie. Il sacchetto di Merriman, simbolo della mia integrità di amante, stava ancora raccogliendo polvere, intonso dietro la tenda dello stanzino segreto.

Un nome italiano.

Un padre morto.

Una madre irlandese.

Un'infanzia girovaga.

Un collegio inglese.

Studiato musica a Vienna.

Andata in Oriente, diventata mistica, abbracciato tutte le stupide cause del giro hippy, finita su una cattiva strada.

Tornata a casa, vagabondato ancora, studiato ancora musica, composto, arrangiato, fondato con altri un gruppo da camera alternativo per introdurre gli strumenti tradizionali del nuovo mondo nella musica classica del vecchio; o forse il contrario?

Annoiatasi, frequentato un corso estivo a Cambridge, letto o non letto le confortevoli parole di Lawrence Pettifer sulla degenerazione dell'Occidente. Tornata a Londra, datasi a chiunque glielo domandasse con garbo. Spaventatasi, conosciuto Cranmer, nominatolo suo protettore compiacente, cieco e devoto.

Incontrato Larry. Scomparsa. Ricomparsa coi capelli raccolti sul capo, col nome di Sally e con le gambe dondolanti davanti a Jamie Pringle.

La mia Emma. La mia falsa alba.

Siamo nudi, giochiamo. Scioglie i suoi capelli neri intorno alle mie spalle.

«Vuoi che ti chiami Timbo?»

«No.»

«Perché Larry ti chiama così?»

«Sì.»

«Ti amo, sai. E quindi, naturalmente, ti chiamerò come preferisci. Ti chiamerò Ehi Tu, se vuoi. Mi adatto a tutto, io.»

«Tim va benissimo. Tim e basta. E sì, ti adatti a tutto.»

Siamo sdraiati in camera sua, davanti al caminetto. Ha nascosto la testa sulla mia spalla.

«Sei una spia, vero?»

«Certo. Come hai fatto a indovinarlo?»

«Stamattina. Osservandoti mentre leggevi la posta.»

«Vuoi dire che hai visto l'inchiostro simpatico?»

«Non getti mai niente nel cestino. Tutto ciò che deve essere buttato via lo metti in un sacchetto di plastica e lo affidi all'inceneritore. Di persona.»

«Sono un giovane viticoltore. Sono nato sei mesi fa, quando ti ho conosciuta.»

Ma il germe del sospetto è ormai stato inoculato.

Perché mi osservava? Perché pensava a me in quei termini? Che cosa le ha messo in mente, Larry, per convincerla a tenere sotto stretta sorveglianza il suo protettore?

Ero arrivato al club. Nel salone, vecchi signori leggevano i listini di borsa. Qualcuno mi salutò, un certo Gordon non so che; Gordon, magnifico, come va Prunella? Adagiato su una poltrona di pelle della sala fumatori fissavo un giornale illeggibile, ascoltando i mormorii di uomini persuasi che i loro mormorii fossero importanti. La nebbia di stagione sciabordava contro le finestre a ghigliottina. Charlie, il portiere nigeriano, venne ad accendere le lampade da tavolo. Fuori, in Pall Mall, l'intrepida banda dei miei pedinatori batteva i piedi nei portoni, invidiando i pendolari del venerdì che stavano tornando a casa per il week-end. Li vedevo con chiarezza nell'altra mia mente. Restai nella sala fumatori fino al crepuscolo, senza leggere ma dando l'impressione di farlo. Il grande pendolo batté le sei. Non si sentiva frusciare un ammiraglio in pensione.

«Larry ci crede veramente, no?» sta dicendo lei.

Una domenica sera. Siamo in salotto. Larry se n'è andato da dieci minuti. Mi sono versato una dose abbondante di scotch, crollando sulla poltrona come un pugile fra un round e l'altro.

«In cosa?» domando.

Ignorato.

«Non lo avevo mai conosciuto, un inglese che ci credesse. Per lo più si limitano a dire "da un lato e dall'altro" e non fanno nulla. Lui è come se non avesse più le parti centrali del motore.»

«Ancora non capisco. In cosa, crede?»

Si secca.

«Non ha importanza. Evidentemente non mi stavi ascoltando.»

Bevo un altro sorso di scotch. «Forse sentiamo cose differenti» ribatto.

Che cosa intendevo dire? Me lo domandai contemplando la rosea serata oltre le tendine di pizzo alle finestre della sala fumatori. Cosa avevo udito io che fosse sfuggito a Emma, quando Larry si esibiva per lei, cantava canzoni impegnate, la eccitava, la metteva a proprio agio, la faceva vergognare e la perdonava, per poi farla sentire ancora a proprio agio? Stavo ascoltando Larry il grande seduttore, decisi, rispondendo io stesso alla mia domanda. Stavo pensando che i miei pregiudizi mi portavano fuori strada; a rubare cuori Larry era sempre stato molto più bravo di me. Pensavo che per vent'anni mi ero unilateralmente illuso su chi fosse il domatore, nel grande circo Cranmer-Pettifer.

Dopo di che, mentre nella sala fumatori ardeva pigro il fuoco di carbone, arrivai a domandarmi se non fosse stato Larry, con qualche manovra segreta che non avevo ancora scoperto, a ordire il proprio assassinio. E se, qualora fossi riuscito ad assestargli il colpo di grazia anziché tirarmi indietro, non gli avrei fatto un favore.

La nebbia rosa che avevo osservato dalle finestre del club si infittì mentre il mio taxi cominciava ad arrancare su per Haverstock Hill. Stavamo entrando nell'inferno di Emma. Cominciava, per quanto ero riuscito a stabilire, dalle parti di Belsie Village, estendendosi a nord fino a Whitestone Pond, a est fino a Kentish Town, a ovest fino a Finchley road. Tutto ciò che era racchiuso là in mezzo era territorio nemico.

Che cosa le avesse fatto Hampstead non me lo disse mai né io, rispettando quella sovranità per entrambi così importante, glielo chiesi. Da quanto si lasciò sfuggire, me la dipingevo passata di mano in mano da principotti intellettualoidi, tutti più vecchi e meno eterei di lei. Nel suo bestiario figuravano soprattutto giornalisti dei quotidiani più autorevoli. La feccia erano gli strizzacervelli, indipendentemente dal sesso. Mi ero addirittura immaginato il mio povero tesoro che riaffiorava ripetutamente dal fondo, rischiando troppo spesso di annegare mentre arrancava verso la riva.

L'ambulatorio era in una ex chiesa battista. Una targa d'ottone sulla porta celebrava Arthur Medawi Dass con i suoi numerosi e prestigiosi titoli. Una bacheca in sala d'aspetto parlava di aromaterapia, Zen e mezza pensione vegetariana. La segretaria era già andata a casa. Sulla sedia di Emma sedeva una donna in verde dall'aria tesa. Probabilmente la guardai a lungo perché arrossì. Ma io non vedevo una donna in verde bensì Emma, con la maschera da eroina tragica che portava la sera in cui ci eravamo conosciuti.

Si era tirata al massimo. Non era vestita decentemente, come quando era andata alla banca di Pringle. Non dondolava le gambe davanti a me ma riconosco che, anche ingobbita dal male, è una ragazza alta e molto carina, con un notevole paio di gambe. Un modesto zucchetto le trattiene i capelli corvini che altrimenti le scivolerebbero sulla fronte. Distoglie stoicamente lo sguardo. Porta un completo mezzo da Esercito della salvezza e mezzo da Edith Piaf quand'era scatenata. Gonna lunga nera di iuta, stivali neri da trovatella. Un gilé di lana marezzata vagamente esotico. E a proteggere le mani da pianista, mezzi guanti neri un po' sfilacciati.

La mia schiena si sta comportando molto male. Serpenti infocati dalla testa ai piedi. Eppure, mentre la osservo furtivo, sono più preoccupato per lei che per me. La sofferenza è troppo vecchia per lei, troppo brutta. La fa troppo governante e non abbastanza monella. Voglio trovarle i medici migliori, i letti più caldi. Colgo di nuovo il suo sguardo. La sofferenza la rende più aperta a un approccio, più abbordabile di quanto normalmente non sarebbe una bella ragazza. Quel vecchio stratega che è in me esamina velocemente le possibili opzioni. Offrirle solidarietà? È già implicita, tra compagni di dolore. Recitare la parte dell'uomo navigato? Chiederle se sia la prima volta che viene qui? Meglio non trattarla con condiscendenza. Considerando come sono le ragazze al giorno d'oggi, è possibile che con i suoi venti e qualcosa anni abbia più esperienza di me che ne ho quarantasette. Punto su un umorismo *drôle*.

«Ha davvero un aspetto spaventoso» dico.

Lo sguardo aleggia ancora altrove. Le mani nei mezzi guanti, congiunte, si consolano a vicenda.

Ma oh, miracolo, all'improvviso sorride!

Un vistoso sorriso da ventidue carati splende radioso nella mia direzione dall'altro angolo della stanza, trionfando sui sedili di vinile, sui bianchi tubi al neon e su due schiene dolenti. Noto che ha occhi grigio-bluastri, come il peltro.

«Be', grazie tante» dice in quell'inglese scolorito così di moda fra i giovani moderni. «Proprio quello che volevo sentirmi dire.»

Un'altra dozzina di frasi e mi rendo conto che il suo è il sorriso più coraggioso di Londra. Pensate un po': proprio questa sera, doversene stare lì in attesa di essere sollevata dall'agonia del male, rinunciando al primo impegno professionale della sua carriera di musicista! Se non fosse per la schiena, sarebbe in una sala da concerto di Wimbledon ad ascoltare i propri arrangiamenti di musiche folcloristiche e tribali di tutto il mondo!

«È un male cronico» domando, «oppure si è procurata una distorsione o qualcosa del genere? Alla sua età non può essere un disturbo come il mio.»

«È stata la polizia.»

«Quale polizia? Buon Dio.»

«Certi miei amici stavano per essere sfrattati da un alloggio occupato abusivamente. Così un gruppo di noi era andato a picchettare l'edificio. Quando uno sbirro grande e grosso ha cercato di prendermi per caricarmi su un furgone, la schiena mi è partita.»

Il mio consueto rispetto per le autorità si volatilizzò. «Ma è terribile. Dovrebbe denunciarlo.»

«Be', in realtà dovrebbe essere lui a denunciare me. L'ho morsicato.»

Mi innamoro all'istante, a occhi ermeticamente chiusi. Mi bevo tutte le sue parole seducenti. Vedo in lei una delle rare anime immacolate che abitano la Terra. Faccio tutto quello che ci si può aspettare da un babbeo a cinque stelle. Sino a prometterle la migliore cena di Londra, non appena si sarà ristabilita, come misero risarcimento per la sua disavventura.

«Ordineremo anche i secondi?» chiede.

«Quanti ne vuole.»

Con mia meraviglia non è nemmeno vegetariana.

La nostra non è quella che si definisce una passione travolgente; e perché mai dovrebbe? Dalla prima volta che l'ho vista so che non appartiene né al gruppo di età né alla categoria al cui interno di solito scelgo le mie conquiste: colleghe compiacenti, segretarie di livello o adultere spensierate della campagna inglese. È giovane. Intelligente. Terra inesplorata. E sono anni, ammesso che sia mai successo, che Cranmer non varca i confini del suo isolamento volontario, non gioca d'azzardo, non attende impaziente la sera, non rimane sveglio fino all'alba.

Mi chiedo se non ne abbia un allevamento, di uomini come me. Uomini anziani che vengono a prenderla nel suo appartamento, la accompagnano in macchina a qualche improvvisata sala da concerto nell'estrema periferia di Londra (una sera un teatro abbandonato a Finchley, la settimana successiva una palestra a Ruislip o un salotto privato in Ladbroke Grove) e si piazzano poi in ultima fila ad ascoltare la sua strana musica, in preda a una leale estasi, prima di portarla a cena.

E a tavola cercano poi di tirarla su se è depressa o di calmarla se è euforica, lasciandola infine sulla porta di casa con un bacetto fraterno sulla guancia e la promessa di ripetere la serata la settimana seguente.

«Sono proprio una troietta, Tim» mi confessa durante la splendida cena da Wilton. «Entro in una stanza affollata, la gente mi guarda e io mi metto subito a civettare con tutti. E in men che non si dica mi trovo appiccicata a uno che visto in vetrina sembrava una meraviglia ma quando lo porto a casa diventa una vera pizza!»

Mi sta deliberatamente provocando? Sta esagerando? Mi sta invitando a tentare la sorte? Non penserà che sia peggio di un inesperto banchiere trentenne in Porsche? Ma come faccio a sapere che non è un bluff? Se mi dichiaro e mi respinge, come andrà a finire tra di noi? Che sia matta? Certo, lungo le bizzarrie della sua vita corre una vena di follia, ma è una follia che invidio: precipitarsi da Londra a Khartum nella vaga speranza di incontrare un italiano incredibilmente sexy con cui aveva parlato una volta per trenta secondi in Camden Lock; immergersi per sei mesi in un ashram dell'India centrale; percorrere a piedi il Darien Gap da Panama alla Colombia alla ricerca della musica di non so quale popolo primitivo, morsicare un rappresentante della legge... a meno che, naturalmente, quella del poliziotto morsicato non sia un'altra delle sue esagerazioni.

Il fatto poi di abbracciare sconsideratamente le cause più disparate, fa di lei una caricatura di tutti quegli opinionisti che, sui giornali domenicali, si arrogano il diritto di fare da coscienza delle classi chiacchierone. Eppure, perché dovrei prenderla in giro se si rifiuta di mangiare fichi turchi perché "guarda cosa stanno facendo ai curdi"? O pesci giapponesi, perché "guarda cosa stanno facendo alle balene"? Che c'era di così ridicolo, di così poco inglese, nel condurre la propria vita seguendo certi principi nonostante che, secondo il mio disincantato parere, questi principi non portassero a nulla?

Nel frattempo la pedino, la immagino, cerco di indovinarla e aspetto: un suo incoraggiamento, quella scintilla che non sprizza mai del tutto se non nei momenti in cui, nel mezzo di una delle nostre serate fraterne, allunga una mano per passarmela su una guancia o mi sfrega le nocche su e giù lungo la schiena perché sono un compagno di sofferenze. Una volta sola mi domanda cosa faccio per vivere. E quando dico Tesoro:

«Da che parte stai, allora?» mi chiede, protendendo la mascella in atto di sfida.

«Da nessuna. Sono un pubblico funzionario.»

Non le garba affatto.

«Non puoi non stare da una parte, Tim. È come non esistere. Tutti dobbiamo avere una fede. Altrimenti si rimane in un limbo.»

Un giorno mi chiede di Diana: cos'è che non funzionava?

«Niente. Non funzionava prima che ci sposassimo e ha continuato a non funzionare dopo.»

«Allora perché vi siete sposati?»

Devo reprimere l'irritazione. Vorrei dirle che spiegare gli sbagli del passato in materia d'amore non è più facile di correggerli. Ma probabilmente la sua età le fa credere che ogni cosa abbia una spiegazione, purché si insista nel cercarla.

«Sono stato uno stupido e basta» replico con una franchezza che spero disarmante. «Andiamo, Emma. Non mi dire che non ti sei mai comportata come una stupida. Continui a ripetermelo tu stessa.»

Al che sorride con un pizzico di alterigia e io, in un accesso di rabbia inespressa, mi sorprendo a paragonarla a Larry. Voi belli siete esentati dai momenti difficili della vita, vero? Questo vorrei dirle. Non dovete fare tanti sforzi, eh? Potete starvene seduti a giudicare la vita, invece di esserne giudicati.

Ma intanto ha notato la mia amarezza, o quel che è. Mi prende una mano tra le sue e se la porta pensosa alle labbra. Saggezza? Stupidità? Emma non rientra in queste categorie. Nel caso di Larry e nel suo, è la bellezza a definire la moralità.

La settimana successiva siamo di nuovo vecchi amici, e le cose continuano così fino al giorno in cui Merriman mi chiama in ufficio per dirmi che non è possibile riciclare i combattenti della guerra fredda e che posso mettermi a riposo a Honeybrook con decorrenza immediata. Ma invece dell'avvilimento di prammatica che dovrei provare nell'udire la mia condanna, sento soltanto una sfrenata energia. Una volta tanto, Merriman, ne hai fatta una giusta! Cranmer è libero! Cranmer ha pagato il suo debito! A partire da oggi e per il resto della sua esistenza Cranmer, contro tutti i principi che lo hanno guidato fino ad ora, seguirà il consiglio di Larry. Salterà senza guardare. Invece di dare prenderà.

7

Ma Cranmer non si limiterà a prendere. Si rimpicciolirà, vivrà in campagna, diventerà libero. Adesso che la guerra fredda è finita, e per di più con una vittoria, rinuncerà alle complessità del mondo in grande scala. Dopo avere contribuito alla vittoria, lascerà dignitosamente il campo a quella nuova generazione di cui Merriman parla con tanto calore. Si godrà i frutti di quella pace al cui raggiungimento ha contribuito di persona: nei campi, nella terra, nella semplicità agreste. E sviluppando rapporti umani onesti, strutturati, schietti, potrà finalmente assaporare quelle libertà che ha difeso per venti e più anni. Non sarà egoista, assolutamente no. Si impegnerà, al contrario, in iniziative a scopo di beneficenza: ma per il microcosmo, per la piccola comunità, e non più per il cosiddetto interesse del Paese, ormai misterioso anche per chi, data la posizione, dovrebbe averlo a cuore in modo particolare.

Questa incredibile prospettiva, offertami in modo tanto improbabile, mi sprona ad atti gloriosamente irresponsabili. Scelgo il Grill Room del Connaught, il mio tempio delle grandi occasioni. Se fossi stato più assennato, avrei optato per qualcosa di più umile: mi accorgo in ritardo di avere preteso troppo dal suo guardaroba. Ma non importa. Basta con l'assennatezza. Se mai verrà tra le mie braccia, la vestirò d'oro da capo a piedi!

Mi ascolta con cautela, benché di cautela nelle mie parole non ce ne sia; è soltanto sui segreti del passato che tengo le labbra ovviamente cucite.

Le dico che la amo, e che temo per lei notte e giorno. Per il suo talento, la sua intelligenza, il suo coraggio, ma in particolare per la sua fragilità e per quella che potrei addirittura definire, dal momento che lei stessa vi ha alluso, la sua pericolosa disponibilità.

La verità sgorga da me come mai prima d'ora. Forse è qualcosa di più che verità, forse un sogno di verità, e dopo una vita di sotterfugi mi lascio trascinare dalla gioia di non dover fare manovre. Sono finalmente libero di provare sensazioni. Tutto grazie a lei. Voglio essere per lei, le dico, tutto ciò che un uomo può essere: prima di tutto proteggerla, difendendola anche da se stessa; poi farla progredire come artista, esserle amico, compagno, amante e discepolo; e fornirle un tetto sotto il quale le parti disparate di lei possano ricomporsi in armonia. Con questo intento le propongo di condividere, a partire da adesso, la mia vita da proprietario terriero: nella zona più deserta del Somerset, a Honeybrook, per passeggiare sulle colline, produrre vino, fare musica e l'amore, creando per noi un mondo alla Rousseau, più limitato ma più allegro; e leggere i libri che avremmo sempre voluto leggere.

Sbalordito io stesso dalla mia avventatezza, per non parlare dell'eloquenza (esclusa, s'intende, la delicata questione di come abbia trascorso gli ultimi venticinque anni della mia vita), mi ascolto sparare tutto il mio arsenale in un'unica enorme salva. La mia vita amorosa, proclamo, è stata fino a stasera una commedia di relazioni mal assortite, conseguenza inevitabile del non avere mai consentito al mio cuore di uscire dal guscio.

Sto di nuovo citando Larry? A volte scopro con costernazione, ma sempre in ritardo, che a suggerirmi le battute migliori è stato lui.

Eppure stasera, dico, il mio cuore è venuto allo scoperto, e allora ripenso con vergogna alle troppe strade sbagliate imboccate dalla mia vita. Potrebbe anche essere, se non ho capito male, una cosa che ci accomuna, nonostante la grande differenza di età: non continua infatti a confessarmi di essere stanca da morire di amori, di conversazioni e di cervelli insignificanti? In quanto alla sua carriera, avrà sempre Londra quasi sotto casa. Avrà i suoi amici, non dovrà rinunciare a nulla, sarà un'anima libera e non una prigioniera nella mia torre. Pur con qualche riserva ci credo, a ciò che dico, a ogni parola e a ogni effusione. A che serve infatti una copertura, se non a sbarazzarci di una vita per farne emergere un'altra?

Per un po' rimane ammutolita. Forse l'ho sottoposta a un assalto più impetuoso di quello che si potrebbe decentemente aspettare da un compassato burocrate che si stia scegliendo una compagna con la quale trascorrere gli anni della pensione. In attesa che reagisca comincio in effetti a chiedermi se ho davvero parlato o se mi sono invece limitato ad ascoltare le mie Sirene rimesse in libertà dopo tutti quegli anni in una prigione clandestina.

Mi sta guardando. O meglio osservando. Legge le mie labbra, le mie espressioni di paura, adorazione, fervore, desiderio: tutto ciò che compare sul mio viso nudo davanti a lei. I suoi occhi color peltro sono immobili ma mossi, come il mare che aspetta il tuono. Infine mi impone il silenzio, sebbene io abbia già smesso di parlare. Lo fa portandomi un dito alle labbra e lasciandocelo.

«D'accordo, Tim» dice. «Sei un brav'uomo. Migliore di quanto tu non creda. La sola cosa che devi fare, adesso, è darmi un bacio.»

Al Connaught? Deve avere notato lo stupore sulla mia faccia, perché scoppia subito a ridere, si alza, fa il giro del tavolo e, senza alcun imbarazzo, mi stampa un bacio lungo ed esplicito sulle labbra, con l'approvazione di un vecchio sommelier di cui colgo involontariamente lo sguardo quando lei mi scioglie dalla stretta.

«A una condizione» aggiunge severa, tornando a sedersi.

«Sentiamo.»

«Il mio piano.»

«Il tuo piano cosa?»

«Posso portarlo? Non riesco a farne a meno, di un piano. È così che faccio le mie canzoncine.»

«Lo so benissimo, come fai le tue canzoncine. Senti, portane sei. Portane una flotta. Porta tutti i piani del mondo.»

Quella stessa notte diventiamo amanti. Il mattino dopo, con le ali ai piedi, corro a Honeybrook per far venire gli arredatori. Forse che mi guardo indietro, fermandomi a riflettere se la scelta sia giusta? Se ho pagato un prezzo troppo alto per qualcosa che avrei potuto avere più facilmente? No. Ho passato una vita a scansarmi, a sgusciare, a sbirciare da dietro gli angoli. D'ora in avanti, da che Emma sarà la mia preziosa pupilla, voglio che i miei pensieri e le mie azioni siano una cosa sola; come pegno di questo mio proposito faccio quel giorno stesso una telefonata urgente al signor Appleby di Wells, fornitore di gioielli e di mobili antichi. E lo incarico seduta stante di perlustrare l'intero paese per trovare, senza badare al costo, il più piccolo e grazioso pianoforte a coda che sia mai stato fabbricato da un essere umano: qualcosa di autentico, d'epoca; di qualità, signor Appleby, e di legno pregiato, sto pensando al legno seta indiano; e già che ci siamo, ha ancora quella splendida collana a tre fili di perle, con un cammeo per fermaglio, che ho visto per caso in vetrina meno di un mese fa?

Il signor Dass era troppo timido per chiederti di spogliarti. Se eri un uomo ti mettevi di fronte a lui con le calze ai piedi e a torso nudo, tenendoti su i calzoni con le mani e con le bretelle penzoloni lungo le cosce. Perfino quando ti faceva sdraiare bocconi, per massaggiare la base della spina dorsale, scopriva soltanto il minimo indispensabile.

Il signor Dass parlava. Una suadente cantilena orientale. Per ispirare fiducia e impedire intimità. A volte, per evitare che uno si appisolasse, faceva qualche domanda; oggi però, agitato per il capovolgimento di fronte, avrei voluto essere io a chiedere: li ha visti? È stata qui? L'ha portata lui? Quando?

«Ha fatto gli esercizi?»

«Religiosamente» mentii con voce assonnata.

«E come sta la signora del Somerset?»

Reagii con prontezza, nonostante l'apparente sonnolenza. Stava alludendo, lo sapevo bene, a una sua collega di Frome che mi aveva raccomandato quando stavo per trasferirmi a Honeybrook. Ma io preferii dare alla frase un'interpretazione diversa.

«Oh, sta bene, grazie. Ma lavora troppo. Sempre in tournée. Ma sta bene. Probabilmente l'avrà vista più recentemente di me. Quando è venuta l'ultima volta?»

Stava già ridendo, conscio del malinteso. Risi anch'io. La mia relazione con Emma non era un segreto né per il signor Dass né per nessun altro. Ero ben felice, nei primi mesi della mia nuova vita, di parlare di lei con chiunque fosse disposto ad ascoltarmi: Emma, la mia convivente, la mia grande passione, la mia pupilla, e tutto alla luce del sole.

«Non è certamente brava come lei, signor Dass, questo glielo posso assicurare» dissi, rispondendo in ritardo alla sua domanda e mettendolo immediatamente in grande imbarazzo.

«Via, Timothy, non è affatto detto» insistette, premendomi i palmi bollenti sulla spalla. «Ci va regolarmente? Una seduta ogni tanto e poi niente per sei mesi, così non serve a niente.»

«Provi a dirlo a Emma» replicai. «Mi ha promesso che sarebbe venuta da lei la settimana scorsa. Scommetto che non si sarà neppure fatta viva.»

Ma avevo un bel provocarlo: il signor Dass manteneva un silenzio ellittico. Insistetti, probabilmente con una certa goffaggine perché ero troppo nervoso. È stata qui ieri? Oggi? Eludeva forse le mie domande perché lo avrebbe messo a disagio dirmi che era venuta con Larry? Qualunque fosse la ragione, non riuscii a smuoverlo. Forse percepì una certa tensione nella mia voce, o la sentì nel mio corpo. Poiché il signor Dass era cieco, non c'era modo di sapere quali messaggi rivelatori gli arrivassero all'orecchio extrasensoriale o a quelle sue dita che sondavano delicatamente.

«La prossima volta spero di trovarla più concentrato sulla terapia, Timothy» disse severo mentre gli porgevo le venti sterline.

Quando aprì la cassetta dove teneva il denaro i miei occhi si posarono sul libro degli appuntamenti che la segretaria teneva proprio accanto al telefono. Rubalo, pensai. Afferralo e vattene. Così potrai vedere coi tuoi occhi se è stata qui, con chi e quando. Ma per spiare Emma non potevo derubare il signor Dass, che non ci vedeva, neanche se così facendo avrei risolto i misteri del cosmo.

Fermo sul marciapiede davanti all'ambulatorio respirai a fondo, sentendo la nebbia che mi pizzicava occhi e narici. A dieci metri di distanza una macchina se ne stava acquattata sotto il circoscritto arco di luce di un lampione stradale. I miei sorveglianti? Mi avvicinai e battendo le mani sul tetto gridai: «C'è nessuno?». L'eco della mia voce si disperse nella nebbia. Feci venti passi e mi voltai. Non un'ombra che osasse avvicinarsi. Né dal grigio muro di nebbia giunse alcun suono.

L'oggetto della mia ricerca è cambiato, ricordai. Non sto più cercando, tutto spaventato, segni della vita o della morte di Larry. Sto cercando tutti e due. Il complotto. Le motivazioni.

Camminavo frettoloso da un cono di luce all'altro, percorrendo strade secondarie sotto alberi spogli. Mi passavano accanto figure imbacuccate di profughi. Mi misi l'impermeabile. Trovai un berretto in tasca e mi infilai anche quello. Ho cambiato profilo. Sono invisibile. Ecco tre cani che ronzavano l'uno intorno all'altro in un malinconico cambio della guardia. Mi fermai di nuovo ma non udii nulla. Tornai un po' indietro. I miei sorveglianti erano scomparsi.

Erano passati dieci anni ma la casa ancora mi spaventava. Benché ne fossi fuggito continuavo a infestarla. Dietro quei muri grigi, ricoperti a lutto dai glicini color malva, giacevano i resti dei miei sogni di felicità permanente. Dopo essermi trasferito in un umile appartamento dell'estrema periferia, per andare in ufficio facevo lunghi giri così da non passare lì davanti. E se la necessità mi portava da queste parti, fantasticavo che mi avrebbero di nuovo trascinato là dentro per scontare un'altra condanna.

Ma dopo un po' la repulsione lasciò il posto a una curiosità furtiva, e la casa prese mio malgrado ad attrarmi. Scendevo dalla metropolitana una fermata prima, e attraversavo veloce lo Heath con l'unico scopo di sbirciare dentro le finestre illuminate. Come ci vivono? Di cosa parlano, oltre che di me? Chi ero io quando ci abitavo? Che Diana avesse lasciato il Servizio lo sapevo fin troppo bene, aveva scritto a Merriman una delle sue lettere.

«La tua cara ex ha deciso che noi siamo la Gestapo» annuncia, fremente di indignazione. «Ed è stata anche maledettamente villana. Anticostituzionali, incompetenti e irresponsabili, ecco come ci definisce. Lo sapevi, di avere nutrito una serpe in seno?»

«Diana è sempre la solita. Si lascia andare.»

«Be', e cosa intende fare? Lavarsi la coscienza in pubblico, immagino. Denunciarci sulle pagine del "Guardian". Non hai proprio nessun ascendente su di lei?»

«E tu?»

Sta studiando per diventare psicoterapista, ho sentito dire. Fa la consulente matrimoniale. È dimagrita. Segue corsi di yoga a Kentish Town. Edgar è un editore di testi universitari.

Suonai il campanello. Venne subito ad aprire.

«Pensavo che fosse Sebastian» disse.

Mi trattenni a stento dallo scusarmi di essere la persona sbagliata.

Ci appollaiammo in salotto. Avevo dimenticato quanto fossero bassi i soffitti. Forse mi ero viziato, a Honeybrook. Indossava un paio di jeans e un maglione della Cornovaglia, residuo delle nostre vacanze a Padstow. Era di un blu sbiadito, le stava bene. La faccia era più chiara di come la ricordassi, e anche più larga. La carnagione più vellutata. Gli occhi meno velati. I libri di Edgar arrivavano fino al soffitto. Quasi tutti toccavano argomenti di cui non avevo mai sentito parlare.

«È a Ravenna per un seminario» disse.

«Oh, bene. Magnifico. Gran bella cosa.» La mia voce non aveva nessuna naturalezza nel parlare con lei. E non ero a mio agio. Non lo ero mai stato. «Ravenna» ripetei.

«Deve venire un paziente fra mezzo minuto, e non mi piace fare aspettare i pazienti» disse. «Che cosa vuoi?»

«Larry è scomparso. Lo stanno cercando.»

«Chi?»

«Tutti. Il Servizio, la polizia. Separatamente. La polizia non deve sapere dei suoi legami col Servizio.»

La sua faccia si irrigidì, e temetti che stesse per lanciarsi in una delle sue concioni sulla necessità di dirsi tutto con franchezza, e sul fatto che la segretezza non fosse un sintomo ma una malattia.

«Perché?» chiese.

«Vuoi dire perché non devono saperlo o perché è scomparso?»

«Entrambe le cose.»

Da dove le veniva questo potere che stava esercitando su di me? Come mai balbetto, mentre cerco di ammansirla? Perché mi conosce troppo bene? O perché non mi ha mai conosciuto?

«Sospettano che abbia rubato dei soldi» risposi. «Un sacco di soldi. La polizia sospetta che io sia un complice. E così pure il Servizio.»

«Ma tu non lo sei.»

«Certo che no.»

«E allora perché sei venuto da me?»

Stava seduta sul bracciolo di una poltrona, schiena eretta e mani intrecciate in grembo. Aveva il sorriso senza allegria di chi ascolta per professione. Sulla credenza c'era da bere ma non me ne offrì.

«Perché ti è affezionato. Sei una delle poche donne che ammira e con le quali non è andato a letto.»

«Ne sei sicuro?»

«No, lo suppongo soltanto. E poi si dà il caso che sia in questi termini che parla di te.»

Sorrise con un'aria di superiorità. «Davvero? E tu sei pronto a credergli, vero? Ti fidi molto, Tim. Non dirmi che con gli anni ti stai intenerendo.»

Fui tentato di scagliarmi contro di lei. Avrei voluto dirle che ero sempre stato tenero, e che lei era la sola a non essersene accorta; e stavo pensando anche di aggiungere che non mi importava un fico che fosse andata o meno a letto con Larry; e che la sola ragione che poteva avere indotto Larry a interessarsi in qualche modo a lei, era di colpire me. Ma per fortuna mi precedette con un'altra delle sue frecciate:

«Chi ti ha mandato, Tim?».

«Nessuno. Il mio è un volo solitario.»
«Come sei arrivato qui?»
«A piedi. Da solo.»
«Il fatto è, vedi, che già mi immagino Jake Merriman che aspetta in macchina in fondo alla strada.»
«No. Se sapesse che sono qui mi lancerebbe contro i cani. Sono praticamente in fuga.» Suonò il campanello. «Diana. Se sai qualcosa di lui, se si è messo in contatto con te, se ti ha telefonato o se ti ha scritto, se è venuto qui, se sai come trovarlo, dimmelo, ti prego. Sono disperato.»
«È Sebastian» disse, e andò in anticamera.
Udii delle voci e un rumore di giovani passi che scendevano la scala del seminterrato. Mi resi conto, in un anacronistico accesso di sdegno, che doveva avere requisito il mio vecchio studio trasformandolo in studio per le visite. Tornò e si sedette sul bracciolo della poltrona, esattamente come prima. Vista l'aria risoluta, pensavo che mi avrebbe detto di andarmene. Ma poi mi resi conto che aveva preso una decisione, e che si accingeva a comunicarmela.
«Ha trovato ciò che cercava. È tutto quello che so.»
«E cosa cercava?»
«Non me l'ha detto. E se l'avesse detto probabilmente non te lo riferirei. Non interrogarmi, Tim. Non ci sto. Mi hai trascinato nel Servizio e ci sono rimasta sette anni: È stato orribile. Non ne approvo l'etica e non ne accetto gli imperativi.»
«Non ti sto interrogando, Diana. Ti faccio una sola domanda: cosa cercava?»
«La sua nota perfetta. È sempre stato il suo sogno, ha detto. Suonare una nota perfetta. Si è sempre espresso per immagini, è fatto così lui. Ha telefonato. L'aveva trovata. La nota.»
«Quando?»
«Un mese fa. Ho avuto l'impressione che stesse partendo per qualche posto e che volesse dirmi addio.»
«Ha detto dove andava?»

«No.»
«Lo ha fatto capire?»
«No.»
«Andava all'estero? In Russia? In qualche luogo eccitante? Nuovo?»
«Non mi ha dato nessun suggerimento. Era commosso.»
«Vuoi dire ubriaco?»
«Voglio dire commosso, Tim. Per il solo fatto che da Larry hai tirato fuori il peggio, non ne segue che tu abbia diritti di proprietà su di lui. Era commosso, era sera tardi, e con me c'era Edgar. "Diana, ti voglio bene. L'ho trovata. Ho trovato la nota perfetta." I conti tornavano. Aveva deciso. E voleva che io lo sapessi. Gli ho fatto le mie congratulazioni.»
«Ti ha detto come si chiama?»
«No, Tim, non si riferiva a una donna. È troppo maturo, Larry, per pensare che noi siamo la soluzione di tutti i problemi. Parlava dell'avere scoperto se stesso, dell'essere davvero lui. È ora che tu impari a vivere senza Larry.»
Non era mia intenzione mettermi a sbraitare con lei, e finora avevo fatto di tutto per evitarlo. Ma dal momento che si era proclamata somma sacerdotessa dell'autocoscienza, non mi sembrava di avere altri motivi per dominarmi. «Io sarei ben contento di vivere senza di lui, Diana! Darei l'intero mio patrimonio, se potessi sbarazzarmi di Larry e delle sue opere per gli anni che mi restano da vivere. Purtroppo, però, siamo inscindibilmente legati l'uno all'altro, e io ho bisogno di trovarlo: per la mia salvezza e forse per la sua.»
Aveva rivolto il sorriso al pavimento, probabilmente come quando doveva ascoltare le farneticazioni di un paziente. La sua voce assunse una dolcezza particolare.
«E come va, Emma?» domandò. «Giovane e bella come sempre?»

«Sta benissimo, grazie. Perché me lo chiedi? Ti ha parlato anche di lei?»
«No. Ma neanche tu. Mi domandavo perché.»

Mi stavo arrampicando. A Hampstead, se ti arrampichi esplori; se scendi torni all'inferno. Aria più rarefatta, nebbia più fitta, ville in mattoni e facciate georgiane. Entrato in un pub tracannai un bicchiere abbondante di scotch, poi un altro e poi altri ancora, ricordando la sera in cui ero tornato a Honeybrook con la luce nera che mi brillava nella testa. Se c'era gente nel pub, non la vidi. Poi ripresi a camminare; le mie sensazioni erano immutate.
Mi infilai in un vicolo. Da una parte un alto muro di mattoni. Dall'altra una cancellata di ferro con punte acuminate come lance. E in fondo una chiesa di legno bianca, con la guglia decapitata dalla nebbia.
Cominciai a imprecare.
Imprecai contro la tara del mio essere inglese, che mi aveva frenato e spronato per tutta la vita.
Imprecai contro Diana che mi aveva derubato della fanciullezza, e che lo aveva fatto con tutto il suo disprezzo.
Ricordai tutti gli strazianti tentativi di costruire dei rapporti, le relazioni sbagliate e il continuo ritornare a una cocente solitudine.
E dopo avere imprecato contro l'Inghilterra che mi aveva fatto, imprecai contro il Servizio che era stato il mio vivaio segreto, e contro Emma perché mi aveva convinto a uscire dalla mia confortevole prigionia.
Poi imprecai contro Larry perché aveva fatto brillare una torcia nel vuoto cavernoso di quella che chiamava la mia noiosa mentalità rettangolare, trascinandomi oltre i limiti della mia preziosa capacità di controllarmi.
Soprattutto imprecai contro me stesso.
All'improvviso sentii un desiderio disperato di dormire. Avevo la testa troppo pesante per portarla in gi-

ro. Le gambe stavano cedendo. Pensai di sdraiarmi sul marciapiede ma per fortuna comparve un taxi, così tornai al club dove Charlie, il portiere, mi consegnò un messaggio telefonico. Da parte dell'ispettore investigativo Bryant, che mi chiedeva per favore di chiamare questo numero il più presto possibile.

Nei club nessuno dorme. Senti odore di sudore maschile e di cavoli, ascolti i respiri rumorosi degli altri reclusi e ricordi i tempi di scuola.

È la notte dopo la Partita a sei, festa annuale del football a Winchester; uno sport così misterioso che forse neanche i giocatori più esperti ne conoscono tutte le regole. Il nostro pensionato ha vinto. Senza false modestie diciamo che ho vinto io perché è stato Cranmer, capitano della squadra ed eroe della partita, a guidare l'attacco; di una violenza straordinaria. Adesso, per tradizione, i Sei vincitori stanno banchettando nella biblioteca del pensionato: le matricole li servono a tavola, intrattenendoli con canti e scenette. Alcuni stonano, e bisogna scagliare loro addosso dei libri perché la voce migliori. Altri cantano troppo bene, e allora bisogna smontarli con battute sarcastiche e lanci di panini. Uno si rifiuta addirittura di cantare, e a tempo debito bisognerà picchiarlo; si tratta di Pettifer.

«Perché non hai cantato?» gli domando più tardi, mentre siamo appoggiati a uno stesso tavolo.

«È contro la mia religione. Io sono ebreo.»

«No che non lo sei. Tuo padre è un ecclesiastico.»

«Mi sono convertito.»

«Voglio darti una possibilità» gli dico generosamente. «Come definiresti il football di Winchester?» È la prova più facile che mi venga in mente nell'intero gergo della scuola, una bazzecola.

«Tormentare gli ebrei» risponde.

Perciò non mi resta che picchiarlo; eppure gli sarebbe bastato dire "La passione del nostro tempo".

8

La finestra era troppo piccola per buttarsi e troppo alta per vedere qualcosa, a meno di avere una passione per le gru arancione e per i banchi di nuvole di Bristol, saturi di pioggia. C'erano tre sedie e un tavolo imbullonati al pavimento. Sul muro era stato avvitato uno specchio. Immaginai che fosse unidirezionale. L'aria era stantia, viziata, e puzzava di birra. Un cartello spiegazzato, che mi informava dei miei diritti, tremava per lo scorrere del traffico cinque piani più sotto.

Bryant sedeva a un capo del tavolo, io all'altro e Luck in mezzo, in maniche di camicia. Mi chiesi dove avesse lasciato la giacca. Sul pavimento, alla sua destra, aveva posato una cartella di finta pelle marrone. Intravidi nei comparti quattro pacchetti rettangolari di differenti dimensioni, ciascuno avvolto in un foglio di plastica nera e munito di etichetta. Le etichette erano state compilate in rosso con un pennarello; per esempio "LP Rep 27", sigla alla quale attribuii il seguente significato: Reperto 27 del caso Lawrence Pettifer. Era in qualche modo significativo del mio indebolimento mentale che mi preoccupassi meno del Reperto 27 che non degli altri ventisei. E se erano ventisette, perché nella cartella ce n'erano soltanto quattro?

Niente preamboli. Nessuno si scusò per avermi fatto correre a Bristol un sabato pomeriggio. Bryant teneva un gomito sul tavolo e il mento appoggiato sul pugno

chiuso, quasi si stesse sorreggendo la barba. Luck prese dalla cartella un registratore a cassette nero, tutto scheggiato, e lo posò sul tavolo.
«Le spiace?»
Senza aspettare di sentire se mi dispiacesse o meno premette il pulsante d'avviamento, schioccò tre volte le dita, fermò il nastro e lo riavvolse. Poi ascoltammo per tre volte le dita di Luck che schioccavano. Rispetto al nostro primo incontro, adesso aveva anche un'eruzione cutanea da rasatura e borse sotto gli occhi.
«Il suo amico dottor Pettifer possiede un'auto, signor Cranmer?» domandò con voce cupa. E con quella sua testa allungata indicò il registratore: parla a quella macchina, non a me.
«A Londra Pettifer ne aveva un'intera scuderia, di macchine» risposi. «In genere di proprietà altrui.»
«Di chi?»
«Non gliel'ho mai chiesto. Non ero in rapporti di amicizia con i suoi conoscenti.»
«E a Bath?»
«Non ho idea di quali soluzioni disponesse per i suoi spostamenti a Bath.»
Rispondevo svogliatamente e alla lettera. Ero molto più vecchio, rispetto a una settimana prima.
«Quando lo ha visto in macchina l'ultima volta?»
«Dovrete insistere per farmelo ricordare.»
Il sorriso di Bryant era diverso. Aveva qualcosa di vittorioso. «Oh, insisteremo di certo, se è questo che vuole, signor Cranmer. Vero, Oliver?»
«Mi è sembrato di capire che mi abbiate convocato qui per identificare un certo oggetto» dissi.
«Esatto» confermò Bryant.
«Be', se si tratta della sua macchina, è difficile che possa esservi d'aiuto.»
«Lo ha mai visto su una Toyota verde o nera, modello 1990 circa?»
«Non me ne intendo, di auto giapponesi.»

«Il signor Cranmer non se ne intende di niente» spiegò Bryant a Luck. «Non sa nulla. Lo si capisce da tutti quei libroni stranieri che ha a casa.»

Luck trasse dalla cartella uno sciupato manuale della polizia che conteneva disegni a tratteggio delle varie auto, e me lo passò. Sfogliandolo, vidi il profilo di una Toyota Carina blu del 1989 con rifiniture nere, proprio come quella guidata da Larry l'ultima domenica che era venuto a Honeybrook. La notò anche Luck.

«Forse questa?» mi stava chiedendo, tenendo ferma la pagina con una delle sue dita ossute.

«Non mi dice niente, mi spiace.»

«Intende dire no?»

«Intendo dire che non rammento di averlo mai visto al volante di una macchina del genere.»

«Allora come mai il signor Guppy, il postino del paese, rammenta di aver visto una Toyota nera o verde, guidata da una persona che corrisponde alla descrizione di Pettifer, immettersi nel suo viale d'accesso proprio mentre usciva di chiesa in una caldissima domenica di luglio?»

Mi parve disgustoso, che avessero interrogato John Guppy. «Non so proprio come faccia a rammentare o a non rammentare una cosa del genere. E poiché l'accesso al mio vialetto dalla chiesa non è visibile, tendo a dubitare che possa averla vista.»

«La Toyota passò davanti alla chiesa nella direzione di casa sua» ribatté Luck. «Entrò nella zona d'ombra sotto il muro del cimitero e non riemerse dall'altra parte. La sola strada che potesse avere imboccato era il suo viale d'accesso.»

«Ma sarebbe potuta riemergere senza che il signor Guppy la notasse» replicai. «Magari si è fermata sulla banchina.»

Mentre Bryant continuava a guardarmi Luck frugò di nuovo nella cartella, prese uno dei pacchetti e ne estrasse un libretto bancario con la copertina di plastica, della banca di Larry a Londra. Per me era come un vecchio amico, poco ci mancò che gli sorridessi. A suo tempo dovevo averlo preso in mano centinaia di volte, cercando di capire che fine avessero fatto i soldi di Larry, a chi li avesse dati, e quali assegni si fosse dimenticato di versare.

«Per caso Pettifer le ha mai fatto regali in contanti?»

«No, signor Luck. Il dottor Pettifer non mi ha mai dato del denaro.»

«E lei a lui ne ha mai dato?»

«Gli ho prestato a volte delle piccole somme.»

«Piccole quanto?»

«Venti sterline qui. Cinquanta là.»

«Per lei sono piccole somme?»

«So benissimo che sarebbero bastate a nutrire una quantità di bambini affamati. Ma a Larry non duravano molto.»

«Intende cambiare, in qualsiasi modo o forma, l'affermazione secondo la quale tra Pettifer e lei non ci sono mai state transazioni finanziarie di nessun genere?»

«È la verità. E quindi non intendo cambiarla.»

«Pagina otto» disse, e mi lanciò il libretto di banca.

Andai a pagina otto. Era l'estratto conto del settembre 1993, il mese in cui il Servizio aveva versato a Larry la liquidazione che si era così faticosamente guadagnato: centocinquantamila sterline, attinte dal conto di Mills & Highborn, una società fiduciaria di St.Helier, Jersey, che seppellivano uno scoperto di 3.728 sterline.

«Ha qualche idea» domandò Luck «di dove, come o perché il dottor Pettifer abbia potuto trovare centocinquantamila sterline nel settembre del 1993?»

«Nessuna. Perché non lo domandate a quelli che hanno fatto il versamento?»

Il mio suggerimento lo infastidì. «Grazie tante. Mills & Highborn è uno studio legale su una delle isole della Manica, di quelli all'antica, seri, tramandati di padre in figlio. I soci non amano parlare con la polizia e non sono disposti a fornire informazioni sul nostro uomo senza un ordine del tribunale valido anche nelle isole. Tuttavia...»

Per dimostrare di essere lui il numero uno, Bryant piantò gli avambracci sul tavolo in atteggiamento bellicoso.

«Tuttavia» ripeté Luck, «dalle mie ricerche risulta che la stessa società fiduciaria ha anche continuato a versare a Pettifer uno stipendio annuo, a quanto pare per conto di certe case editrici e cinematografiche straniere, registrate in strani paesi come la Svizzera. La sorprende?»

«Non vedo perché.»

«Perché quei cosiddetti stipendi erano finti, ecco perché. Pettifer non lavorava per loro. Diritti d'autore esteri per libri che non ha neanche scritto. Anticipi che non avevano nulla da anticipare. L'intera operazione era una copertura bell'e buona; e neanche molto ben congegnata, se vuole un mio parere. E lei, signor Cranmer, non ha qualche teoria, ma già immagino che non ce l'abbia, su chi potrebbe essersi dato tanta pena per favorire il dottore?»

In effetti non ce l'avevo, come mi affrettai a dire. Ed ero sbigottito nel vedere confermati i miei timori: le decantate disposizioni dell'ultimo piano per versare a Larry la sua mercede di Giuda, potevano essere scoperte in un paio di giorni, come avevo sempre sospettato, da un poliziotto fanatico con l'aiuto di un personal computer.

«C'è poi una strana faccenda che riguarda questo studio Mills & Highborn, penso di potergliela raccontare» riprese Luck con quel suo sarcasmo grossolano. «Una delle loro attività secondarie, da quanto abbiamo potuto stabilire grazie a certe fonti, consiste nell'onorare pagamenti non ufficiali per conto del governo di Sua Maestà.» Sentii il mio mondo vacillare. «Intendo dire che ricevevano grosse somme in contanti dal Tesoro di Sua

Maestà, trasformandole quindi in altre forme di esborso.» Allungò la mascella verso di me, nel pronunciare la parola Tesoro, e continuò: «Per esempio bustarelle per potentati stranieri, fondi neri per i contratti della Difesa e altre cosiddette zone grigie della spesa pubblica. Ma lei di tutto questo non sa niente, vero? Il signor Bryant e io siamo stati per così dire affascinati dalla coincidenza tra il fatto che lei sia un funzionario del Tesoro e i fondi trasferiti dal governo britannico ai benefattori di Pettifer nelle isole della Manica».

Neppure nelle mie fantasie più sfrenate, mi era mai venuto in mente che all'Ufficio stipendi e indennità potessero essere tanto stupidi da usare la banca che riciclava il denaro sporco di Larry per operazioni clandestine di altro genere, moltiplicando così all'infinito il rischio di compromettere lo stesso Larry e qualsiasi altro componente dell'organico.

«Temo di non saperne assolutamente nulla» dissi.

«Allora forse ci dirà quello che sa» suggerì Bryant con villania. «Nella sua qualità di alto funzionario del Tesoro, che è più o meno la sola cosa che ci sia stato permesso di sapere sul suo conto.»

«Non ho idea di cosa stia cercando di insinuare.»

«Insinuare? Io? Oh niente, niente, signor Cranmer. Sarebbe al di là dei miei poteri. Ma la faccenda è molto eccitante. Fondi neri del Tesoro, mi dicono. Be', questo lo capisco. Dopo tutto, quando lei versa un po' di milioni a qualche imbroglione arabo perché ci aiuti a vendere i nostri scassati aerei da caccia, per quale motivo non dovrebbe allungare qualche scellino anche a se stesso in qualità di gentiluomo inglese? O meglio ancora al suo complice?»

«È un'accusa diffamatoria e del tutto infondata.»

«Pagina tredici» disse Luck.

«Notato niente?» domandò Luck.

Sarebbe stato difficile. La pagina tredici del libretto

di banca di Larry si riferiva al luglio del 1994. Fino al ventuno di quel mese il saldo superava le centoquarantamila sterline. Il ventidue Larry ne aveva ritirate centotrentottomila, lasciandone sul conto corrente 2.176.

«Cosa ne dice?»

«Niente. Si sarà comprato una casa.»

«Sbagliato.»

«Li avrà investiti. Che me ne importa?»

«Il ventidue luglio, due giorni dopo aver avvertito per telefono il direttore delle sue intenzioni, il dottor Pettifer ritirò in contanti dallo sportello della banca l'intera somma di centotrentottomila sterline, in buste marrone di biglietti da venti. Di quelli da cinquanta non ne volle sapere. E poiché non si era portato un contenitore il cassiere si rivolse alle impiegate, una delle quali tirò fuori una borsa di carta Safeways per metterci le buste. L'indomani Pettifer diede mille sterline in contanti alla padrona di casa e saldò quattro grossi conti, compreso quello del vinaio. La destinazione del rimanente della somma, per un totale di centotrentamila sterline, è a tutt'oggi sconosciuta.»

Perché? Non riuscivo a trovare una motivazione intelligente. Per quale logica un uomo che sta frodando trentasette milioni di sterline all'ambasciata russa alleggerisce il proprio conto in banca di centotrentamila? Per chi? Per cosa?

«A meno che, naturalmente, non li abbia dati a lei, signor Cranmer» suggerì Bryant da un capo del tavolo.

«O a meno che non fossero suoi già da prima» ipotizzò Luck.

«Non legalmente, certo» disse Bryant. «Ma noi non stiamo parlando di legalità, vero? Del codice d'onore dei ladri, tutt'al più. È stato lei a sottrarli. E il dottore li ha versati in banca. Era la sua spalla. Il suo complice. Giusto?»

Vedendo che non mi degnavo di rispondere, continuò nel tono manierato di chi la sa lunga.

«Lei ha la mania dei soldi, vero, signor Cranmer? Quelli come lei li chiamo collezionisti. Ne ha già un mucchio ma ne vuole di più. Così va il mondo, no? Lei passa, o passava, tutte le sue giornate al Tesoro. E vede grandi mucchi di soldi che vanno qua e là e da tutte le parti: il più delle volte inutilmente, oserei dire. E comincia a dirsi: "Ehi, Timothy, una piccola parte di questi quattrini non starebbe forse meglio nelle mie tasche che nelle loro?". Così ne sottrae un po'. Nessuno se ne accorge. Allora ne sottrae un altro po'. Un po' di più. E ancora nessuno se ne accorge. Così, da abile uomo d'affari, si espande. Be', non possiamo certo stare lì impalati, di questi tempi. Non ci riesce nessuno. Non è nella natura umana, vero? Non dopo la signora Thatcher. E un giorno si presenta, diciamo così, l'occasione di entrare in un certo mercato straniero. Un mercato dove lei parla la lingua, dove ha la competenza necessaria. La Russia, per esempio. A questo punto tenta il colpo grosso. Con il dottore e con un certo signore straniero di sua conoscenza che si fa chiamare professore. Tutti esperti, ciascuno a modo suo. Ma il cervello dell'operazione è il signor Cranmer. Il numero uno. Ha classe. Freddezza. Prestigio. Fuocherello, signore? Ci dica. Siamo pesci piccoli, noi; vero, Oliver?»

Quando uno viene accusato di assolute mostruosità, non c'è niente che appaia debole come la verità. Avevo dedicato una vita di lavoro a proteggere il mio Paese dai predatori. E adesso volevano assegnarlo proprio a me, il ruolo del predatore. Non mi ero mai appropriato indebitamente di un penny, con tutti i soldi che mi erano stati affidati. E adesso mi accusavano di avere accumulato grosse somme nelle isole della Manica, versate a mio favore tramite il mio ex agente. Eppure, ascoltandomi protestare la mia innocenza, mi sembrava di parlare come un qualsiasi colpevole. La voce mi veniva meno, si faceva stridula; la scioltezza di lingua era scomparsa ed ero tutt'altro che persuasivo, me ne accorgevo io e così i miei accusatori. Sentivo Merriman che mi diceva: «Oh, be', così va il mondo, no? Puniti per delitti che non abbiamo mai commesso, la facciamo franca da qualche altra parte per reati enormi».

«Noi stiamo semplicemente pensando ad alta voce, signor Cranmer» spiegò Bryant con il garbo di un rinoceronte, dopo che mi ebbero ascoltato fino in fondo. «Non ci sono citazioni in giudizio, non in questa fase. Vogliamo collaborazione, non cadaveri. Lei ci dica dove trovare ciò che cerchiamo, e noi rimetteremo ogni cosa al suo posto; poi ce ne andremo tutti a casa a bere un bicchiere di vino di Honeybrook. Capisce cosa voglio dire?»

«No.»

Ci fu allora un involontario intermezzo, durante il quale Luck tirò fuori alcuni libretti di banca risalenti a un periodo precedente, che differivano dal primo solo per le cifre. Lo schema era chiaro. Ogni volta che Larry si ritrovava con una grossa somma su un conto, la ritirava in contanti. Ma cosa ne facesse restava un mistero. C'era anche un abbonamento stagionale mensile, tuttora valido, per il percorso Bath-Bristol, costo settantuno sterline. Sostenevano di averlo trovato in un cassetto della cattedra, nell'aula dove faceva lezione. No, dissi, non avevo idea del perché Larry sentisse il bisogno di andare così spesso a Bristol. Forse per i teatri, le biblioteche o le donne. Per un piacevole istante, Luck parve essersi calmato. Sedeva come se non avesse più fiato, la bocca aperta, le spalle che si alzavano e si abbassavano nelle maniche della camicia madide di sudore.

«A lei il dottor Pettifer non ha mai rubato niente?» domandò con quell'acredine adamantina che ne faceva un interlocutore così sgradevole.

«Naturalmente no.»

«Strano. Sotto altri aspetti, lei non ne ha un'altissima opinione. Come fa, dunque, a essere così sicuro che non la deruberebbe?»

Una domanda trabocchetto, che preludeva a un nuovo assalto. Ma non sapendo di quale trabocchetto si trattasse, non avevo altra scelta che rispondergli con franchezza.

«Il dottor Pettifer potrà essere molte cose ma non lo ritengo un ladro» dissi, e non avevo finito di parlare che Bryant cominciò a sbraitare. Pensai in un primo momento che fosse un espediente per scuotermi dal mio riserbo. Poi, però vidi che stava agitando sopra la testa una busta rigonfia.

«E allora come la mettiamo con questo lotto, signor Cranmer?»

Li udii prima di vederli: i gioielli antichi di Emma che sbatacchiando scivolavano sul tavolo verso di me; tutti quelli che le avevo comprato, dalla prima timida offerta di un paio d'orecchini di giaietto vittoriani, passando per la collana di perle a tre file e per quella a intagli, fino all'anello di smeraldi, al ciondolo di granato e a quel cammeo montato in oro il cui ritratto avrebbe potuto essere proprio quello di Emma; il tutto spinto verso di me, come se fosse ciarpame, dalla mano inesperta dell'ispettore Bryant.

Mi ero alzato in piedi. I gioielli erano stesi sul tavolo come un sentiero, e il sentiero finiva dov'ero io. Dovevo essermi alzato in fretta poiché anche Luck era in piedi, a bloccarmi la strada verso la porta. Presi la collana a intaglio e me la feci scorrere spaventato fra le dita quasi per convincermi che fosse inoffensiva, ma mentalmente era Emma che stavo toccando. Voltai il cammeo, poi la spilla, il ciondolo e infine l'anello. Mi ronzavano nella testa parole tipiche del Servizio: connessione... spiattellare... inter-coscienza... Tienila separata da Larry, mi stavo dicendo. Qualsiasi cosa facciano o minaccino di fare: Emma deve rimanere separata da Larry.

Mi sedetti.

«Riconosciamo per caso qualcuno di questi pezzi, signor Cranmer?» mi stava domandando Bryant, bonario come un prestigiatore che abbia appena eseguito un abile gioco di destrezza.

«Certo. Li ho comprati io.»

«Da chi?»

«Da Appleby, a Wells. Dove li avete trovati?»

«E se non le spiace, in che data, per l'esattezza, dai signori Appleby di Wells? Sappiamo bene che in genere le date non sono il suo forte, tuttavia...»

Non poté aggiungere altro. Avevo battuto un pugno sul tavolo con tanta forza da far saltare i gioielli e sollevare in aria il registratore, che atterrò a pancia in giù.

«Questi gioielli appartengono a Emma. Ditemi dove li avete trovati. E smettetela di prendermi in giro!»

È raro che emozioni e necessità operative coincidano, ma in quel momento era accaduto. Bryant aveva smesso di sorridere e mi stava osservando con aria astuta. Pensava forse che, in cambio della ragazza, gli avrei offerto una confessione. Luck sedeva eretto, sporgendo la lunga testa verso di me.

«Emma?» ripeté Bryant pensoso. «Non mi pare che conosciamo nessuna Emma, vero, Oliver? Chi sarebbe questa Emma, signore? Forse lei potrebbe illuminarci.»

«Sapete benissimo chi è. Lo sa tutto il paese. Emma Manzini è la mia compagna. È una musicista. I gioielli sono suoi. Li ho comprati per lei e glieli ho regalati.»

«Quando?»

«Cosa importa, quando? L'anno scorso. In occasioni speciali.»

«È straniera?»

«Il padre era italiano ma è morto. È britannica di nascita ed è cresciuta in Inghilterra. Dove li avete trovati?» Ricorsi a una malinconica scenetta. «Io sono il suo convivente, ispettore! Mi dica cosa sta succedendo.»

Bryant si era messo un paio di occhiali cerchiati di corno. Non so perché mi dovessero sconvolgere, ma l'effetto fu quello. Sembravano prosciugare i suoi occhi degli ultimi residui di gentilezza umana. I baffi tarlati si erano abbassati in un sogghigno rabbioso.

«E questa signorina Manzini è in rapporti in qualche modo amichevoli col nostro dottor Pettifer, signor Cranmer?»

«Si sono conosciuti. Ma che importanza ha? Mi dica soltanto dove avete trovato i suoi gioielli!»

«Si prepari a un brutto colpo, signor Cranmer. I gioielli della sua Emma li abbiamo avuti dal signor Edward Appleby di Market Place, a Wells, quello stesso signore che a suo tempo li aveva venduti a lei. Cercò di mettersi in contatto, ma il suo telefono aveva cominciato a dare i numeri. Così, poiché temeva che fosse una questione urgente, andò a raccontarla alla polizia di Bath che, essendo un po' a corto di personale, la lasciò cadere.» Si era attribuito la parte del narratore. «Poi il signor Appleby va a fare il suo solito giro a Hatton Gardens, per visitare gli amici gioiellieri. E all'improvviso uno di loro, sapendo che il signor Appleby commercia in gioielli antichi, gli offre la collana della signorina Manzini, quella romana, come la chiamano? Quella che è lì vicino alla sua mano sinistra.»

«A intagli.»

«Grazie. E dopo avere offerto al signor Appleby questo oggetto, gli offre anche il resto. Tutto quello che ora è davanti a lei. Sono tutti qui i gioielli che ha comprato per la signorina Manzini, signore? Questa è l'intera collezione?»

«Sì.»

«E poiché tutti i gioiellieri si conoscono, il signor Appleby gli domanda da chi li abbia avuti. La risposta è: da un certo dottor Pettifer di Bath. Ventiduemila sterline, ha ottenuto il dottore per questi gioielli. Cimeli di famiglia, a sentire lui. Ereditati dalla vecchia madre purtroppo scomparsa. È un prezzo equo per questo lotto, ventiduemila sterline?»

«È il prezzo al rivenditore» sentii che diceva la mia voce. «Erano assicurati per trentacinque.»

«Da lei?»

«I gioielli sono registrati come proprietà della signorina Manzini. Io pago i premi.»

«È stata presentata una richiesta di risarcimento per la perdita dei gioielli alla compagnia di assicurazioni?»

«Nessuno sapeva che fossero scomparsi.»

«Vorrà dire che non lo sapeva lei. Avrebbero potuto, il dottore o la signorina Manzini, presentare tale richiesta a suo nome?»

«Non vedo come. Lo domandi alla compagnia di assicurazioni.»

«Grazie, signore, lo farò» disse Bryant, e copiò nome e indirizzo dalla mia agenda. «Il dottore chiedeva contanti, per l'eredità della vecchia madre, ma il negozio di Hatton Gardens sotto quell'aspetto non poteva aiutarlo» riprese con voce falsamente amica. «I regolamenti, capisce signore. Potevano al massimo dargli un assegno al portatore, anche perché lui aveva detto di non avere un conto in banca. Dopo di che il dottore esce, presenta l'assegno alla banca del gioielliere, incassa il malloppo e il gioielliere non lo vede più. Però gli aveva lasciato il suo nome, non poteva farne a meno. Suffragato dalla patente di guida: il che è abbastanza divertente, se si tiene conto di tutti gli aspetti ambigui di questo documento. Indirizzo, università di Bath. Il gioielliere telefonò in amministrazione per avere conferma: sì, abbiamo un dottor Pettifer.»

«E quando avvenne tutto questo?»

Come gli piaceva, torturarmi con quei sorrisi da saputello. «La faccenda la preoccupa, vero?» disse. «Quando. Non ricorda nemmeno una data ma continua a chiedere quando.» Fece finta di addolcirsi. «Il dottore ha venduto i gioielli della sua signora il ventinove luglio, un venerdì.»

Più o meno quando lei ha smesso di portarli, pensai. Dopo la conferenza di Larry e il curry per due che seguì; o forse no.

«A proposito, dov'è la signorina Manzini?» domandò Bryant.

Mi ero preparato una risposta, e la pronunciai con autorevolezza. «L'ultima volta che l'ho sentita era da qualche parte fra Londra e Newcastle per una tournée di concerti. Le piace girare con il gruppo che esegue la sua musica. È uno spirito guida, per loro. Dove sia in questo preciso momento, lo ignoro. Non è nostra abitudine tenerci costantemente in contatto. Ma sono sicuro che mi telefonerà molto presto.»

Adesso toccava a Luck divertirsi alle mie spalle. Aveva aperto un altro pacchetto, che sembrava contenere soltanto appunti a inchiostro scritti da lui. Mi domandai se fosse sposato e dove vivesse, ammesso che avesse una vita anche al difuori dei lucenti e asettici corridoi del suo mestiere.

«Emma l'ha per caso informata della scomparsa dei suoi gioielli?»

«No, signor Luck, la signorina Manzini non mi ha detto nulla.»

«Perché? Sta cercando di dirci che la sua Emma è rimasta per un paio di mesi senza trentacinquemila sterline di gioielli, e non si è neanche preoccupata di farne cenno?»

«Sto soltanto dicendo che la signorina Manzini potrebbe non essersi accorta della loro scomparsa.»

«Eppure è stata presente, vero, in questi ultimi mesi? Presente accanto a lei, intendo dire. Non lo avrà mica trascorso in tournée, tutto questo tempo!»

«La signorina Manzini è rimasta a Honeybrook tutta l'estate.»

«Tuttavia lei non fu neppure lontanamente messo in

guardia dal fatto che un giorno Emma avesse i gioielli e l'indomani non li avesse più.»

«No, per niente.»

«Non aveva notato che aveva smesso di portarli, ad esempio? Poteva essere un indizio, no?»

«Non nel suo caso.»

«Perché?»

«La signorina Manzini è capricciosa, come quasi sempre lo sono gli artisti. Un giorno compare con tutti i suoi fronzoli e poi, magari, passano settimane intere nelle quali anche solo l'idea di mettersi addosso qualcosa di valore le ripugna. Le ragioni possono essere molte. Il lavoro, un momento di depressione, la schiena che le fa male.»

Il mio accenno alla schiena di Emma aveva prodotto un silenzio significativo.

«Una botta alla schiena, vero?» domandò Bryant, premuroso.

«Temo di sì.»

«Oh, santo cielo. E come è successo?»

«Mi risulta che sia stata malmenata mentre partecipava a una manifestazione pacifica.»

«Ma di questo episodio non si potrebbero forse dare due versioni diverse?»

«Certamente.»

«Di recente, ha per caso morsicato qualche poliziotto?»

Mi rifiutai di rispondere.

Luck riprese: «E lei non le ha mai chiesto: Emma, perché non porti l'anello? O la collana? O la spilla. O i tuoi orecchini... per esempio?».

«No, signor Luck. Non è questo il modo in cui ci parliamo la signorina Manzini e io.»

Ero arrogante e lo sapevo. Colpa di Luck, era lui che mi faceva questo effetto.

«E va bene. Insomma, non vi parlate» sbottò. «E lei non sa dove sia.» Sembrava sul punto di perdere le staffe. «E va bene. Secondo la sua personalissima e privilegiata opinione di alto funzionario del Tesoro, come mai nel luglio di quest'anno il suo amico dottor Lawrence Pettifer ha venduto a un negoziante di Hatton Gardens i gioielli della sua Emma, per due terzi di ciò che lei li aveva pagati, sostenendo che gli venivano da sua madre quando in realtà venivano da lei tramite Emma?»

«I gioielli appartenevano alla signorina Manzini, che era libera di disporne come voleva. Se li avesse anche regalati al lattaio, non avrei potuto obiettare nulla.» Vedendo una possibilità di colpire, me ne servii con piacere. «Ma sicuramente il suo signor Guppy le avrà già fornito la soluzione, no, signor Luck?»

«Cosa intende dire?»

«Non è in luglio che Guppy sostiene di avere visto Pettifer avvicinarsi a casa mia? Una domenica? Ecco chi era il ladro. Pettifer si avvicina alla casa e la trova vuota. Di domenica la servitù è assente. La signorina Manzini e io siamo usciti a pranzo. E allora forza la finestra, entra in casa, va nell'appartamento di lei e si impadronisce dei gioielli.»

Probabilmente sospettava che lo stessi prendendo in giro, perché lo vidi arrossire. «Mi sembrava di averle sentito dire che Pettifer non è un ladro» obiettò sospettoso.

«Diciamo che lei mi ha dato motivo di cambiare opinione» replicai affabile, mentre con un rantolo il registratore smetteva di girare.

«Lascialo fermo un momento, per favore, Oliver» ordinò Bryant con dolcezza.

Luck aveva già allungato un braccio per cambiare la cassetta. Ma con un movimento che mi parve un po' sinistro tirò indietro la mano, appoggiandola sulle ginocchia accanto all'altra.

«Signor Cranmer.»

Bryant era in piedi accanto a me. Mi aveva messo

una mano a coppa sulla spalla nel gesto tradizionale dell'arresto. Si era anche chinato e le sue labbra erano a un centimetro dal mio orecchio. Avevo finora dimenticato la paura fisica, ma lui me la stava ricordando.

«Sa cosa significa questo, signore?» mi domandò con estrema calma, dando alla mia spalla una stretta dolorosa.

«Certo che lo so. Tolga quella mano.» Ma la mano non si mosse. Anzi, premette sempre più forte, e intanto Bryant continuava a parlare.

«Perché è proprio quello che le farò, signor Cranmer, a meno di non ottenere da lei una collaborazione ben maggiore di quella che ho avuto finora. Se non me la darà al più presto troverò un pretesto qualsiasi, falsificherò una prova, e mi impegnerò personalmente a farle passare i rimanenti anni della sua vita guardando, anziché la signorina Manzini, una noiosissima parete. Mi ha sentito, signore?»

«L'ho sentita perfettamente» risposi, cercando invano di scrollarmi di dosso la sua mano. «Mi lasci andare.» Ma lui mi strinse ancora di più.

«Dove sono i soldi?»

«Quali soldi?»

«Niente "quali soldi" con me, signor Cranmer. Dove sono i soldi che ha accumulato in conti bancari all'estero insieme a Pettifer? Milioni di sterline, di proprietà di una certa ambasciata straniera a Londra.»

«Non so assolutamente di cosa stia parlando: non ho rubato nulla e non sono in combutta né con Pettifer né con nessun altro.»

«Chi è AM?»

«Chi?»

«AM, che compare continuamente nel diario lasciato da Pettifer nel suo alloggio. Telefonare ad AM. Informare AM. Fare visita ad AM.»

«Non ne ho la minima idea. Forse significa mattina. Come PM significa pomeriggio.»

Penso che se fossimo stati altrove mi avrebbe colpito, perché lo vidi alzare gli occhi verso lo specchio come per chiedergli il permesso.

«Dov'è il suo amico Ceceev?»

«Chi?»

«Non ricominci con i suoi maledetti "chi". Konstantin Ceceev è un addetto culturale russo, già dell'ambasciata sovietica, e poi di quella russa qui a Londra.»

«Non l'ho mai sentito nominare in vita mia.»

«Certo che non l'ha mai sentito nominare. Perché lei non sta facendo altro che mentirmi, con quella sua lingua da aristocratico, mentre invece dovrebbe favorire le indagini.» Stringendomi la spalla me la premette con forza, provocandomi fitte dolorose lungo la schiena. «Sa cosa penso di lei, signor Cranmer? Lo sa?»

«Non m'importa un fico secco, di quel che pensa.»

«Penso che lei sia un individuo molto avido, con una quantità di arroganti voglie da soddisfare. Penso che lei abbia un amichetto che si chiama Larry. E un altro amichetto che si chiama Konstantin. E una piccola avventuriera che si chiama Emma, da lei schifosamente viziata, convinta che la legge sia una buffonata e che i poliziotti siano fatti per essere morsicati. E penso che lei reciti la parte del signore rispettabile e Larry quella del suo agnellino, e che Konstantin canti con certi angeli molto birichini nel coro di Mosca, e che Emma vi suoni il piano. Cosa ha detto?»

«Non ho parlato. Mi tolga le mani di dosso.»

«Ho sentito benissimo che mi insultava. Signor Luck, anche lei ha udito questo signore rivolgersi in termini offensivi a un funzionario di polizia?»

«Sì» disse Luck.

Mi scosse con forza, urlandomi nell'orecchio: «Dov'è Pettifer?».

«Non lo so.»

La pressione del pugno non accennava a diminuire.

La voce si abbassò, facendosi confidenziale. Mi sentivo il suo fiato caldo nell'orecchio.

«Lei è arrivato a un bivio, signor Cranmer. Può collaborare con l'ispettore investigativo Bryant; nel qual caso chiuderemo un occhio su molte delle sue malefatte, forse su tutte. Oppure può continuare a menare il can per l'aia, e in questo caso non escluderemo dalle indagini nessuna persona a lei cara, per quanto giovane e musicale possa essere. Sta ancora urlando insulti al mio indirizzo, signor Cranmer?»

«Non ho detto assolutamente nulla.»

«Bene. La sua signora invece li urla, gli insulti, a giudicare dalle informazioni di cui disponiamo. In un prossimo futuro farò una lunga chiacchierata, con la sua signora; ma non la tratterò male, vero, Oliver?»

«No» disse Luck.

Dopo un'ultima stretta, Bryant mi lasciò andare.

«La ringrazio di essere venuto a Bristol, signor Cranmer. Per il rimborso, se intende chiederlo, si rivolga al pianterreno. In contanti.»

Luck mi tenne la porta aperta. Credo che avrebbe preferito sbattermela in faccia, ma una concezione assolutamente inglese del fair play glielo impediva.

Con l'impronta umiliante del pugno di Bryant che mi bruciava sulla spalla, una volta sotto la grigia pioggerella della sera cominciai a risalire di buona lena la collina che portava a Clifton. Avevo prenotato in due alberghi. Il primo era l'Eden, quattro stelle e una bella vista sul Gorge. Lì ero il signor Timothy Cranmer, l'erede della vecchia Sunbeam dello zio Bob che troneggiava nel parcheggio. Il secondo era uno squallido motel, lo Starcrest, dalla parte opposta della città. Lì ero il signor Colin Bairstow, commesso viaggiatore e pedone.

Seduto nell'elegante camera al primo piano dell'Eden, affacciata sul Gorge, ordinai una bistecca e mezza bottiglia di Borgogna, aggiungendo al centralino la richiesta di non passarmi telefonate fino al mattino. Feci finire la bistecca nei cespugli sotto la finestra, versai il vino nel lavabo (me ne concessi un solo bicchierino), lasciai il vassoio e un paio di scarpe di ricambio davanti alla porta, appesi il cartello "Non disturbare", scesi furtivo dalla scala antincendio e uscito dall'ingresso di servizio mi misi in cammino.

Chiamando da una cabina pubblica composi il numero di emergenza del Servizio, facendo il sette come ultima cifra poiché era sabato. Udii la voce melliflua di Marjorie Pew.

«Sì, Arthur. Cosa possiamo fare per te?»

«Oggi pomeriggio la polizia mi ha di nuovo interrogato.»

«Oh sì.»

Oh sì a te, pensai.

«Hanno scoperto i versamenti fatti ad Assalonne tramite i nostri amici nelle isole della Manica» dissi, usando uno dei tanti nomi in codice di Larry. Immaginai che stesse digitando Assalonne sulla tastiera del computer. «Hanno scoperto un collegamento col Tesoro, e credono che io abbia dirottato fondi governativi passandoli poi ad Assalonne che sarebbe mio complice. Sono convinti che questa stessa pista li porterà all'oro russo.»

«Tutto qui?»

«No. Qualche idiota all'ufficio Stipendi e indennità ha combinato un pasticcio. Il canale di Assalonne è stato usato per pagare anche altri amici.»

O quello era uno dei suoi mordaci silenzi, oppure non le veniva in mente nulla da dire.

«Stanotte mi fermo a Bristol» dissi. «Può darsi che domattina la polizia voglia organizzare un altro round.»

Riattaccai, missione compiuta. L'avevo avvertita, altre delle nostre fonti potevano essere in pericolo. Le avevo fornito una scusa per il mio mancato rientro a

Honeybrook. Precipitarsi alla polizia per verificare la mia storia era l'ultima cosa che avrebbe fatto.

Il letto di Colin Bairstow, nel motel, era costituito da un divano bitorzoluto con un chiassoso copriletto arancione. Sdraiato lì sopra, con il telefono accanto, fissavo il sudicio soffitto color crema e intanto riflettevo sulle mie prossime mosse. Nel momento in cui avevo ricevuto il messaggio telefonico di Bryant al club, avevo fatto scattare un allarme operativo. Dalla stazione di Castle Cary ero corso in macchina a Honeybrook, dove avevo prelevato il pacco Bairstow per la fuga: carte di credito, patente, denaro contante e passaporto, il tutto stipato in una consunta ventiquattrore, con vecchie etichette a testimonianza della vita vagabonda di un commesso viaggiatore. Arrivato a Bristol, avevo depositato la Sunbeam di Cranmer all'Eden, e la valigetta di Bairstow nella cassaforte del direttore del motel.

Da questa valigetta estrassi ora un indirizzario con la copertina ad anelli, sulla quale spiccava un cerbiatto maculato. Mi chiedevo fino a che punto quelli del Servizio avessero modificato le proprie abitudini dopo il trasferimento sull'Embankment. Merriman non era cambiato. Barney Waldon nemmeno. E per come conoscevo la polizia, qualsiasi procedura adottata negli ultimi venticinque anni sarebbe stata probabilmente seguita nei prossimi cento.

Col cuore in gola, chiamai il centralino automatizzato del Servizio e, guidato dalla mia rubrica, entrai in comunicazione con la rete interna di Whitehall. Altri cinque numeri mi misero in contatto con la sala di collegamento con Scotland Yard. Rispose una stentorea voce maschile. Dissi che ero Casa Nord, il vecchio nome in codice della mia sezione. La voce stentorea non si mostrò sorpresa. Dissi che il riferimento era Bunbury, vecchio nome in codice del caposezione. La voce stentorea disse: «Con chi vuole parlare, Bunbury?».

Chiesi del dipartimento del signor Hatt. Nessuno l'aveva mai incontrato, questo signor Hatt, ma se esisteva era il responsabile delle informazioni sui veicoli. Udii musica rock in sottofondo, poi la voce briosa di una ragazza.

«Sono Bunbury, Casa Nord, e ho una richiesta noiosa per il signor Hatt» dissi.

«Non c'è problema, Bunbury. Al signor Hatt piace, annoiarsi. Io sono Alice. Cosa possiamo fare per lei?»

Per due decenni avevo seguito ogni traccia delle macchine di Larry. Avrei potuto recitare il numero di incidenti nei quali era stato coinvolto compreso il colore, l'età, lo stato di conservazione delle auto e il nome dello sfortunato proprietario. Diedi ad Alice il numero della Toyota blu. Avevo appena finito di pronunciare l'ultima lettera che già mi stava leggendo il tabulato del computer.

«Anderson, Sally. Cambridge street 9a, una traversa di Bellevue road, Bristol» annunciò. «Vuole i particolari?»

«Sì, per piacere.»

Me li diede: assicurazione, numero di telefono del proprietario, caratteristiche della carrozzeria, data della prima immatricolazione, nessun'altra macchina intestata a quel nome.

Al banco del motel un ragazzo foruncoloso in giacca rossa mi diede una piantina di Bristol tutta stropicciata.

9

Andai in taxi fino alla stazione ferroviaria di Temple Meads, a Bristol, e da lì proseguii a piedi. Mi trovai in un deserto industriale che la notte rendeva grandioso. Passavano sfrecciando grossi camion che sputando fango oleoso mi strattonavano l'impermeabile. Eppure una tenera nebbiolina incombeva sulla città nella valle, stelle umide riempivano il cielo e una languida luna piena mi attirava su verso la cima della collina. Mentre camminavo si aprivano giù in basso rotaie illuminate di arancione, che mi fecero tornare in mente Larry e il suo abbonamento stagionale da Bath a Bristol, settantuno sterline al mese. Cercai di immaginarmelo nei panni di un pendolare. Dove ce l'aveva l'ufficio? E la casa? Anderson, Sally. Cambridge street 9a. I camion mi avevano assordato. Non riuscivo a sentire il rumore dei miei passi.

La strada, che all'inizio passava su un viadotto, si inoltrava sul fianco della collina. La cima si spostò alla mia destra. Sopra di me, una fila di villini dalle facciate piatte. Un muro di mattoni rossi, una specie di bastione, li proteggeva da ogni parte. Lassù, pensai, ricordando la piantina. Lassù, pensai, ricordando la predilezione di Larry per i luoghi abbandonati. Arrivato a un rondò premetti il pulsante per l'attraversamento pedonale, aspettando che la cavalleria motorizzata d'Inghilterra decidesse, stridendo e sferragliando, di concedersi una sosta. Giunto sul marciapiede opposto, imboccai una via laterale ornata da un festone di cavi elettrici. Un ragazzetto nero sui sei anni sedeva sul gradino del bar Ocean Fish, un take-away cinese.

«È questa Cambridge street? Bellevue road?»

Io sorrisi, lui no. Un druido barbuto con un berretto irlandese tutto sformato uscì con eccessiva circospezione da una rivendita di alcolici. Teneva in mano un sacchetto di carta marrone.

«Guardati i piedi, amico» mi suggerì.

«Perché?»

«Cerchi Cambridge street?»

«Sì.»

«Be', ci sei praticamente sopra, amico.»

Seguendo le sue istruzioni, proseguii per una cinquantina di metri e girai a destra. I villini erano tutti dalla stessa parte. Di fronte c'era un piccolo prato. Intorno all'erba scorreva a zigzag quel parapetto di mattoni con le cimase rosse che avevo visto dal basso. Recitando la parte del turista per caso, mi fermai a contemplarlo. Dalla stazione le strade maestre dell'impero, ormai fuori uso, scorrevano verso le tenebre.

Mi voltai a esaminare i villini. Avevano tutti due finestre al piano di sopra, il tetto piatto, un comignolo e un'antenna della tv. Ognuno era dipinto di un color pastello diverso dagli altri. Passandoli in rassegna notai che in generale era illuminato il bovindo o una camera da letto, oppure c'era un televisore tremolante o un campanello fosforescente che luccicava: si sentiva che c'era vita, dietro le tendine. Soltanto l'ultima casa era al buio, ed era proprio la 9a. Che gli occupanti fossero fuggiti? Che i due amanti, toltisi l'orologio, si fossero addormentati l'uno fra le braccia dell'altro?

Lentamente, col fare di chi non ha segreti, intrecciai le mani dietro la schiena e mi preparai, come un ufficiale di un reggimento coloniale, a ispezionare la truppa. Sono un architetto, un geometra, un acquirente potenziale. Sono un viticultore inglese di una certa levatura sociale. Macchine parcheggiate bloccavano il marciapiede. Mi spostai in mezzo alla strada. Nessuna Toyota blu. Nessuna Toyota di nessun colore. Camminavo adagio, leggendo ostentatamente i numeri delle case. Comprerò questa o quella? Oppure le comprerò tutte?

Il sudore mi scendeva lungo le costole. Non sono preparato, pensai. Né abile, addestrato, armato o coraggioso. Sono stato troppo a lungo alla scrivania. Alla paura seguì un attacco di rimorso. È qui. Morto. È tornato indietro barcollando, è venuto qui a morire. L'assassino sta per scoprire il cadavere. Il colpevole è venuto a inghiottire la sua pillola. Poi ricordai che Larry era ancora vivo, lo era da quando a Jamie Pringle era tornata in mente l'ultima pernice bianca della stagione, e i miei sensi di colpa rientrarono strisciando nella loro tana.

Ero arrivato in fondo. Il numero 9a era una casa d'angolo, regola fondamentale per una casa sicura. Le tende tirate, dietro le finestre al primo piano, erano arancione e senza righe. Il pallido lume di un lampione si rifletteva su quel tessuto scadente. All'interno non c'era luce.

Proseguendo nella mia ricognizione, mi infilai in una viuzza laterale. Un'altra finestra non illuminata al primo piano. Un muro intonacato. Una porta laterale. Spostandomi sul marciapiede di fronte, esaminai l'intera strada con l'aria di chi sa il fatto suo. Un gatto giallo mi guardò da dietro una tenda di rete. Tra le macchine parcheggiate a decine su entrambi i lati ce n'era una coperta da un telone di plastica per proteggerla dal maltempo.

Un'altra occhiata di controllo ai portoni, ai marciapiedi e alle auto posteggiate. C'erano ombre non facili da decifrare, ma non vedevo figure umane. Con la punta della scarpa destra sollevai il telone di plastica, scoprendo il paraurti posteriore ammaccato e il numero di targa, che ben conoscevo, della Toyota blu di Larry.

Era uno dei trucchetti che insegnavamo nei corsi di addestramento, e che gli agenti dimenticavano nel momento stesso in cui tornavano nel mondo di tutti i giorni: se sei preoccupato per la macchina, coprila.

La porta sul lato della casa non aveva né maniglia né buco della serratura. Tornando indietro le diedi una spinta furtiva, ma era stata chiusa a chiave o sprangata dall'interno. Una sbavatura di gesso a forma di L attraversava i pannelli centrali. La parte inferiore della L proseguiva poi verso il basso. Toccai il segno di gesso. Era cerato, e dunque impermeabile alla pioggia. Voltai l'angolo con Cambridge street, e raggiungendo fiducioso la porta principale premetti il campanello. Non accadde nulla. Avevano tagliato la luce. La solita indifferenza di Larry alle bollette. Tentai un sospettoso toc-toc con il battente. È la notte di Capodanno e siamo a Honeybrook, pensai, mentre il rumore echeggiava nella casa: era venuto il mio turno di buttare giù dal letto gli amanti felici. Stavo agendo allo scoperto, senza assi nella manica. Ma intanto continuavo a riflettere con calma sul segno di gesso.

Sollevai il lembo della cassetta delle lettere e lo lasciai andare. Bussai al bovindo. Gridai: «Ehi, sono io!»; più che altro per amore delle apparenze, dato che passava gente sul marciapiede. Diedi uno strattone alla finestra a ghigliottina, cercando di spostarla in su o in giù. Era bloccata. Indossavo guanti di pelle che mi ricordarono Priddy. Restando sempre davanti al bovindo accostai la faccia al vetro; volevo sbirciare all'interno sfruttando la luce del lampione. Non c'era anticamera. La porta di ingresso si apriva direttamente sul soggiorno. Individuai su una scrivania la forma spettrale di una macchina da scrivere portatile, e un cumulo di posta sul pavimento, per lo più fatture e stampe. Guardando ancora vidi ciò che la prima volta avevo soltanto intravisto: il sedile di Emma per il pianoforte, davanti alla macchina da scrivere. Infine, immaginando di avere ormai attirato l'attenzione dei vicini, feci ciò che avrebbe fatto in casi del genere chiunque fosse venuto qui per motivi legittimi: tirai fuori l'agenda, scrissi qualcosa, strappai la pagina e la infilai nella cassetta delle lettere. Poi mi allontanai per dare tempo alla memoria dei vicini di riposarsi.

Feci un rapido giro dell'isolato, camminando in mezzo alla strada perché le tenebre non mi piacevano, e rientrando poi dalla parte opposta. Passai una seconda volta davanti alla porta laterale, guardando non più il segno col gesso ma la direzione indicata dalla coda della L. L come Larry. L come la sua firma nei tempi in cui scambiava con Ceceev materiali segreti, servendosi di cassette della posta in disuso e di segnali di sicurezza. Nei parchi. Nelle toilette di un pub. In un parco. A Kew Gardens. L stava per "Ho riempito la cassetta" firmato Larry. La L trasformata in C per "L'ho svuotata" firmato CC. Avanti e indietro, e non una volta soltanto ma almeno una cinquantina, in quattro anni di collaborazione: microfilm per te; soldi e istruzioni per me; soldi e istruzioni per te; microfilm per me.

La coda, che proseguiva verso il basso, era stata tracciata con decisione. Una coda ben precisa. Scorreva in diagonale verso il mio piede destro, la punta del quale era vicinissima al bordo della porta, da dove spuntava un mozzicone di sigaretta appiattito; suppongo che una persona molto curiosa avrebbe forse riflettuto che un mozzicone di sigaretta non sarebbe finito appiattito sotto il bordo di una porta a meno che qualcuno non l'avesse deliberatamente schiacciato, spingendocelo con un calcio; la stessa persona avrebbe forse notato che la luce del lampione all'angolo brillava con intensità particolare sulla parte inferiore della porta così che, quando uno si accorgeva del rapporto fra il segno di gesso e il mozzicone di sigaretta, si stupiva che lì intorno non si fosse radunata una folla per osservare la stessa cosa.

Io non avevo però la destrezza di movimento di Ceceev; non ero capace di quella fulminea rotazione del busto che a Jack Andover, il nostro sorvegliante capo, aveva fatto venire in mente i minatori gallesi. Feci quindi ciò che fanno le spie di mezza età di tutto il mondo: mi chinai, fingendo di allacciarmi le scarpe, mentre con una mano afferravo il mozzicone di sigaretta e la cordicella che aveva dentro; tirai, e dopo un altro strattone fui compensato dalla chiave piatta Yale cui la cordicella era legata. Poi, nascondendo la chiave nella mano mi alzai e girai tranquillamente l'angolo dirigendomi verso la porta principale.

«Sono in vacanza, caro» disse una voce di basso alle mie spalle.

Mi girai di scatto, pronto a sfoggiare il mio sorriso da finto tonto. Il vano della porta accanto era occupato da un donnone coi capelli biondi, illuminata alle spalle dalla luce dell'anticamera di casa sua; indossava quella che mi parve una camicia da notte bianca, e teneva in mano un bicchiere con qualcosa di forte.

«Lo so» dissi.

«Mi chiamano Feebs. Ma il mio nome vero è Phoebe. Lei è già passato poco fa, vero?»

«Verissimo. Avevo dimenticato la chiave e mi è toccato tornare indietro a prenderla. Una volta o l'altra dimenticherò anche il mio nome. Comunque, avevano davvero bisogno di una vacanza, no?»

«Lui di sicuro» disse lei in tono misterioso.

Il mio cervello stava evidentemente lavorando a pieno ritmo, poiché compresi subito il significato delle sue parole. «Ma certo! Pover'uomo!» esclamai. «Mi dica, che aspetto aveva... migliore? In via di guarigione? O era ancora di tutti i colori dell'arcobaleno?»

Un residuo di cautela la tratteneva dal farmi altre confidenze. «Cosa vuole, insomma?» domandò imbronciata.

«La questione, temo, è cosa vogliono loro. La macchina da scrivere di Sally. Qualche vestito. In pratica tutto quello che riesco a portare.»

«Non sarà per caso un agente per il ricupero crediti?»

«No, per carità!» Risi, e feci due passi nella sua direzione per dimostrarle che meritavo fiducia. «Sono suo fratello. Richard. Dick. Quello rispettabile. Mi hanno telefonato. Puoi raccogliere un po' di roba? E portarcela a Londra. Ha avuto un incidente. Mi ha detto che è caduto dalle scale. Poverino, gliene capita sempre una. Sono almeno riusciti a partire insieme? Mi sembra di capire che hanno fatto tutto un po' di corsa.»

«Da queste parti non ne capitano, di incidenti. È tutto calcolato.» Ridacchiò della battuta. Con un certo sforzo risi anch'io. «Se n'è andato prima lui, lei lo ha raggiunto dopo. Non so perché.» Bevve un sorso dal bicchiere senza togliermi gli occhi di dosso. «Non mi piace che lei entri là dentro. Almeno finché loro sono in Francia. Mi sa che sono un po' preoccupata.»

Fece un passo indietro e rientrò in casa sbattendo la porta. Un attimo dopo una secca esplosione come di bomba a mano squarciò l'aria, e da una finestra spalancatasi al piano superiore della casa emerse il testone di un uomo peloso in canottiera.

«Ehi! Venga qui! Lei è il fratello di Terry?»

«Sì.»

«Dick, giusto?»

«Dick, esatto.»

«Lei sa tutto di lui, vero?»

«Più o meno.»

«Bene Dick, vuole dirmi qual è la sua squadra di calcio preferita?»

«La Dinamo di Mosca» replicai senza nemmeno pensarci, poiché il calcio era una delle tante manie assurde di Larry. «E Lev Jascin è stato il più grande portiere di tutti i tempi. E il più grande gol che sia mai stato segnato è di Ponedelnik, nella partita Russia-Iugoslavia del 1960.»

«Accidenti.»

Sparì, dopodiché ci fu un intervallo durante il quale presumibilmente discusse con Phoebe. Infine ricomparve tutto sorridente.

«Personalmente io tengo per l'Arsenal. Non che a lui dispiacesse. Ma senta, come se l'è fatto quell'occhio nero? Ne ho visti di occhi neri in vita mia, però quello era un capolavoro. "Com'è successo?" gli chiedo. "Lei ha chiuso le gambe troppo presto?" Sono andato a sbattere contro una porta, mi risponde. Poi salta fuori Sally e dice che è stato un incidente d'auto. Non si sa più a chi credere al giorno d'oggi, non trova? Le serve una mano?»

«Forse più tardi. Se mai la chiamerò.»

«Io sono Wilf. Terry è tutto matto, ma a me è simpatico.»

La finestra si serrò fragorosamente.

Mi chiusi la porta alle spalle e aggirai il mucchio di posta sul pavimento. In un futile accesso di ottimismo premetti l'interruttore della luce, ma senza risultato. Stupidamente non mi ero portato una pila tascabile. Rimasi immobile nella penombra senza nemmeno il coraggio di respirare. Il silenzio mi spaventava. Bristol doveva essere stata evacuata. Sbrigati, se non vuoi che ti ammazzino. Di nuovo il sudore, stavolta freddo e unto. Espirai e poi inspirai lentamente, annusando così gli odori di una casa talmente vecchia da essere quasi arteriosclerotica. Mi guardai attorno cercando un po' più di luce. L'unica fonte era costituita dal lampione. Ma il suo raggio non si spingeva oltre il bovindo. Per vedere all'interno i miei occhi dovevano raccogliere la luce dal bovindo e attraversare poi la stanza di corsa: era come trasportare acqua tenendo le mani a coppa.

Il sedile per il piano, intatto. Ci passai sopra una mano: i tubi di lega leggera, simili a una lampada da scrivania snodata, si spingevano in fuori per poi tornare indietro, così da premerle lo schienale imbottito contro le reni. La sua macchina da scrivere elettrica portatile. Era su un tavolo, ma facevo fatica a vedere il tavolo perché era coperto di carte, e le carte perché erano coperte di polvere. Poi vidi un secondo tavolo, che però non era un tavolo ma un carrello portavivande, sul quale era posato un telefono digitale collegato con una segreteria telefonica, con un guazzabuglio di fili e di antenne in pieno stile Pettifer, e con una giudiziosa profusione di nastro adesivo. Ma non essendoci elettricità nella presa, la luce spia della segreteria non era accesa.

La stanza rimpicciolì e le pareti si restrinsero. I miei occhi vedevano meglio. Potevo seguire il filo della macchina da scrivere fino al muro. Cominciai a distinguere le tracce di una partenza frettolosa: cassetti tirati fuori e svuotati a metà, documenti sparsi sul pavimento, il caminetto pieno di carte carbonizzate, il cestino per la carta straccia rovesciato. Riconobbi anche altri oggetti tipici di Larry: pile di riviste alternative appoggiate alla parete, piene di pezzetti di carta a mò di segnalibro; un vecchio manifesto di Stalin che tagliava rose in giardino, nel più benevolo dei suoi atteggiamenti. Larry gli aveva disegnato una corona imperiale sul capo, e scritto di traverso sul petto le parole "Non abbiamo mai chiuso". Messaggi scarabocchiati su rettangoli di carta adesiva, appiccicati su un'acquaforte di Notre Dame appesa sopra il caminetto. Con la mano guantata ne staccai un paio e li portai davanti al bovindo, ma non riuscii a leggerli; vidi soltanto che il primo era stato scritto da Emma, il secondo da Larry. Staccai in sequenza anche gli altri, e prima di metterli in tasca tutti assieme ne feci un mazzo.

Tornato alla porta principale, raccolsi una manciata di lettere fra quelle ammucchiate sul pavimento. Signorina Sally Anderson, lessi a fatica, Prometeo Libero S.r.l., Cambridge street 9a. Timbro postale non di Macclesfield ma di Zurigo. Egregio signor Terry Altman, lessi, Prometeo Libero S.r.l. Terry Altman era un vecchio nome di battaglia di Larry; Prometeo era stato incatenato a una montagna del Caucaso per i suoi imbrogli, fino a quando non erano andati a liberarlo Larry e Emma. Opuscoli, dépliant a colori vivaci tipicamente russi. Stampati del Servizio d'ascolto della Bbc a Caversham, con l'intestazione Russia meridionale (occidente). Al direttore, Prometeo Libero, S.r.l. A Sally. A Prometeo Libero S.r.l. Estratti conto. Una cartelletta piena di messaggi per Emma nella grafia di Larry, per il quale una lettera poteva essere scritta su qualsiasi superficie: un sottobicchiere, un fazzoletto di carta, il frontespizio di un opuscolo radicale pubblicato a Islington da qualche anarchico. Indirizzate alla Cara, Carissima Emma, cui seguiva un: Oh, Cristo, ho dimenticato di dirti. Un bollettino di informazioni dal titolo "La manipolazione dei media", sottotitolo "Come la stampa occidentale fa il gioco di Mosca". Sta calmo, mi dissi, lasciando cadere di nuovo ogni cosa sulla pila. Metodo, Cranmer. Sei un agente operativo, un veterano con innumerevoli irruzioni alle spalle, tutte per il Servizio, alcune con Larry in veste di talpa. Vacci piano. Un lavoro per volta. Un opuscolo rosso e bianco in russo dal titolo *Genocidio nel Caucaso* in vivide lettere maiuscole, scuola Agit-prop sovietico, anni Cinquanta, solo che era datato febbraio 1993 e faceva riferimento a "L'olocausto dell'ottobre scorso". Aprendo a caso, vidi corpi di bambini sventrati ormai gonfi. "Caucasian Review II", Monaco '56, cfr. pp. 134-156. "Caucasian Review V", Monaco '56, cfr. pp. 41-46. Brani sottolineati. Rabbiosi scarabocchi sui margini, illeggibili sotto la luce fioca.

C'era poi una porta interna che come dettava la geografia doveva condurre al lato della casa affacciato sull'altra strada. Girai la maniglia. Non successe nulla. Spinsi con forza e la porta cedette stridendo sul linoleum. Sentii odore di burro rancido, di polvere e di sapone Lifebuoy. Ero nel retro della cucina. Anche qui, da una finestra sopra il lavello, la luce della strada andava a posarsi sul pavimento. Una fila di stoviglie messe ad asciugare sullo scolapiatti. C'erano rimaste così a lungo da essere di nuovo sporche. Sugli scaffali un campionario delle debolezze ben poco democratiche di Larry: sardine al pepe acquistate in un famoso negozio di commestibili su Jermyn street, marmellata di arance Oxford e tè English Breakfast di Fortnum. Nel frigo, yogurt andato a male e latte inacidito. Lì accanto una porta di legno con saliscendi in alto e in basso, e serratura a scatto con fermo e catena. Era la porta laterale che avevo esaminato dal marciapiede. Mentre tornavo in soggiorno diedi un'occhiata all'orologio. L'eternità era durata finora tre minuti.

Gli scalini erano totalmente al buio, traballanti e non coperti da una stuoia. A partire dal pavimento ne contai quattordici. Arrivato su un pianerottolo proseguii a tastoni: sentii una porta, poi una maniglia. Spinsi ed entrai. Ero in bagno. Uscii di nuovo e richiusi. Stando appoggiato alla porta con la schiena, brancolai in entrambe le direzioni finché non trovai un'altra porta che mi permise di entrare nella camera di Emma; era in piena luce perché la luminosità del lampione riusciva a penetrare oltre la finestra, attraversando le logore tendine come se non esistessero. Le ho dato tutto, pensai, guardando il pavimento nudo e il lavabo incrinato, i fiori appassiti in un vaso da colla, la lampada sbilenca sul comodino, la tappezzeria a fiori marrone che si staccava poco per volta; tutto, e lei non aveva voluto nulla. Era da questo che l'avevo salvata. Ma lei preferiva così.

Sul pavimento c'era un futon, preparato come le piaceva preparare il letto per fare l'amore: obliquo rispetto al caminetto, con molti cuscini e un piumone bianco. Sul piumone l'austera camicia da notte Marks & Spencer che si era portata appresso quando era venuta a vivere con me, le lunghe maniche tese in avanti per abbracciarmi. La vedevo nuda, bocconi, il mento fra le mani, che voltava la testa per guardarmi appena mi sentiva entrare. La luce dei ceppi che ardevano le disegnava ombre di dita sui fianchi. E i capelli, non trattenuti dalle forcine, le scendevano sulle spalle come fiamme nere.

Due libri, uno dalla parte di lui e uno da quella di lei. Per Larry un volume rilegato in rosso degli anni Venti, scritto da un certo W.E.D. Allen con l'incredibile titolo *Béled-es-Siba*. Aprendo a caso incappai in una frase di omaggio al poeta Aubrey Herbert, e in una frase sottolineata: *gli mancava la villania del genio*. Ricordavo vagamente che Herbert aveva combattuto per salvare l'Albania dai sedicenti Liberatori dei Balcani, e che era uno degli eroi di Larry. Per Emma *Verso il Caucaso* di Fitzroy Maclean, sottotitolo *Dove finisce la Terra*.

Un manifesto color seppia. Non di Stalin stavolta, né di altri che riconoscessi. Un moderno profeta con barba, mascelle vigorose, occhi scuri, e quello che immaginavo fosse il costume tradizionale dei montanari del Caucaso: berretto di pelo e giubba di pelle con occhielli per le munizioni. Guardando più da vicino potei distinguere il nome, Bashir Haji, scritto in chiari caratteri cirillici nell'angolo in basso; e con qualche difficoltà le parole "Al mio amico Misha, il grande guerriero". Strano, un trofeo del genere in un nido d'amore. Staccatolo dal gancio lo posai sul letto, accanto alla camicia da notte di Emma. Vestiti: ho bisogno di altri vestiti. Chi deve andarsene in gran fretta non si porta appresso tutti i vestiti. Una tenda, appesa a una rientranza dietro la bocca del camino, mi ricordò la tenda da oscuramento dello zio Bob tirata davanti all'alcova del mio stanzino segreto. La scostai e feci un balzo all'indietro.

Sono a Priddy, alle prese con Larry. L'ho afferrato per i baveri di quell'impermeabile austriaco verde che chiama la sua pelliccia di talpa. È un capo lungo, fluente, color oliva e serico al tatto. La sua morbidezza mi offende. Mentre tiro Larry verso di me, sento il rumore di uno strappo e rido. Mentre ci battiamo, me lo immagino sbrindellato. Mentre trascino Larry verso lo stagno per i piedi, coperto di fango, il chiaro di luna mi mostra i brandelli dell'impermeabile che lo seguono strisciando come il sudario di un mendicante.

E adesso lo vedevo lì, lavato a secco e non particolarmente malandato, appeso a una gruccia di filo di ferro, con l'etichetta della tintoria ancora pinzata alla fodera. Controllai i bottoni. C'erano tutti. Glieli avevo tirati via? Mi pareva di no. E lo strappo, dov'era lo strappo? Avevo udito chiaramente un tessuto che si strappava. Non trovai né strappi né rammendi; non nella fodera, né sull'orlo o intorno agli occhielli. E neanche sul bavero, dove l'avevo afferrato.

Esaminai la cintura. L'aveva sempre portata annodata. Era fornita di una fibbia eccellente, se uno proprio ci tiene a portare una cintura con l'impermeabile; ma per Larry la fibbia non andava abbastanza bene. Doveva annodare la cintura come un gigolò, ed era per questo che mi aveva dato tanta gioia vedere il mio pugno guantato che la teneva stretta mentre trascinavo il suo corpo. La testa gli ballava qua e là, e il suo sogghigno si accendeva e si spegneva al chiaro di luna.

Deve essere un altro impermeabile, pensai. Ma subito dopo mi dissi: quando mai Larry ha avuto due esemplari di qualcosa, a meno che non fossero donne?

Sotto il lavello della cucina avevo trovato un rotolo di sacchetti di plastica neri per la spazzatura. Ne strappai uno e ci infilai dentro la posta alla rinfusa, stampe e lettere personali. Nel fare questo vidi di nuovo i bambini col ventre squarciato, e mi ricordai di Diana e della sua nota perfetta. Cosa c'era di perfetto, mi domandai, nelle urla di bambini moribondi? Inginocchiato davanti al caminetto racimolai i fogli carbonizzati, che misi con estrema cautela in un secondo sacchetto. Ne riempii poi un terzo e un quarto con i fascicoli e le carte sparsi sulla scrivania. Ci gettai dentro anche un'agenda della Esso, uno strinato registro contabile che qualcuno aveva cercato di bruciare senza riuscirvi, e una rubrica degli anni Quaranta con la copertina di bachelite che non collegavo né a Larry né a Emma; mi pareva una specie di trovatello capitato nella loro vita, finché non mi accorsi che era russa. Tolsi il nastro dalla macchina da scrivere, estrassi la spina dalla presa e posai la macchina sul tavolo della cucina con l'intento di portarla via. Lo facevo per amore delle apparenze, perché avevo detto a Phoebe che dovevo ritirarla. Il nastro lo ficcai nel terzo sacchetto.

Tornato in soggiorno feci per staccare la segreteria ma ripensandoci la presi, base e ricevitore inclusi, e individuato alla luce del lampione il tasto per l'ascolto, alzai il ricevitore e premetti il pulsante. Si sentì un trillo. Udii la voce gentile di un uomo con accento straniero che si esprimeva perfettamente, come il signor Dass: «Avete chiamato la Hardwear Carpets International. Se desiderate lasciare un messaggio o fare un'ordinazione, siete pregati di parlare dopo il segnale acustico...». Ascoltai il messaggio due volte, staccai la spina e misi la segreteria sul tavolo della cucina accanto alla macchina da scrivere. I miei occhi si posarono sulle chiavi di una macchina appese a un chiodo. La Toyota. Me le misi in tasca, ringraziando il cielo di non dovere armeggiare coi fili durante la notte di un sabato, in una buia stradina secondaria. Mi precipitai di sopra. Non c'era spiegazione logica per questa fretta eccessiva, ma se non mi fossi messo a correre forse non avrei trovato il coraggio di camminare.

Andai alla finestra della camera da letto. Cambridge street era deserta. Aspettando che mi si schiarissero le idee, osservai il pianoro erboso ai bordi della ferrovia.

La notte era ancora più buia. Bristol stava per andare a dormire. Pensai che proprio in quel punto Emma aspettava il suo arrivo. Nuda, come quando aspettava me dopo avere deciso che avremmo fatto l'amore. Eccomi ora davanti al futon. I cuscini erano accatastati tutti da un lato, per una testa sola. A cosa pensava Emma, distesa lì tutta sola? «Se n'è andato prima lui, lei lo ha raggiunto dopo» aveva detto Phoebe. Prima di andarsene, se ne stava tutta sola in questo letto. Mi chinai per prendere il manifesto del montanaro con dedica. Reale o immaginario che fosse, il profumo di lei si levò verso di me dalle lenzuola. Piegai il manifesto in modo da poterlo mettere in tasca. Staccato l'impermeabile verde di Larry dalla gruccia, me lo piegai su un braccio. Tornai lentamente da basso ed entrai in cucina. Lentamente. Feci scorrere i saliscendi della porta laterale, sbloccai la serratura a scatto e sistemai il fermo in modo che rimanesse aperta. Lentamente. Era molto importante non fare niente in fretta.

Lasciando la porta spalancata percorsi il marciapiede fino alla macchina, e una volta tolto il telone vidi sul sedile posteriore gli stivali di pelle scamosciata di Larry. Decisi di non drammatizzare. Quelli erano gli stivali di Larry, e Larry era vivo. Cosa avevano di particolare questi maledetti stivali, fatti su misura da Lobb a St. James, e pagati con urla di dolore da quelli su all'ultimo piano, solo perché Larry aveva deciso che era venuto il momento di mettere alla prova il nostro amore per lui?

Notai il fango incrostato, come lo si nota su qualsiasi cosa. Usare una spazzola di filo di ferro: me ne sarei occupato dopo. Dentro di me riesplose l'odio. Avrei voluto giocare la rivincita, tornare a Priddy e dargli il colpo di grazia.

Rientrai in cucina a prendere macchina da scrivere e segreteria; le caricai sull'auto, domandandomi angosciato se sarebbe partita. Feci anche qualche calcolo fantasioso su quanto tempo mi ci sarebbe voluto per spingerla a mano in cima alla collina da dove avrebbe potuto rotolare giù fino alla stazione; di lì, se ancora non si fosse decisa ad avviarsi, avrei trasferito il bottino su un taxi.

Sentendomi sempre meno coraggioso, tornai in casa a prendere il resto: l'impermeabile di Larry, che ritenevo necessario come prova incontestabile che era vivo, e i quattro sacchetti per la pattumiera; li trasportai tenendoli per il collo e li sistemai intorno alla macchina da scrivere; tutti tranne quello con le carte bruciate che, in segno di rispetto per la sua fragilità, posai sul sedile del passeggero. Adesso avevo un unico desiderio: montare in macchina per condurre i miei tesori e me stesso in un luogo sicuro. Ero preoccupato, però, per via di Phoebe e di Wilf. Durante l'irruzione la mia fantasia li aveva trasformati in personaggi importanti. Ero grato che mi avessero accettato, ma mi serviva sapere che avevo fatto tutto il possibile perché conservassero di me una buona opinione, in particolare Phoebe con tutti i suoi dubbi. Non volevo che telefonassero alla polizia. Volevo che stessero tranquilli.

Così tornai in casa, chiusi dall'interno i due saliscendi, rimisi al suo posto il fermo della serratura e riattraversai il soggiorno, passando davanti allo sgabello di Emma per il piano. Uscito dalla porta principale la chiusi con due giri di chiave, proprio come l'avevo trovata. Poi, dalla strada, chiamai rivolto alla finestra del piano di sopra.

«Grazie Wilf. Missione compiuta. Tutto a posto.»

Nessuna risposta. Non ricordo, credo, di avere mai percorso in vita mia venti metri più lunghi di quelli che separavano la porta del 9a dalla Toyota blu, ed ero già a metà strada quando mi accorsi di essere pedinato. Pensai dapprima che potesse trattarsi di Larry o di Munslow, poiché la persona che mi seguiva era così silenziosa che non la sentivo con l'udito, ma grazie agli altri miei sensi sviluppatisi col mestiere: il formicolio sulla schiena; la vibrazione nell'aria prodotta da qualcuno che ti sta alle spalle; la sensazione che ci sia qualcuno ogni volta che ti fermi a guardare la vetrina di un negozio e non vedi nulla.

Mi chinai ad aprire lo sportello dell'auto. Mi guardai attorno ma ancora non vedevo nulla. Mi sollevai e, voltatomi con l'avambraccio in posizione d'attacco, mi trovai di fronte il ragazzino nero del bar Ocean Fish, quello troppo serafico per rivolgermi la parola.

«Come mai non sei a letto?» gli domandai.

Scosse il capo.

«Non sei stanco?»

Scosse di nuovo il capo. Né a letto né stanco.

Mi sistemai al posto di guida e, con lui che continuava a guardarmi, girai la chiavetta dell'accensione. Il motore partì al primo tentativo. Lui alzò i pollici e io, senza pensarci su, avevo già estratto il portafoglio di Colin Bairstow dai recessi zuppi di sudore della giacca, regalandogli un biglietto da dieci sterline. Poi mi allontanai giù per la strada dandomi dell'idiota, perché nella mia immaginazione già udivo l'ispettore Bryant domandare con voce suadente cosa mai pensasse di comprare quel simpatico signore bianco di mezza età sulla Toyota blu che ti ha passato un biglietto da dieci dal finestrino, figliolo.

C'è una collina delle Mendip, verso Bristol, dalla cui sommità si gode uno dei più vasti e dei più bei panorami d'Inghilterra. Scende ripida su piccoli campi e villaggi ancora intatti, proseguendo fra due grandi colline verso la città. Era uno dei luoghi dove di solito portavo Emma in certe sere assolate, quando ci piaceva saltare in macchina e andare da qualche parte per puro divertimento. In primavera e in estate c'era un certo andirivieni di giovani innamorati, lassù. E nei campi vicini, genitori che giocavano al calcio con i figlioletti. Ma alla fine d'ottobre, fra l'una e le sette del mattino, si poteva essere abbastanza sicuri che nessuno sarebbe venuto a disturbare.

Con le braccia sul volante della Toyota e il mento sulle braccia, contemplavo lo splendore della notte. Stelle e luna erano sospese sopra di me. Odori di rugiada e di falò riempivano la macchina.

Alla luce dell'abitacolo lessi i messaggi che si erano scambiati i due amanti, una serie di quadratini di carta gialla che appiccicai uno dopo l'altro sul cruscotto, nell'ordine in cui li avevo staccati dalla cornice della litografia.

Emma: AM aspetta una tua telefonata per le cinque e mezzo di oggi.
Chi è AM? mi aveva chiesto Bryant. AM, che compare continuamente nel diario lasciato da Pettifer nel suo alloggio?
Larry: Mi ami?
Emma: Ha telefonato CC. Non ha detto da dove. Ancora niente tappeti.
Larry: Dov'è quel maledetto Bovril, ragazza?
(Larry detestava il caffè ma non poteva farne a meno. Diceva che il Bovril era il suo metadone.)
Larry: Io NON sono ossessionato da te. È solo che non riesco a toglierti dalla mia stupida testa. Perché non vuoi fare l'amore?
Emma: Ha telefonato AM. Sono arrivati i tappeti. Tutti presenti come promesso. Perché non sono in vena. Aspetta fino a giovedì.
Larry: Non posso.

Le ore si trascinavano lente, come tutte le ore inutili che avevo sprecato aspettando che una qualche spia arrivasse o se ne andasse in macchina, all'angolo di una strada, alla stazione o in uno squallido caffè. Avevo due letti in due alberghi diversi e non potevo andarci a dormire. Possedevo una comodissima Sunbeam imbottita in pelle, con un nuovissimo impianto di riscaldamento, e dovevo congelare su una scassata Toyota. Buttandomi addosso come un mantello l'impermeabile di Larry, cercai ripetutamente, e invano, di addormentarmi. Alle sette stavo già passando sulla ghiaia, irritato per via della nebbia. Mi sono perso! Non ci arriverò mai, ai piedi della collina! Alle otto e mezzo, grazie a una visibilità perfetta, raggiunsi l'ingresso del parcheggio coperto di un nuovo centro commerciale, ma scoprii che la domenica aprivano soltanto alle nove. Proseguii fino a un cimitero, dove passai mezz'ora osservando distrattamente le lapidi, quindi tornai al centro commerciale per dare inizio alla tappa successiva della mia odissea di spia. Posteggiai nel parcheggio, comprai crema da barba e lamette per amore delle apparenze, presi un taxi per Clifton, ritirai la Sunbeam dall'Eden e tornai al centro commerciale. Posteggiai la Sunbeam il più vicino possibile alla Toyota, liberai un carrello riluttante da tutta una fila di suoi simili, ci scaricai dentro i quattro sacchetti della spazzatura, la macchina da scrivere, la segreteria telefonica e l'impermeabile verde, trasferendo poi ogni cosa sulla Sunbeam.

Tutto questo senza pudore e senza circospezione perché quando Dio aveva inventato i supermercati, come dicevamo nel Servizio, aveva fornito a noi spie qualcosa che prima avevamo soltanto sognato: un luogo dove un idiota qualsiasi poteva trasferire qualunque cosa da una macchina all'altra, senza che nessun altro idiota lo notasse.

Poi, non avendo la minima voglia di attirare l'attenzione sulla signorina Sally Anderson – né su Prometeo Libero S.r.l. o sull'egregio signor Terry Altman – portai la Toyota in una sudicia area industriale oltre la zona della città con divieto di sosta, la ricoprii col telone di plastica e le diedi un addio per nulla affettuoso.

Poi tornai al parcheggio del supermercato, e da lì

sulla Sunbeam all'albergo Eden, dove posteggiai, pagai il conto con una carta di credito di Cranmer e raggiunsi in taxi il motel Starcrest, dove saldai un secondo conto con una carta di credito di Bairstow.

Tornai poi all'Eden per riprendermi l'auto, e di lì andai a Honeybrook per dormire, o forse per sognare.

Oppure no, come diceva Larry.

Sul ciglio della strada, di fronte al mio cancello, due ciclisti erano occupati a non fare niente. Nell'atrio, un biglietto scritto a fatica dalla signora Benbow mi comunicava con rammarico che "un po' per il mal di cuore di mio marito e un po' per le domande che continua a farmi la polizia" d'ora in avanti non sarebbe rimasta al mio servizio. Il resto della posta non era certo più allegro: due avvisi, da parte dei vigili di Bristol, di multe per sosta vietata in cui non ero incorso; una lettera dell'Ufficio delle Imposte per informarmi che, in seguito a informazioni ricevute, era loro intenzione avviare un'indagine particolareggiata sui miei beni, il mio reddito e le somme da me spese e incassate negli ultimi due anni. E una fattura prematura del signor Rose, il mio autotrasportatore, che notoriamente non aveva mai mandato una fattura a nessuno, se non dopo ripetute minacce degli esattori del fisco. Soltanto il mio amico che lavorava alle Imposte sembrava essere sfuggito a questa mobilitazione.

> Caro Tim,
> mi propongo di farti una delle mie visite a sorpresa mercoledì prossimo verso mezzogiorno. Posso sperare in un invito a pranzo?
> Cordialmente,
>
> *David*

David Beringer, già del Servizio. Mai stato così contento come da quando aveva cambiato lavoro.

Restava un'ultima busta. Marrone. Di qualità scadente. Battuta con una vecchia portatile. Timbro postale di Helsinki. La linguetta ermeticamente sigillata. Oppure, sospettai, risigillata. Dentro, un foglio di carta a righe. Scritto a mano con l'inchiostro. Mano maschile. Qualche macchia. Datata Mosca, sei giorni prima.

Timothy, amico mio,

hanno ingiustamente scatenato un inferno contro di me. Sono prigioniero in casa, caduto in disgrazia senza nessuna ragione. Se hai occasione di venire a Mosca o se sei in contatto con i tuoi ex datori di lavoro ti prego di aiutarmi, facendo ragionare i miei oppressori. Puoi metterti in contatto con Sergej che si è impegnato a impostare questa lettera per me. Telefonagli, ma in inglese, al numero che sai, e fagli soltanto il nome del tuo vecchio amico e sparring partner:

Peter

Continuavo a fissare la lettera. Peter per Volodja Zorin. Peter per parlare al telefono e combinare un incontro in Shepherd Market. Peter per profferte sospette di amicizia. Peter, vittima di un inferno ingiusto, agli arresti domiciliari, in attesa di essere fucilato all'alba, benvenuto nel club.

Era domenica e di domenica, anche senza dover cucinare per Larry, avevo una quantità di impegni formali da assolvere. Alle undici ero sull'inginocchiatoio ricamato dello zio Bob e muovevo le labbra fingendo di cantare le note centrali dell'Eucaristia, che detesto con tutto il cuore. Fece la questua il signor Guppy: mentre mi passava il sacchetto delle offerte, il poveretto non ebbe il coraggio di alzare lo sguardo. Dopo la funzione, le signorine Bethel della Dower House di solito ci offrivano del pessimo sherry, mettendoci in allarme con le ultime voci sulla tangenziale. Oggi però non erano interessate alla tangenziale, e di conseguenza non si parlò di nulla; ma mi lanciavano occhiate di traverso ogni qualvolta pensavano che non le stessi guardando. Quando poi, approfittando dell'oscurità, raggiunsi furtivo il mio stanzino del prete, dopo avere caricato il bottino sulla carriola di Ted Lanxon, più che il padrone di casa cominciavo a sentirmi un ladro che ci si stesse intrufolando.

Ero davanti al rudere di tenda per l'oscuramento che avevo inchiodato all'apertura dell'alcova. Anche quella sera, la privacy di Emma mi era cara quanto da sempre lo era a lei. Spiarla significava peccare contro tutte le convinzioni che non avevo mai avuto prima di conoscerla. Quando riceveva una telefonata e succedeva che fossi io a rispondere, gliela passavo senza fare commenti né domande. Quando una lettera giaceva intatta sul tavolo dell'ingresso finché lei non si decideva a notarla, non badavo né al timbro postale né al genere della scrittura o alla qualità della carta. Solo se la tentazione diventava insopportabile, quando riconoscevo la scrittura di Larry o di un'altra mano maschile che stava diventando per me troppo familiare, correvo tutto allegro di sopra agitando la busta e gridando: «Lettera per Emma! Lettera per Emma! Emma, una lettera per te!» e, finalmente sollevato, la infilavo sotto la porta del suo studio dicendole addio.

Fino ad adesso.

Finché, con gesto tutt'altro che trionfale, non diedi uno strattone alla tenda e non posai lo sguardo sulle otto casse da vino che avevo riempito a occhi chiusi col contenuto della sua scrivania, la domenica in cui mi aveva lasciato; e sull'anonima cartelletta di pelle scamosciata che Merriman aveva allegramente battezzato il mio sacchetto con gli avanzi, posata di traverso sopra le casse.

La aprii in fretta, la stessa con cui da sempre immaginavo che avrei potuto inghiottire un veleno. Cinque fogli protocollo privi di intestazione, compilati dalle sue Sheene. Senza neanche concedermi il tempo per sedermi li lessi di un fiato, poi li rilessi più lentamente, aspettando quell'illuminazione che mi avrebbe fatto portare le mani alla gola, gridando: "Cranmer, Cranmer, come hai potuto essere così cieco?".

Niente.

Invece di qualche squallida soluzione da manuale del mistero di Emma, vi trovai soltanto la conturbante conferma di cose che già sapevo o immaginavo: amanti di passaggio, cotte e fughe ripetute, una ricerca di verità assolute in un mondo di approssimazioni e falsità. Riconobbi la sua disponibilità a rifiutare qualsiasi principio nel perseguimento di un principio; e la facilità con cui si infischiava delle proprie responsabilità quando entravano in conflitto con quello che considerava lo scopo della sua vita. La sua famiglia d'origine, pur non essendo abominevole come aveva voluto farmi credere, era decisamente sciagurata. Educata dalla madre a credersi figlia illegittima di un grande musicista, era andata a visitare la sua città natia in Sardegna, scoprendo così che il padre in realtà aveva fatto il muratore. Era dalla madre che aveva ereditato il talento musicale. Emma l'aveva odiata e, adesso che leggevo il fascicolo, la odiavo anch'io.

Mettendo delicatamente da parte la cartelletta, trovai il tempo di domandarmi cosa avesse sperato di ottenere Merriman costringendomi a prenderla. Era servita soltanto ad attizzare il tormento per lei e la determinazione di salvarla dalle conseguenze della non meglio specificata follia in cui Larry l'aveva trascinata.

Presi la cassa più vicina, la capovolsi e poi passai a quella successiva, fino a svuotarle tutte otto. I quattro sacchi della spazzatura di Cambridge street, legati da lacci di plastica, mi guardavano come inquisitori mascherati. Sciolti i nodi, ne versai il contenuto sul pavimento. Restava soltanto il sacchetto con le carte carbonizzate. Lo rovesciai con cautela, e con la punta delle dita divisi i frammenti non bruciati in pile separate. Poi, a quattro zampe davanti ai detriti dell'improvvisa sparizione di Emma, mi dedicai al compito di penetrare nel mondo segreto della mia donna e del suo amante.

10

Stavo leggendo come non mai. Ciò che sfuggiva agli occhi, lo trovavano le mani e lo interpretava la testa. Appiattivo i fogli di carta e rimettevo insieme quelli strappati con troppa fretta, impilandoli e al tempo stesso archiviandoli nella memoria. Un lavoro che in condizioni normali mi avrebbe preso settimane intere, ma che adesso stavo facendo in poche ore: a meno di sbagliarmi, infatti, erano soltanto ore quelle che avevo a disposizione. In questa mia frenesia si manifestavano insieme una logica cieca e l'inizio di un irrazionale senso di sollievo. Qui c'è la spiegazione! Qui c'è finalmente il come, il perché, il quando e il dove, se solo sarò capace di decifrarli! Qui fra queste carte, e non in qualche angolo paranoico della fantasia iperattiva di Cranmer, ecco sepolte le risposte alle domande che per settimane di fila mi hanno ossessionato giorno e notte: sono stato incastrato, raggirato, fatto oggetto di una diabolica cospirazione? Oppure sono semplicemente vittima dell'amore, di chimere da menopausa?

Quanto fossi in ritardo rispetto a Larry e a Emma, e quanto in anticipo, non ero in grado di valutarlo. Sapevo, intuivo. Poi di nuovo non sapevo nulla. Forse avevo intuito le loro mosse, e allora a confondermi erano i loro obiettivi. Oppure capivo gli obiettivi, e allora mi rifiutavo di accettarne le motivazioni: troppo pazzesche, troppo estreme, troppo estranee, troppo oscure ed esagerate per sembrare credibili. Oppure mi vedevo all'improvviso seduto sulla sedia a ridere beato verso il soffitto, e senza che ve ne fosse motivo: non ero io il bersaglio, non ero io l'obiettivo dei loro inganni; andavano a caccia di prede ben più grosse; Cranmer era soltanto uno spettatore non del tutto innocente.

Fogli di cifre, lettere di affari, lettere di banca e copie delle relative risposte. Materiale propagandistico di una Associazione per la sopravvivenza dei popoli tribali; opuscoli provenienti da Monaco; un dépliant dal titolo *Dio come dettaglio*, scritto da un certo P. Wook di Islington. L'agenda Esso, un calendario pieno di annotazioni, l'indirizzario russo, gli scarabocchi insensati di Larry. Le bollette del telefono, della luce, dell'acqua, dell'affitto, fatture di negozi di alimentari e del whisky di Larry. Bollette e fatture ordinatamente conservate, pagate e con tanto di ricevuta. Tipiche di Emma, non di Larry, e indirizzate secondo i casi a S. Anderson, a T. Altman e a Prometeo Libero S.r.l., Cambridge street. Un quaderno da bambini: ma la bambina, in questo caso, era Emma. Saltò fuori da un mucchio di fascicoli mentre stavo cominciando a passarli in rassegna. Lo avevo appena aperto che lo richiusi in un atto spontaneo di autocensura, per poi riaprirlo con maggiore cautela. Tra conti delle spese domestiche e annotazioni musicali mi imbattei in messaggi occasionali al suo ex amante, Cranmer:

"Tim, cerco di capire cosa ci sia successo per poterlo spiegare, ma poi mi chiedo: perché dovrei spiegarti qualcosa? E un attimo dopo penso che te lo dirò comunque, ho deciso che lo farò..."

Ma questo bel proposito non aveva avuto seguito, il messaggio terminava qui. Batterie bagnate nel trasmettitore? La polizia segreta che bussava alla porta? Voltai un paio di pagine.

Emma a Emma: "Tutto, nella vita, mi ha preparata a questo... Ogni amante sbagliato, ogni passo falso, il mio lato cattivo, il mio lato buono, tutti i miei lati marciano nella stessa direzione quando marcio con Larry... Se Larry dice che non crede nelle parole, non ci credo nemmeno io. Larry è azione. E azione è carattere. Nella musica, nell'amore, nella vita...".

Ma Emma a Emma sembrava una semplice parodia di Larry.

Emma a Tim: "Hai lasciato in me un enorme vuoto nel quale ho conservato il mio amore per te, finché non mi sono accorta che tu non c'eri. Quanto avevo intuito sul tuo conto, quanto mi hai raccontato tu o quanto mi ha raccontato Larry non ha importanza, a parte il fatto che Larry non ti ha mai tradito nel modo che credi, e non di certo nel modo che tu...".

Oh, certo, pensai con ferocia: se ne sarebbe ben guardato, vero? Voglio dire, rubare la ragazza al suo migliore amico non è tradire, come non lo è rubare trentasette milioni di sterline facendo di te un complice. Qui si tratta di altruismo. Nobiltà. Sacrificio!

Dopo altre sei pagine di un egocentrismo ispirato di cui Larry era l'ispiratore, aveva trovato di nuovo il coraggio di rivolgersi a me, stavolta in tono condiscendente:

"Vedi Tim, Larry è la vita che continua. Non mi deluderà mai. È la vita che riacquista realtà, e stare con lui significa viaggiare e partecipare, perché dove Tim evita Larry s'impegna. E dove Tim...".

Anche questo messaggio si interrompe. Tim cosa? Cosa c'è ancora in me da distruggere, che Emma non abbia già distrutto? E se Larry era la vita che continua, cos'era Tim nel Vangelo secondo Larry, trasmesso a noi dalla discepola Emma? La vita che cessa, immagino. Detta anche morte. E forse la morte, quando lei si è ritrovata a conviverci, è diventata vagamente contagiosa: così quella domenica mattina ha trovato il coraggio di fuggire mentre ero in chiesa.

Io però non sono colpevole, pensai. Non sono colui che inganna ma colui che viene ingannato.

«Fa' di me una sola persona, Tim» mi implora durante la nostra prima notte a Honeybrook. «Sono stata troppe persone e per troppo tempo, Tim. Sii il mio convento, il mio Esercito della salvezza. Non deludermi.»

E Larry, lui non ti deluderà, sempliciotta? Larry ti scaricherà nella buca più profonda che tu abbia mai visto! Così fa lui. Non raccontare a me queste fandonie sull'amore che provi per lui! Larry, la vita? I tuoi sacri sentimenti? Quante volte puoi essere fedele ai tuoi sentimenti, così che te ne rimangano ancora cui essere fedele? Quante volte puoi affidarti al dolce cielo azzurro dell'eternità per poi tornare a casa furtiva alle ore piccole, il vestito strappato e due denti in meno?

Nonostante tutto, il salvatore che albergava in me era spaventatissimo, sebbene le catene del rimorso e dell'ignoranza stessero cadendo una dopo l'altra. Ogni pagina e ogni parola che leggevo iniettavano in me una rinnovata alacrità, stimolando il desiderio di liberarla da questa sua estrema e suprema follia.

Emma artista. Emma maestra di scarabocchi freudiani. Emma eco dell'eterno protestare di Larry contro un mondo che non può né condividere né distruggere. "Per noi" ha scritto. Un faro, ecco la definizione più pietosa che si possa darne. Si leva fiero al centro della pagina. Ha quattro muri sottili e affusolati, con finestre non diverse dalle mie feritoie. Ha una punta conica, come quella di un elmo e di altre punte coniche. Al pianterreno ha disegnato una mucca piena di sentimento, al primo piano Larry e Emma che mangiano davanti a una scodella, al secondo che si abbracciano. E all'ultimo, nudi come in paradiso, montano la guardia da due finestre opposte.

Ma per quando? Per cosa? Adesso era Cranmer, il suo salvatore, che le correva dietro inciampando, urlandole "Smettila! Aspetta! Torna!".

Una dissertazione indignata di Larry, a beneficio esclusivo di Emma, sulle origini della parola inguscio, che a quanto pare è russa, ed è stata imposta dagli invasori. Nella lingua degli ingusci, infatti, questo termine significa semplicemente gente, come ceceno significa gente in ceceno (cfr. l'uso da parte dei colonialisti boeri della parola bantu per definire i neri africani). In inguscio gli abitanti dell'Inguscezia vengono ovviamente chiamati *galgai*. L'insensibilità dei russi è per Larry causa di indignazione, e naturalmente spera che Emma condivida la sua collera...

Stavo leggendo le carte bruciacchiate.

Qualche volta dovevo metterle in controluce. Oppure ero costretto a usare una lente d'ingrandimento, o a completare con l'immaginazione una frase indecifrabile. La carta, come ogni spia ben sa, non brucia bene. I caratteri a stampa sopravvivono, magari come segni bianchi su fondo nero. Ma Emma non era una spia, e le precauzioni che si era immaginata di dovere prendere non erano certo quelle raccomandate da persone come Marjorie Pew. Stavo leggendo lettere e numeri. Nonostante le fiamme, la grafia era chiara.

25 x MKZ22...	200 circa
500 x ML7...	900
1 x MQ18...	50

Accanto a ogni cifra, un segno o una croce. E in fondo alla pagina le parole: "Ordine confermato da AM, 14 sett. ore 10 e 30, telefonata sua".

Riudii le parole di Jamie Pringle: «Certo, la matematica non è mai stata la specialità di Larry... mille volte più in gamba di lui, quando si trattava di numeri». Me la immaginavo seduta alla scrivania nella casa di Cambridge street, i capelli neri severamente raccolti dietro le orecchie e nel colletto della camicia, a elaborare quei calcoli aritmetici cui il suo cervello di musicista era così portato, aspettando Larry che dalla stazione Temple Meads di Bristol avrebbe imboccato di corsa la strada che risaliva la collina, dopo un'ennesima e spossante giornata alla Lubjanka. Tesoro.

Totale generale quattro e mezzo circa, lessi in fondo alla pagina successiva. Erano in corsivo anche i numeri.

Quattro e mezzo cosa, maledizione? mi chiesi, ormai in collera anche con lei. Migliaia? Milioni? Parte dei trentasette e più? Allora perché Larry ha dovuto vendere i tuoi gioielli? Perché ha dovuto fare fuori la liquidazione del Servizio?

Udii ancora Diana, e la rabbia mi salì: una nota perfetta.

L'immagine si stava formando. Forse si era già formata. Forse il cosa era questo, e restava soltanto da scoprire il perché. Ma Cranmer in questo momento agiva da impiegato. Le deduzioni, se pure fosse riuscito a farne, sarebbero venute dopo le ricerche, non prima e neppure durante.

Stavo ascoltando.

Avevo una gran voglia di ridere, di salutare con la mano, di ribattere: "Emma! Sono io. Ti amo. Davvero, ti amo ancora! È incredibile, folle, eppure ti adoro, e non importa se sono la vita, la morte o soltanto il noioso vecchio Tim Cranmer!".

Fuori dalle mie feritoie il mondo stava andando a catafascio. La torre della cappella gemeva, sbattevano le imposte e le tubature di piombo urtavano contro i muri di pietra a ogni colpo di tuono. Le grondaie straripavano, e i doccioni non riuscivano a vomitare abbastanza in fretta il flusso dell'acqua. Quando smise di piovere tornò la tregua inquieta della notte agreste. Ma io pensavo soltanto: "Emma, sei tu", e non sentivo niente se non Emma che parlava alla segreteria telefonica di Cambridge street, la voce talmente bella che avrei voluto premermi l'apparecchio contro il viso: una voce melodiosa ma anche calda e paziente, forse un po' languida perché aveva appena fatto l'amore, una voce rivolta a persone che magari non parlavano bene l'inglese o non avevano familiarità con misteri occidentali come le segreterie telefoniche.

«Qui è Prometeo Libero di Bristol, parla Sally» stava dicendo. «Salve, e grazie per la vostra chiamata. Purtroppo in questo momento non possiamo rispondere, siamo dovuti uscire. Se volete lasciare un messaggio, aspettate di udire un breve segnale e cominciate a parlare immediatamente dopo. Siete pronti...?»

Dopo di lei lo stesso messaggio, letto da Larry in russo. Larry che quando parlava russo cambiava pelle, perché questa lingua era per lui un rifugio dalla tirannide. Vi si era rinchiuso per sottrarsi al padre che lo sgridava, alla scuola che lo incitava al conformismo e ai prefetti che lo picchiavano per rafforzare questo messaggio.

Dopo aver parlato in russo continuò in una lingua che del tutto arbitrariamente ritenevo caucasica, dato che non ne capivo una sillaba. Ma non poteva sfuggirmi il tono drammatico, la vena cospiratoria che Larry riusciva a immettere in un messaggio così breve e formale. Lo ascoltai di nuovo in russo. Poi di nuovo in questa lingua sconosciuta. Così appassionato, così eroico, così intenso. Che cosa mi ricordava? Il libro accanto al suo letto in Cambridge street? Il suo eroe, Aubrey Herbert, che aveva combattuto per salvare l'Albania?

C'ero arrivato: il Canning!

Siamo tornati a Oxford, è sera e sta nevicando. Nell'alloggio di uno del Trinity, saremo una dozzina, stiamo bevendo vin brulé; ora tocca a Larry, deve leggerci un saggio su un qualsiasi grande argomento che gli abbia stuzzicato la fantasia. Il Canning, uno dei tanti gruppi di discussione di Oxford, si distingue perché è uno dei più antichi e perché ha dell'argenteria decente.

Larry ha scelto Byron con l'intento di scandalizzarci. Ci riesce puntualmente sostenendo che i grandi amori di Byron erano maschili, e soffermandosi poi sulla devozione del poeta per un ragazzo del coro a Cambridge, e per il suo paggio Loukas in Grecia.

Ma a rimbombarmi nell'orecchio della memoria rievocando quella sera non è la prevedibile eccitazione di Larry per le imprese sessuali di Byron, quanto il suo entusiasmo per Byron salvatore dei greci, Byron che manda denaro per armare le navi greche in vista della battaglia, arruola soldati e li paga per guidare di persona l'attacco a Lepanto contro i turchi.

Vedo Larry che, seduto davanti al caminetto a gas, si stringe al petto una coppa di vin brulé immaginandosi di essere Byron: il ciuffo, le guance arrossate, gli occhi fervidi accesi dal vino e dalla retorica. Anche Byron aveva venduto i gioielli della sua amata per finanziare quella causa senza speranza? Aveva anche lui convertito in denaro contante la sua liquidazione?

Ricordo ancora Larry in una delle sue concioni a Honeybrook, quando ci dice che Byron era un patito del Caucaso perché aveva scritto una grammatica armena.

Passai ai messaggi in arrivo. Divenni una sorta di drogato per interposta persona; condividevo fantasie e aspiravo fumi, crogiolandomi in quel riverbero pericoloso.

«Sally?» Una voce straniera gutturale, maschile, roca e incalzante, che si esprime in inglese. «Qui Issa. Il Nostro Capo Supremo si recherà domani a Nazran. Parlerà in segreto al Consiglio. Dillo a Misha, per piacere.»

Clic.

Misha, pensai. Uno dei nomi in codice usati da Ceceev per Larry. Nazran, capitale provvisoria dell'Inguscezia nel Caucaso settentrionale.

Un'altra voce maschile ma decisamente diversa, stanca da morire, fradicia; e il suo un russo non gutturale, fatto di mormorii. «Misha, ci sono novità. I tappeti sono arrivati sulla montagna. I ragazzi sono felici. Saluti dal Nostro Capo Supremo.»

Clic.

Un uomo che parlava uno spigliato inglese con accento orientale: la stessa voce, simile a quella del signor Dass, che avevo sentito nella chiamata che avevo fatto da Cambridge street premendo il tasto per la ripetizione dell'ultimo numero selezionato.

«Ciao, Sally, qui è Hardwear, ti parlo dalla macchina» annunciò tutto fiero, come se il telefono o l'auto fossero stati appena acquistati. «Messaggio appena arrivato dai nostri fornitori, dice di tenersi pronti per la settimana prossima. Credo sia venuto il momento di parlare ancora un po' di soldi. [Risatina] Saluti.»

E dopo di lui la voce di Ceceev, quella stessa che avevo sentito innumerevoli volte nelle intercettazioni telefoniche e microfoniche. Parla in inglese, e continuando ad ascoltarlo sento nella sua voce la cortesia innaturale dell'uomo in pericolo.

«Sally, buon giorno, parla CC, ho bisogno di fare arrivare un messaggio a Misha il più presto possibile. Non deve andare nel nord. Se si è già messo in viaggio è pregato di tornare indietro. Ordine del Nostro Capo Supremo. Mi raccomando, Sally.»

Clic.

Di nuovo Ceceev. La calma è semmai più marcata, il ritmo più lento:

«CC per Misha. Misha, fa' attenzione per favore. La foresta ci sta sorvegliando. Mi ascolti, Misha? Ci hanno traditi. La foresta è in cammino verso il nord, e a Mosca sanno tutto. Non andare nel nord, Misha. Non fare imprudenze. La cosa più importante è mettersi al sicuro per poter ancora combattere in un giorno futuro. Vieni da noi, ci prenderemo cura di te. Sally, per favore, riferisci a Misha questo messaggio con urgenza. Digli di occuparsi di quei preparativi di cui abbiamo già parlato.»

Clic. Fine del messaggio. Fine di tutti i messaggi. La foresta sta andando al nord, il bosco di Birnam viene a Dunsinane, e Larry ha avuto il messaggio oppure no. E Emma, mi domando? Cosa avrà avuto lei?

Stavo contando soldi: banconote, lettere, matrici di assegni. Stavo leggendo lettere di banca bruciacchiate.

"Cara signorina Stoner" – l'angolo del foglio in alto a destra è carbonizzato, e l'indirizzo del mittente incompleto, a parte le lettere SBANK e le parole "... des Pays, Genève". L'indirizzo della signorina Stoner è Cambridge street 9a, Bristol. "Notiamo dal... accluso estratto conto... che... abbiamo cospic... terline... nel... suo... onto corrente... Dovrebbe... non immedia... rivolgersi... voglia per favore... riferimento a..."

La parte sinistra e la metà inferiore della lettera sono andate distrutte. La risposta della signorina Stoner non è nota. Ma a questo punto la signorina Stoner non è più una sconosciuta per me. E neanche per Emma.

"Cara signorina Roylott."

Logico: la signorina Roylott è la compagna naturale della signorina Stoner. È la sera di Natale e siamo davanti al grande caminetto del salotto, a Honeybrook. Emma siede sulla poltrona Regina Anna con la collana a intagli e un abito lungo, mentre io leggo ad alta voce *The Speckled Band* di Conan Doyle, dove Sherlock Holmes salva la bella signorina Stoner dalle trame omicide del dottor Grimesby Roylott. Ebbro di felicità fingo di seguire ancora il testo, ma in realtà me ne stacco con mossa ingegnosa:

«E se mi è permesso, signora» declamo con la voce più holmesiana che riesco a fare «confessare un umile interesse per la sua immacolata persona, mi si conceda anche di proporle di trasferirci di sopra fra pochi istanti per mettere alla prova quei desideri e quegli appetiti che, per l'impetuosità del mio sesso, riesco a stento a frenare...»

Ma adesso le dita di Emma premono sulle mie labbra, così potrà baciarmi con le sue...

"Cara signorina Watson."

Il mittente, da Edimburgo, si firma "Responsabile del Portafoglio Estero". Ma Watson avrebbe dovuto sfidare le bestie feroci dello zoo privato del dottor Grimesby Roylott con una rivoltella Eley's numero due in tasca; e non spacciarsi per una donna di nome Sally, indirizzo in Cambridge street, Bristol.

"Abbiamo il piacere di... concludere... combinazione a breve termine... alto rendi... con... condi... prelevam... riservatezza."

Ci credo che avete il piacere, pensai. E chi non lo avrebbe, con trentasette milioni da manovrare?

"Cara signorina Holmes."

Un'altra dose dello stesso unguento, spremuto dal flacone unto del banchiere.

Stavo collezionando tappeti.

Kilim, Hamadan, Beluci, Kolyai e Azerbaigiani, Gebbeh, Bakktiari, Basmaki e Dosemealti. Appunti sui tappeti, promemoria sui tappeti, messaggi telefonici, lettere dattiloscritte su fogli grigi pieni di macchie e impostate dal nostro amico Tal dei tali che sta andando a Stoccolma: sono arrivati i Kilim? Stanno arrivando? La settimana scorsa avevi detto la settimana prossima. Il Nostro Capo Supremo è preoccupato, si parla a lungo e con angoscia dei tappeti. Anche Issa è preoccupato, perché Magomed non ha tappeti su cui sedere.

Telefonato CC. Spera di essere qui il mese prossimo. Non ha detto da dove. Ancora niente tappeti...

Telefonato CC. NCS felice. Tappeti disimballati in questo momento. Trovato eccellente magazzino ad alta quota, tutto intatto. Quando può aspettarne altri?

Tappeti da AM. Al Nostro Capo Supremo, NCS nel gergo di Winchester.

"Caro Prometeo." Lettera molto bruciata su un semplice foglio bianco, battuta con macchina elettronica. "Siamo... gra... di dispor... al più pre... consegna di 300 Qashqai come concordato e... saremo felici di prendere acc... per la fase successiva una volta ricevuta la vo..." La firma, un geroglifico frastagliato simile a tre piramidi affiancate; indirizzo del mittente: The Hardwear Company, casella postale numero illeggibile ...sfield.

Petersfield?

Mansfield?

Qualche altro "field" dell'Inghilterra?

Macclesfield, sento dire da Jamie Pringle, la voce impastata dal porto. Ci andavo a scopare una ragazza.

E sotto la firma un promemoria interno, Larry a Emma nella sua scrittura impaziente e illeggibile:

"Emm! Importantissimo! Riusciamo a racimolare questa somma mentre aspettiamo che CC sganci? L."

Partono i gioielli di lei, pensai. Parte la liquidazione di lui. E finalmente una data preziosa, scarabocchiata dalla mano irrequieta di Larry: 18/7... diciotto luglio, pochi giorni prima che Larry ritirasse la sua mercede di Giuda.

E sì, ci sono riusciti a racimolare... testimone una mezza pagina non carbonizzata, perfettamente conservata; acquisti di tappeti, trascritti nel nitido corsivo di Emma.

Kilim 60.000
Dosemealti 10.000
Hamadan.......................... 1.500
Kolyai ....10 x 1.000

E in fondo alla pagina, sempre di suo pugno:

Pagamento totale a Macclesfield
fino a oggi...............£ 14.976.000

Lubjanka
Fra una parata e l'altra

Emm, ascolta bene!

Stanotte ho posato la testa sul tuo ventre e ho udito chiaramente il mare. Avevo bevuto? E tu? La risposta è no, stavo semplicemente sognando nel mio giaciglio solitario. Non puoi immaginare l'effetto calmante di un ombelico amico nell'orecchio, unito al suono lontano dell'acqua. Tu sai... sei abbastanza perspicace da immaginare cosa significhi essere teso con ogni fibra del proprio essere verso l'amore di Emm, puro, genuino, frustrato? Probabilmente no. Troppo difficile. Ma lavoraci su e io tornerò stasera e cioè, adesso che ci penso, dodici ore prima che arrivi questa lettera; questo è solo un ennesimo sintomo del mio folle, divino, ridicolo amore per te.

Ti prego, fa' uno sforzo
particolare per amarmi e venerarmi
tuo
Larry
e non accettare sostituti

P.S. Seminario fra mezz'ora. Marcia piangerà se la insulto e piangerà se non lo faccio. Talbot (chi diavolo li dà i nomi, a questi poveri bambini?) salirà sul suo trono infantile e io vomiterò.

P.P.S. Post averli annoiati tristis. C'è mancato poco che strangolassi Talbot. A volte penso di essere in guerra con l'intera mentalità borghese di questi figli della Thatcher.

P.P.P.P.P.P.S. Marcia mi ha portato una tttorta!

La lettera, essendo di Larry, non è datata.

Emm! A proposito di Timbo.

Timbo è la scatola dove sono entrato. Timbo è un'assicurazione perfetta. Il solo uomo di mia conoscenza che possa andare contemporaneamente avanti e indietro e fare sembrare la cosa un avanzamento o un arretramento: come preferisci.

Timbo è anche indistruttibile poiché chi non crede in nulla ha spazio per tutto, e quindi ha su di noi un vantaggio enorme. La sua apparente tolleranza è in realtà una vile rassegnazione ai peggiori crimini del mondo. È un immobilista, un apatico, un militante della passività. E naturalmente una carissima persona. Purtroppo sono le carissime persone che rovinano il mondo. Timbo è uno spettatore. Noi invece siamo gente che agisce. Oh, se agiamo!

L.

P.S. Sono profondamente dentro di te e intendo restarci finché non ci rivediamo... quando sarò profondamente dentro di te.

Emm,

Nietzsche ha fatto commenti durissimi sull'umorismo come fuga dai pensieri seri, quindi io mi inchino profondamente a N. e ti invio pensieri seri. Ti amo. Il cuore, le risate, lo spalla a spalla, il coraggio, i silenzi, ogni fossetta, insenatura, ciuffo, neo, lentiggine, capezzolo e impareggiabile superficie. Ti amo al punto che mi esce dagli occhi. Fra gli alberi e il cielo e l'erba, e a Vladikavkaz sul fiume Terek, dove il Caucaso ci accoglie nel suo rifugio proteggendoci da Mosca e dalle fauci cristiane. O meglio, ci proteggerebbe se quei maledetti osseti non ci si fossero seduti sopra.

Un giorno proverai anche tu queste sensazioni, e capirai. Mentre scrivo, tengo sulle ginocchia Negley Farson. Ascolta le sue confortanti parole. "Per quanto strano possa sembrare, essendo queste fra le montagne più selvagge della Terra, la sola cosa che provi nei luoghi solitari del Caucaso è una profonda tenerezza, un senso di fratellanza; e uno straziante desiderio, per quanto tu sappia che è vano, di proteggerne la straordinaria bellezza. Un'ossessione. Una volta che hai sentito il fascino del Caucaso non lo dimentichi più." Parole confermate e riconfermate dal mio viaggio del Natale scorso. Dio, quanto ti amo. Fra un'ora si riunisce la Sottocommissione per le arti. Tipico della Lubjanka, che anche la Commissione per le arti debba essere sotto. Sei tu il mio Caucaso. *Ich bin ein Ingush.*

Tuo in Allah,

L.

Emm,

domanda di Talbot figlio della Thatcher, che ha deciso di farsi crescere la barba: scusi, Larry, perché mai l'Occidente si era innamorato di Shevardnadze?

Risposta: caro Talbot, perché Shevard ha un viso triste, famelico e un'aria da bravo papà, pur essendo in realtà un dinosauro del Kgb con un passato di traffici con la Cia e un ignobile curriculum di azioni repressive contro vari dissidenti.

Domanda di Marcia figlia della Thatcher: perché l'Occidente si è rifiutato di riconoscere Gamsakhurdia che era salito al potere con libere elezioni? E perché poi, non appena hanno insediato Shevardnadze, il fantoccio di Mosca, non solo l'Occidente ha riconosciuto questo piccolo verme, ma ha chiuso un occhio sul genocidio degli abhasi, dei mingreliani e di altri popoli, invariabilmente ordito da costui?

Risposta: cara Marcia figlia della Thatcher, grazie per la tttorta e, prego, vieni a llletto con me; sono i soliti bravi ragazzi che si riuniscono su entrambe le sponde dell'Atlantico a decidere che i diritti delle minoranze possono minacciare la salute del mondo...

Ti amo fino alla disperazione e ritorno. Quando mi senti salire su per la collina, ti prego di sdraiarti nuda e pensosa, appoggiata su un gomito, e di sognare le colline.

L.

Le dita mi erano diventate nere.
Dei serpenti mi solleticavano le caviglie.
In piedi, le braccia larghe come un crocifisso, estrassi il nastro della macchina da scrivere dal caricatore; lo facevo scorrere sotto la luce, lasciando che si ammucchiasse ai miei piedi. In un primo momento non riuscii a capire nulla. Poi mi resi conto di avere ancora una volta fatto irruzione nella grafomania di Larry, stavolta nella veste a me più familiare del terrorista accademico:

> Il suo articolo dal titolo "Imporre la ragione al Caucaso" è abominevole. Assolutamente nefasto risulta il tentativo di giustificare la persecuzione ininterrotta di popolazioni fiere e ostinatamente indipendenti. Per trecento anni la Russia imperiale e quella sovietica hanno saccheggiato, assassinato e disperso i montanari del Caucaso settentrionale nel tentativo di distruggerne la cultura, la religione e il modo di vivere. E dove le confische, la riduzione in schiavitù, le conversioni forzate e la creazione di confini artificiali non hanno raggiunto lo scopo, gli oppressori russi sono ricorsi alla deportazione in massa, alla tortura e al genocidio. Se negli ultimi giorni del potere sovietico l'Occidente avesse cercato in qualche modo di capire il Caucaso, anziché ascoltare a bocca aperta persone con interessi costituiti (dei quali chi ha scritto l'articolo in questione è un esempio flagrante) si sarebbero evitati gli spaventosi conflitti che hanno recentemente sfigurato la regione. E forse anche quelli che ci travolgeranno fra poco.
>
> *L. Pettifer*

Incompiuto, invece, uno scritto contro un altro dei nemici di Larry:

> ... ed è per questo che gli osseti sono oggi sgherri fidati di Mosca, come già sotto i comunisti e prima ancora sotto gli zar. Certo, nel sud sono stati sconfitti da quegli altri

epuratori etnici che sono i georgiani. Ma nel nord risultano vincitori assoluti della guerra di logoramento con gli ingusci, durante la quale sono stati spudoratamente assistiti da unità regolari dell'esercito russo equipaggiate di tutto punto...

Battuto a macchina da Emma, tre giorni prima che quasi ammazzassi l'autore. Cosa di cui, senza dubbio, questo suo nemico senza nome mi sarebbe stato debitamente grato.

Mia cara.

Larry, con la sua scrittura regolare: la stessa che usava per scrivermi lettere sulla Situazione dell'Universo. Già lo odiavo quel tono ridondante ed egocentrico da fratello maggiore.

C'è qualcosa che devo dirti, mentre ci inoltriamo sempre di più in questa faccenda, e quindi considera questa la mia Ur-lettera della svolta, quella che ti offre un'ultima occasione di tornare indietro.

Si dà il caso che siano gli ingusci, e non ho bisogno di dirti che io sto dalla parte di quei popoli che non hanno voce nel mondo. Né possibilità di operare nel mercato dei media. Il diritto degli ingusci di sopravvivere è diritto mio, e tuo e di ogni spirito libero che non intenda conformarsi alle forze abiette dell'uniformazione, sia essa imposta dai comunisti, dai porci del mercato o dall'emetico Partito della correttezza politica.

Si dà il caso che siano gli ingusci perché mi sono innamorato del loro amore per la libertà, perché non hanno mai avuto né un sistema feudale né un'aristocrazia, e neppure servi, schiavi, persone socialmente superiori o inferiori; perché amano le foreste, scalano le montagne, e nella vita fanno tante cose che dovremmo fare anche noi, invece di studiare sicurezza globale e di ascoltare i luoghi comuni di Pettifer.

Si dà il caso che siano gli ingusci perché i peccati commessi contro gli ingusci e i ceceni sono così incontestabili e orrendi che non vi è ragione al mondo per cercare altrove esempi di una più grande ingiustizia perpetrata dall'uomo sui suoi simili. Sarebbe come voltare le spalle a una bestiola che sanguina sul pavimento...

Ero terrorizzato.
Per Emma, non per me. Avevo lo stomaco in subbuglio, e la mano che reggeva la lettera era bagnata di sudore.

Si dà il caso che siano gli ingusci (e non gli arabi o le balene, come suggeriva garbatamente Tim) perché io li ho visti, nelle loro cittadine a valle e sulle loro montagne, e come Negley Farson ho visto una sorta di paradiso di cui devo prendermi cura. Nella vita, lo sappiamo entrambi, è solo questione di fortuna: chi incontri, quando, quanto ti resta da dare, il punto in cui dici al diavolo tutto... più in là non intendo andare, mi fermo qui. Hai presenti quelle foto di uomini anziani avvolti nei loro grandi mantelli da montanari, nei loro bourka? Bene, quando la lotta si fa impari un guerriero del Caucaso settentrionale, circondato dai nemici, getta il bourka per terra e ci monta sopra, per indicare che non indietreggerà di un passo dalla superficie ricoperta dal mantello. Io ho gettato il mio bourka in un punto della strada per Vladikavkaz, in una di quelle splendide giornate d'inverno quando l'intero creato ti si para di fronte invitandoti a entrare, senza pensare all'entità dei rischi e dei costi.

Fuori dalla torre squittivano i pipistrelli e gridavano i gufi. Ma i suoni che stavo ascoltando erano dentro la mia testa: il rullio dei tamburi della rivolta, il grido che chiama alla guerra.

Si dà il caso che siano gli ingusci perché esemplificano quanto di più spregevole si trova in questo nostro mondo posteriore alla guerra fredda. Per tutta la durata di quella guerra noi occidentali ci siamo vantati di difendere i derelitti contro i prepotenti. Ma più e più volte, durante la guerra fredda e dopo, l'Occidente ha fatto causa comune con i prepotenti in nome della cosiddetta stabilità, portando alla disperazione le stesse persone che dicevamo di volere proteggere.

E continuiamo.

Quante volte ero stato costretto ad ascoltare queste pompose disquisizioni? E a tapparmi le orecchie, oltre che il cervello? Talmente spesso, pensai, da avere dimenticato l'effetto che potevano avere su orecchie spalancate come quelle di Emma.

Gli ingusci non accettano di scomparire in nome di sottili ragionamenti, non accettano di essere ignorati, sottovalutati o abbandonati. E ciò contro cui combattono, che lo sappiano o meno, è una sconcia alleanza fra un Impero russo in decomposizione, che marcia al suono di vecchi motivi, e una classe dirigente occidentale la quale, nei rapporti con il resto del mondo, ha proclamato che l'indifferenza morale è un rispettabile diritto cristiano.

Anche contro questo combatterò.

Oggi pomeriggio, mentre sonnecchiavo durante una riunione, mi sono svegliato di colpo trecento anni dopo. Helmut Kohl era cancelliere di tutte le Russie, Breznev stava marciando su Berlino alla testa dei serbi bosniaci, e Margaret Thatcher stava alla cassa del supermercato a prendere i soldi.

Che è come dire: ti amo ma sta in guardia, perché dove sto andando io non ci sono molte possibilità di tornare indietro. Amen e chiudo.

L.

Mi alzai, piazzandomi davanti all'impermeabile verde di Larry che avevo appeso a un gancio di legno sul muro. Gli stivali incrostati di fango erano lì sul pavimento. Nella mia immaginazione, sorrideva col suo sorriso byroniano.

«Folle e dannato di un pifferaio magico» sussurrai, «dove diavolo l'hai portata?»

L'ho rinchiusa in una montagna cava del Caucaso, replicò. L'ho sedotta nel corso della mia faida con l'infedele Tim Cranmer. L'ho portata via sullo stallone bianco dei miei sofismi.

Stavo ricordando. Guardavo l'impermeabile verde e ricordavo.

«Ehi, Timbo!»

Basta quel nomignolo, per darmi sui nervi.

«Sì, Larry.»

È una maledetta domenica: l'ultima che trascorriamo insieme, me ne rendo conto soltanto ora. Larry ha portato qui Emma da Londra. Si trovava per caso in città, disponeva per caso di una macchina. Così, invece di andare a Bath ha portato Emma da me. Come abbia fatto a trovarla a Londra non lo so proprio. Né so per quanto tempo siano stati insieme.

«Una grande notizia» annuncia Larry.

«Davvero? Oh, bene.»

«Ho nominato Emma nostra ambasciatrice alla Corte di San Giacomo. La sua parrocchia comprenderà le Americhe, l'Europa, l'Africa e quasi tutta l'Asia. Vero, Emm?»

«Oh, splendido» dico io.

«Le ho procurato una fotocopiatrice. Adesso ci basta qualche foglio di carta intestata, per venire accettati all'Onu. Dico bene, Emm?»

«Oh, meraviglioso» dico io.

Ma non aggiungo altro, la parte scritta per Cranmer è tutta qui. Abbassare cortesemente lo sguardo. Essere tollerante, evitare di mostrarsi possessivo. Lasciare in pace i bambini con il loro idealismo, restare nella mia ala della casa. Non è facile, interpretare questa parte con dignità. Forse Larry me lo legge in viso e prova, se non rimorso, almeno pietà: mi mette un braccio intorno alle spalle e mi stringe a sé.

«Una coppia di vecchie checche, eh, Timbers?»

«La favola della città» confermo, mentre Emma sorride a sua volta della nostra amicizia.

«To', leggi questo» dice Larry, frugando nella sua logora valigia a soffietto. E mi porge un libretto bianco dal titolo *Il calvario di un popolo*. Di quale popolo si tratti non mi è chiaro. Negli ultimi mesi i nostri seminari domenicali hanno affrontato un così gran numero di conflitti insolubili che il calvario potrebbe essere avvenuto in un qualsiasi luogo fra Timor Est e l'Alaska.

«Be', vi ringrazio molto tutti e due» dico. «Lo leggerò stasera prima di addormentarmi.»

Ma tornato nello studio ficco il documento nel reparto archivia-e-dimentica della libreria, fra i tanti opuscoli illeggibili che Larry mi ha costretto a prendere nel corso degli anni.

Stavo contemplando un'immagine.

Ero davanti al manifesto che avevo portato via dal nido d'amore di Emma, e attaccato a un chiodo storto nella mia tana da celibe.

Chi diavolo sei, Bashir Haji?

Sei NCS, il Nostro Capo Supremo.

Sei Bashir Haji perché è così che ti sei firmato: da Bashir Haji al mio amico Misha, il grande guerriero.

«Larry, sei un bastardo, un senza testa» dissi ad alta voce. «Proprio un bastardo, un senza testa.»

Stavo correndo. Mi avvicinavo veloce alla casa, al buio sotto la pioggia. Con una fretta che non riuscivo a controllare. Piegato in due, le ginocchia in bocca, saltellavo nell'oscurità giù per il pendio e poi oltre il ponticello, scivolando, cadendo, sbucciandomi gomiti e ginocchia, mentre banchi di nubi nere correvano in cielo come eserciti in fuga e le raffiche di un violento acquazzone mi sferzavano. Arrivato all'ingresso di servizio, diedi una veloce occhiata in giro prima di entrare, ma nel folto degli alberi potevo distinguere ben poco. Con i piedi che facevano cic ciac, attraversai frettolosamente il salone e percorsi il corridoio di pietra fino allo studio, dove sugli scaffali dietro la scrivania trovai ciò che cercavo: un lucente opuscolo, con una rilegatura in bianco da tesi universitaria, dal titolo *Il calvario di un popolo*. Una scorsa rapida all'interno, la prima che gli davo: era attribuito a tre autori russi. I nomi erano Mutlaev, Fargeev e Pleev. Tradotto nientemeno che da Larry. Lo infilai sotto il pullover e passando dalla cucina mi rituffai nella notte. La tempesta si era placata. Nubi di vapore si levavano risentite dal ruscello. Ho davvero visto un'ombra umana contro la collina, un uomo alto che correva da sinistra a destra, in fuga perché lo avevano scoperto? Raggiunto il mio stanzino segreto, prima di accendere la luce feci ansiosamente il giro delle feritoie, ma non vidi nulla che si potesse definire come un uomo vivo. Tornato al tavolo, ci appoggiai su il libretto bianco e lo aprii. Questi eruditi così ampollosi, così tortuosi, senza il minimo senso del ritmo. Da un momento all'altro si metteranno a parlare del significato del significato. Voltai le pagine con impazienza. E va bene, un'altra insolubile tragedia umana, il mondo ne è pieno. I margini riempiti dalle annotazioni infantili di Larry, destinate con ogni probabilità a me: "cfr. i palestinesi", "Mosca come al solito mente spudoratamente", "Quel pazzo di Zhirinovsky dice che bisognerebbe togliere il diritto di voto a tutti i musulmani russi".

Identificai con ritardo i caratteri. La portatile elettrica di Emma. Doveva averglielo battuto quando erano a

Londra. Poi, al ritorno, si erano affrettati a offrirmene in omaggio una copia. Davvero gentile da parte loro.

Ancora una volta non saprei dire quanto avessi capito, fino a questo punto, né in quale misura il mio spirito incredulo chiedesse ulteriori prove di ciò che, pur sapendolo, si rifiutava categoricamente di accettare. So tuttavia che a ogni nuovo indizio ritornava in me quel senso di colpa di cui mi ero liberato così di recente, e cominciavo a considerarmi il creatore della loro pazzia; li avevo provocati, istigati; ero un fanatico vero e proprio, di quelli che con la loro intolleranza determinano le circostanze che più deplorano.

Stavamo discutendo. Cranmer contro il Resto dell'Inghilterra. La discussione era cominciata la sera prima, ma ero riuscito a smussarla. A colazione, però, torna a divampare il fuoco che covava sotto la cenere, e stavolta non ho parole dolci per spegnerlo. Stavolta è a Cranmer che saltano i nervi, non a Larry.

Ha continuato a provocarmi per la mia indifferenza di fronte alle angosce del mondo. Si è spinto fin dove la cortesia glielo consente e anche un po' oltre, insinuando che io sia la personificazione del torpore morale dell'Occidente. Emma parla poco ma sta dalla sua parte. Siede contegnosa, le mani davanti a sé, i palmi rivolti verso l'alto come per dimostrare che non nasconde nulla. Sto rispondendo con fermezza e precisione all'attacco di Larry. Mi hanno classificato come archetipo del borghese soddisfatto. Benissimo, allora: ai loro occhi sarò proprio questo. Con tale proposito perverso, ho fatto un lungo discorso.

Ho detto di non essermi mai ritenuto responsabile dei mali del mondo, né di averli causati né di doverli curare. Secondo me il mondo è una giungla infestata dai selvaggi, è così da sempre. I problemi sono per la maggior parte insolubili.

Ho detto che consideravo ogni angolo tranquillo,

compreso Honeybrook, un rifugio strappato alle fauci dell'inferno. Di conseguenza mi sembrava scortese che un ospite si presentasse da me con un catalogo di sofferenze.

Ho detto che sono sempre stato disposto, e continuerò a esserlo, a fare sacrifici per i vicini, i compatrioti e gli amici. Ma che quando si trattava di salvare dei barbari che combattevano tra di loro in paesi non più grandi di una lettera sulla carta geografica, non capivo perché mai avrei dovuto gettarmi in una casa in fiamme, soccorrendo un cane di cui non mi era mai importato nulla.

Ho detto tutto questo con brio ma nelle mie parole non c'è nessuna convinzione, anche se cerco di non lasciarlo trasparire. Forse mi fa piacere, mettermi in una posizione pericolosa. Ma all'improvviso, con sorpresa di tutti, Larry mi dichiara la sua ammirazione.

«Hai fatto centro, Timbo. Hai parlato con grande coraggio. Congratulazioni. Sei d'accordo, Emm?»

Ma Emma non è per niente d'accordo.

«Sei stato spaventoso» rintuzza, la voce sommessa e cattiva. «Terminale, direi.» Intende dire, con suo grande sollievo, che mi sono comportato così male da giustificare le sue trasgressioni.

E quella sera stessa, prima di salire lo scalone per tornare alla macchina da scrivere: «Non ci capisci un'acca, in fatto di impegno politico.»

Ero tornato al *Calvario di un popolo*. Stavo leggendo storia ma leggevo troppo in fretta, e anche se il passato serviva a spiegare il presente non avevo nessuna voglia di storia. Discussioni accademiche sulla fondazione della città di Vladikavkaz: era sorta su territorio ingu-scio o osseto? Allusioni alla "deformazione dei fatti storici" operata dai fautori della versione osseta. Discorsi sul coraggio degli ingusci delle pianure quando, nel XVIII e XIX secolo, erano stati costretti a prendere le armi per difendere i loro villaggi. Discorsi sulla contestata regione di Prigorod, il sacro *raion* di Prigorod, oggi massimo pomo della discordia fra osseti e ingusci. Discorsi su località che magari erano proprio grandi come una lettera su una carta geografica ma che, quando i loro abitanti si sollevavano, tenevano in scacco tutto l'Impero russo. Discorsi sulle speranze alimentate dall'avvento del comunismo sovietico e su come queste speranze si infransero quando gli zar rossi si rivelarono altrettanto terribili dei loro predecessori bianchi.

All'improvviso dalla mia frustrazione temporanea emerse una luce accecante, e ancora una volta balzai in piedi tutto eccitato.

Il vecchio baule scolastico che conteneva il mio archivio su CC giaceva appoggiato contro il muro di pietra. Ne estrassi una quantità di fascicoli. Uno conteneva rapporti della sorveglianza, un altro appunti sulla sua personalità, un terzo intercettazioni microfoniche. Armato di quest'ultimo, tornai in fretta al tavolo e ricominciai a leggere; ma stavolta il calvario era quello di CC; stavo ascoltando mnemonicamente la sua modulata (si potrebbe quasi dire civile) voce russa: era con Larry in una camera d'albergo piena di microfoni, all'aeroporto di Heathrow, e bevevano whisky di malto da grosse tazze.

Per me c'è sempre stato qualcosa di magico, in questi loro incontri. Larry sente una certa affinità con CC, e io pure. Non abbiamo forse Larry in comune? Non ne siamo entrambi, di volta in volta, deliziati e spaventati, eccitati e frustrati, infuriati e incantati? Il prestigio di cui entrambi godiamo presso i nostri padroni non dipende forse da lui? E non sono giustificato se, leggendo le trascrizioni o ascoltando i nastri, mi sento piuttosto fiero della mia capacità nel fare i controlli?

Heathrow è uno dei luoghi preferiti di CC. Può prendere una stanza per mezza giornata, cambiare continuamente albergo e credersi in incognito; ma grazie a Larry, gli ascoltatori di solito riescono a precederlo. Durante questo particolare incontro, secondo quanto ha poi raccontato Larry, CC ha estratto dal portafoglio un fascio di fotografie sbiadite.

> Questa è la mia famiglia, Larry, questo è il mio *aul* (nota superflua del traduttore: villaggio) com'era ai tempi di mio padre, questa è la nostra casa ancora occupata dagli osseti, questo è il loro bucato appeso alla corda che era stata stesa da mio padre, questi sono i miei fratelli e le mie sorelle, e questa è la ferrovia servita per deportare la mia gente nel Kazakistan... Un viaggio durante il quale morì un numero così alto di persone che i russi dovevano fermare continuamente il treno per seppellirle in fosse comuni... e questo è il posto dove hanno fucilato mio padre...

Dopo le fotografie, CC estrae di tasca il passaporto diplomatico e lo agita davanti al viso di Larry. L'inglese dei trascrittori, scadente come sempre:

> Tu credi che io sia nato nel 1946. Non è vero. Il 1946 è di copertura, serve per l'altra mia persona. Io sono nato nel 1944; il giorno dell'Armata rossa, il 23 febbraio. In Russia è una grande festa nazionale. E non sono nato a Tbilisi, ma in un gelido vagone bestiame in viaggio per le steppe ghiacciate del Kazakistan.
>
> ... e sai cosa successe il 23 febbraio 1944, mentre io nascevo e tutti quanti celebravano una bella festa nazionale, e i soldati russi se la spassavano ballando nei nostri villaggi? Te lo dico io. L'intera nazione inguscia e quella cecena furono dichiarate criminali da un editto di Iosif Stalin, portate a migliaia di chilometri dalle fertili pianure caucasiche e insediate nelle terre incolte a nord del lago d'Aral...

Saltai un paio di pagine e ripresi a leggere con avidità:

> Nell'ottobre del '43 gli stalinisti avevano già deportato i karachay. Nel marzo del '44 portarono via i balkari. E nel febbraio vennero a prendere i ceceni e gli ingusci... personalmente, ti rendi conto? Beria e i suoi sgherri vennero a dirigere in carne e ossa le operazioni di ri-insediamento... bel ri-insediamento, come prendere uno della California e trapiantarlo in Antartide...

Saltai mezza pagina: cominciava ad affiorare, nonostante la banalità dei trascrittori, l'umorismo caustico di CC.

> ... ai vecchi e ai malati fu risparmiato il viaggio. Li raggrupparono in un bell'edificio, al quale diedero fuoco per tenerli al caldo. Poi lo crivellarono con raffiche di mitragliatrice. Mio padre fu più fortunato. I soldati di Stalin lo fucilarono alla schiena perché non voleva che la moglie incinta fosse costretta a salire sul treno... Quando vide il cadavere di mio padre mia madre decise che si sentiva sola, e così mise al mondo me. Il figlio della vedova nacque sul carro bestiame che lo portava in esilio...

A questo punto i trascrittori segnalavano con la consueta pignoleria un'interruzione naturale, durante la quale CC si ritira in bagno e Larry riempie i bicchieri.

> ... quelli che sopravvissero al viaggio dovettero lavorare in un gulag, dissodando le steppe ghiacciate ed estraendo oro per sedici ore al giorno; ecco il motivo per cui gli ingusci trafficano in oro ancora adesso... Erano considerati lavoratori-schiavi per la loro presunta collaborazione con i tedeschi, ma contro i tedeschi gli ingusci si erano battuti bene; solo che odiavano di più Stalin e i russi...

«E odiavano gli osseti» dice prontamente Larry, come un primo della classe.

Ha toccato un punto dolente, e forse lo ha fatto apposta perché CC si lancia in una tirata.

> Perché non dovremmo odiare gli osseti? Non sono delle nostre terre! Non hanno il nostro sangue! Sono persiani che si fingono cristiani, e adorano in segreto gli dei pagani. Sono i lacchè di Mosca. Ci hanno rubato i nostri campi e le nostre case. E perché? Lo sai perché?

Larry finge di ignorarlo.

> Sai perché Stalin ci deportò, proclamandoci criminali e nemici del popolo sovietico? Perché Stalin era un osseto! Non georgiano né abcasiano, armeno, azero, ceceno o inguscio; lo sa Dio che non era inguscio, era uno straniero, un osseto. Ti piace il poeta Osip Mandelstam?

Trascinato dallo sfogo appassionato di CC, Larry confessa il suo amore per Mandelstam.

> Sai perché Stalin ha fatto fucilare il poeta Mandelstam? Perché in una poesia aveva scritto che Iosif Stalin era un osseto! Per questo Mandelstam è stato fucilato da Stalin!

Dubitavo che fosse davvero questo, il motivo della fucilazione di Mandelstam. Avevo fatto mia l'opinione, suffragata da più solide prove, secondo cui era morto in un ospedale psichiatrico. E non ero sicuro che Stalin fosse osseto. Forse ne dubitava anche Larry, ma di fronte a tanto fervore la sua sola risposta documentata è un borbottio, seguito da un lungo silenzio durante il quale i due uomini bevono. Poi CC riprende il racconto. Nel 1953 morì Stalin. Tre anni più tardi fu denunciato da Chruscev e poco tempo dopo la Repubblica autonoma di Cecenia-Inguscezia riprese il posto che le spettava sulle carte geografiche:

> Torniamo a casa dal Kazakistan. È una camminata lunga ma ce la facciamo, anche se alcuni di noi arrivano un po' tardi. Mia madre muore durante il viaggio, e io le giuro che la seppellirò in patria. Quando arriviamo troviamo chiuse le porte delle nostre case, e facce ossete che ci guardano alle finestre. Viviamo come mendicanti, dormendo sulle nostre strade e cacciando di frodo nei nostri campi. Non ha importanza che la legge imponga agli osseti di andarsene. A loro non piace la legge. Non la riconoscono. Riconoscono le armi. Mosca ha dato agli osseti molte armi, e ci ha portato via le nostre.

Mi ricordavo che si era molto discusso, su all'ultimo piano, se sulla base di questo incontro dovessimo tentare un approccio con Ceceev per assicurarcelo come fonte. In fin dei conti aveva violato una buona metà dei regolamenti del Kgb. Aveva fatto saltare la propria copertura, sfogato i propri sentimenti antisovietici e battuto il tamburo proibito della questione etnica. Ma alla fine prevalse il mio ragionamento appassionato. I baroni convennero con riluttanza che era Larry la nostra risorsa più importante e che quindi non dovevamo neppure pensare a iniziative che potessero metterlo in pericolo.

Ero di nuovo in piedi al centro del mio rifugio, sotto una luce che mi illuminava dall'alto, a studiare i resti di un fascicolo di opuscoli a stampa prodotti dal Servizio d'ascolto della Bbc. Le parole chiave, quelle ancora leggibili, erano state evidenziate con un pennarello giallo. La bizzarra ortografia dei trascrittori era rimasta intatta.

Ossezia settentrionale rela... calma nel qui... versario del conflitto.

ITAR-TASS, agenzia di informazioni (Mosc... in russo, ora 1106 31 ott. 93

Testo del rapp...

Vladikavkaz, 31 ottobre. Il triste anni... della tragedia del 31 ottobre 1992, quan... cominciò lo scontro armato nella zona di conf... fra Ossezia... Inguscezia,..................

alleviato da un..

Il tragico bilancio [per..................................

conflitto]: 1300 morti..................................

parti, più di 400.......................................

case distrutte e...

senza tetto.

Voltai un paio di pagine annerite. Le sottolineature continuavano: che fossero di Emma o di Larry non faceva differenza, poiché ormai sapevo che condividevano entrambi la stessa follia:

... massicci disordini e inte........................

conflitti accompagnati dall'impiego della forza,

armi e veicoli da combattimento...

... la situazione dei profughi... catastrofica con più di

60.000 ....

... situazione è una tragedia capitata a un popolo di cui

... truppe russe che operano nella zona di conflitto tra il territorio dell'Ossezia settentrionale e l'Inguscezia

hanno avuto ordine di eliminare le bande di briganti che

... autorità, ha detto il generale......................

l'amministrazione provvisoria della zona di conflitto fra osseti e ingusci.

Ma sul margine sinistro, Larry aveva scritto con rabbiose lettere maiuscole queste parole:

PER BRIGANTI LEGGI PATRIOTI
PER BANDA LEGGI ESERCITO
PER ELIMINARE LEGGI UCCIDERE, TORTURARE, MUTILARE. BRUCIARE VIVI.

Ero in affanno.

In affanno ma ipercontrollato.

Stavo in piedi; la mia schiena urlava a squarciagola e io rispondevo urlando altrettanto a squarciagola; ma avevo trovato il fascicolo che stavo cercando: LP. ULTIMI INTERROGATORI, avevo scritto in maiuscolo sulla copertina con la mia grafia da burocrate.

Ma nonostante l'impazienza per portare il fascicolo fino al tavolo dovetti appoggiarmi al muro come un corvo ferito.

Accovacciato sulla sedia mi chinai sul tavolo, cercando di gravare il meno possibile sulla spina dorsale. Tenevo premuto il gomito sinistro su un cuscino, come mi aveva insegnato il signor Dass. Ma il mal di schiena non era nulla, paragonato all'angoscia e alla vergogna che sentivo vedendo accumularsi le prove della mia colpevole cecità:

> Chiesto a LP se poteva elegantemente evitare il viaggio nel Caucaso su cui tanto insiste CC. Non l'ho detto a chiare lettere ma l'interesse per la suddetta regione è minimo, e già più che appagato da satelliti, agenti, apparecchiature, e dal flusso dei rapporti delle società petrolifere statunitensi che operano o fanno ricerche nella regione. LP non si lascia convincere.
>
> LP: Glielo devo, Timbo. Sono anni che glielo prometto e non ci sono mai andato. Lui ci tiene, a loro. Sono i suoi.

Leccandomi la punta delle dita, procedetti dolorosamente a sfogliare le pagine fino al mio rapporto di tre settimane dopo sull'interrogatorio:

> LP ha reagito con violenza eccessiva al viaggio nel Caucaso: come prevedibile, nel suo attuale stato d'animo da menopausa. Per lui non c'è niente di relativo, ogni cosa non può che essere così. L'esperienza tragica più dolorosa, più eccitante, più commovente della mia carriera ecc., moltissime cose da riferire, situazione in subbuglio, ci sarà un'altra esplosione da un momento all'altro, ovunque tensioni etniche, religiose, tribali, gli occupanti russi sono dei perfetti idioti, la sorte degli ingusci preannuncia quella di tutte le piccole nazioni musulmane oppresse della regione, ecc...
>
> Nota in calce al rapporto: Un'esperta della Valutazione obiettivi ex sovietici mi ha detto in via non ufficiale che probabilmente non lo inserirà in archivio.

Cranmer però lo aveva archiviato.

Cranmer lo aveva archiviato e dimenticato.

Cranmer, nella sua miope e criminale negligenza, aveva gettato la causa del popolo inguscio, e con essa LP, nella pattumiera della storia, per poi nascondere la sua testa stupida nella dolce terra del Somerset; pur sapendo che nulla, assolutamente nulla, della vita di Larry o della patetica imitazione che lo stesso Cranmer ne aveva fatto, era mai andato perso:

> ... perché io li ho visti, nelle loro cittadine a valle e sulle loro montagne... Nella vita, lo sappiamo entrambi, è solo questione di fortuna: chi incontri, quando, quanto ti resta da dare, il punto in cui dici al diavolo tutto... più in là non intendo andare, mi fermo qui...

Una cartolina illustrata. Strappata una sola volta in senso verticale. Indirizzata a Sally Anderson, Cambridge street, raffigura una coppia sdraiata su un prato. Timbro postale Macclesfield. L'artista, un certo David Macfarlane. La descrizione: "Mezzogiorno silenzioso 1, 1979, tecniche miste, cm 45x60". Provenienza: il cestino per la carta straccia di Emma.

> Emm. Fondamentale. AM ha bisogno di 50.000 sul suo conto per venerdì a mezzogiorno. Mi mancano i tuoi begli occhi. *L.*
>
> P.S. D'ora in avanti lui è Nutty. Nutty come noce in schiaccianoci, un Nutty duro da rompere.

Concessi una breve pausa alle mie riflessioni, mentre altri vecchi ricordi cominciavano a svegliarsi nella mia testa. AM, Nutty, duro da rompere. Parla come il signor Dass e ha un telefono nuovo in macchina. I ricordi si mescolarono, si riordinarono, poi furono messi da parte in attesa del loro turno.

Aprii un foglio di carta protocollo gialla, che Emma aveva appallottolato. Provenienza: la scrivania di Emma a Honeybrook.

> Emm. Importantissimo. Devo vedere Nutty domattina alle 10 a Bath. CC ha mandato l'amico barbuto con la lista della spesa e aspetta la mia colletta a LONDRA, al Royal Automobile Club in Pall Mall. Telefona al Club. Di' che sei la mia segretaria e che devono spedirmi la lettera ESPRESSO entro domani. Sono i giorni più belli della mia vita. Grazie dei giorni, grazie della vita. Nutty dice che dobbiamo calcolare il venti per cento circa in bustarelle. Auden dice che dobbiamo amarci o morire.
>
> *L.*

Un altro fascicolo di rapporti del Servizio d'ascolto della Bbc, stavolta intatti; i brani sottolineati sono come una musica da crematorio per tutte le guerre di confine del mondo:

Operazioni di combattimento nel raion di Prigorod continuano il primo novembre... In via di eliminazione le basi degli irregolari ingusci... Numerose vittime, morti e feriti in molti villaggi... continuano sparatorie in zona conflitto... reggimenti aviotrasportati incontrano dura resistenza... usati missili contro villaggi ingusci... primo ministro russo esclude revisione confini attuali... colonna corazzata russa entra in Inguscezia... ingusci si rifugiano sulle montagne... Inizio dell'inverno non attenua conflitto...

Tim Cranmer, pensai: grande, grandissimo idiota. Come la mettiamo con la tua ingenuità, tu che ti vantavi di non essere mai caduto in trappola?

Forse perché ero in collera con me stesso, alzai la testa all'improvviso. Alzai la testa e ascoltai; cosa udii non so, ma qualcosa udii. Aggrappato al muro, iniziai un'altra laboriosa ricognizione delle mie sei feritoie. Mi pareva di essere uno storpio. Le nubi temporalesche erano sparite. Una mezzaluna drappeggiata di nuvole gettava una luce grigia sulle colline circostanti. A poco a poco riuscii a distinguere i profili di tre uomini disposti a intervalli intorno alla cappella. Distavano una cinquantina di metri l'uno dall'altro, e da me un'ottantina. Ognuno di loro se ne stava sul pendio di una collina, appostato come una sentinella. Mentre li guardavo quello al centro fece un passo avanti, subito imitato dai suoi compagni.

Volsi lo sguardo verso casa mia. Nella luce del portico vidi un quarto uomo in piedi accanto alla mia macchina. Stavolta non mi lasciai prendere dal panico. Non mi precipitai di sopra e non dimenticai nessun numero telefonico. Il panico, come il dolore alla schiena, apparteneva ormai al passato. Un'occhiata alle carte in disordine sul pavimento, al tavolo su cavalletti, al mio archivio improvvisato sparso in giro, alla mia cassetta di scuola traboccante di fascicoli. Resistendo al ridicolo impulso di mettere ordine, raccolsi in fretta i documenti essenziali.

La cartella per la fuga di Bairstow era accanto alla porta, aperta. Vi stipai i documenti, insieme a delle munizioni di riserva, e mi infilai la 38 nella cintura. Nel fare questo, il pensiero andò istintivamente alla lettera di Zorin che mi era rimasta in tasca. Riavvicinatomi alla cassetta vi frugai dentro finché non trovai una cartelletta con la scritta "Peter". Tolsi il foglio con i dati personali di Zorin, mettendolo nella cartella insieme agli altri documenti che ritenevo essenziali. Poi spensi la luce e diedi un'ultima occhiata all'esterno. Gli uomini stavano convergendo sulla cappella. Tenendo la cartella in mano, scesi a tastoni la scala a chiocciola che portava alla sagrestia. Mi chiusi alle spalle l'armadio dei piviali, afferrai una scatola di fiammiferi ed entrai in chiesa.

Ero riuscito a precederli. Favorito dal chiaro di luna aprii la porta a sud dall'interno con la chiave e mi avviai rapido verso il pulpito normanno, elegantemente intagliato. Salii i quattro gradini di legno scricchiolanti e nascosi la cartella contro i pannelli anteriori, nel posto che avrebbero dovuto occupare i piedi di un ipotetico predicatore. Poi andai all'altare e accesi le candele. Con calma. Senza tremare. Scelsi un banco sul lato nord, mi inginocchiai, mi portai le mani al viso e, in mancanza di una definizione più precisa di quanto mi stava passando per la testa, pregai per la mia liberazione, se non altro perché così avrei potuto liberare Emma e Larry dalla loro follia.

Dopo un po' udii il cigolio gutturale della porta sud che veniva aperta dall'esterno; poi lo stridio dei cardini, che mi ero sempre ben guardato dall'oliare poiché costituivano un ottimo sistema di allarme in caso stessi lavorando nello stanzino del prete. E dopo lo stridio udii un paio di piedi, stivali bagnati, suole di gomma, avanzare di qualche passo e, dopo una pausa, procedere verso di me facendo cic-ciac lungo la navata.

Ci sono regole su come bisogna pregare in circostanze del genere, e probabilmente avevo pensato anche a queste. Per il solo fatto che qualcuno fa irruzione nella tua chiesa privata alle due del mattino, non puoi domandargli cosa diavolo ha in mente. Ma nemmeno ti comporterai come se adorare il Signore ti avesse fatto diventare sordo. La soluzione migliore, decisi, consisteva nel dimenare la mia schiena rinata, nel raddrizzare le spalle e nel nascondere ancora di più il viso tra le mani, per far vedere che, a dispetto di quel comportamento così villano, mi stavo sforzando di raggiungere un grado maggiore di devozione.

Ma tanta sottigliezza era sprecata con il mio intruso, perché un attimo dopo sentii un peso massiccio calare senza tante cerimonie sull'inginocchiatoio alla mia sinistra, e un paio di gomiti coperti da un impermeabile posarsi rumorosamente sul ripiano accanto al mio, al che vidi la faccia truculenta di Munslow che mi guardava torvo da pochi centimetri di distanza.

«E allora, Cranmer, cos'è questa passione improvvisa per Dio?»

Mi misi a sedere. Mi lasciai sfuggire un sospiro. Mi passai una mano sugli occhi, come se fossi ancora assorto nell'intensità delle mie meditazioni.

«Per pietà» sussurrai, col solo risultato di irritarlo ancora di più.

«Non raccontarle a me, queste stronzate. Ho controllato. Non c'è traccia di Dio, nel tuo fascicolo. Che cosa stai tramando? Hai nascosto qualcuno, qui dentro? Pettifer? Il compagno Ceceev? La tua amichetta Emma che nessuno riesce a trovare? Stasera fanno sei ore che sei qua dentro. Non prega tanto neanche il papa.»

Mantenni la stessa voce, stanca e riflessiva. «Ho un sacco di cose in testa, Andy. Lasciami in pace. Non accetto di essere interrogato sulla mia fede. Né da te né da altri.»

«E invece sì. Ai tuoi ex datori di lavoro piacerà moltissimo interrogarti sulla tua fede e su certe altre cose che li disturbano. Cominceranno domattina alle undici, e continueranno per tutto il tempo necessario. Intanto dovrai tenerti in casa qualche ospite, se mai ti venisse in mente di scappare. Ordini.»

Si alzò. Aveva le ginocchia vicinissime alla mia faccia e provai il ridicolo impulso di spaccargliele, pur sapendo benissimo di avere dimenticato come si facesse. C'era una presa che ci avevano insegnato al campo di addestramento, una specie di placcaggio da rugby che piegava le gambe nella direzione sbagliata. E invece non gliele spezzai le gambe, neanche ci provai. Se lo avessi fatto, probabilmente le avrebbe rotte lui a me. Abbassai la testa, mi passai di nuovo una mano sulla fronte e chiusi gli occhi.

«Ho bisogno di parlarti, Andy. È ora che mi sfoghi. In quanti siete?»

«Quattro. Ma cosa c'entra?» Notai un tono di avidità nella sua voce. Si stava eccitando, vedeva ai propri piedi il penitente inginocchiato grazie al quale si sarebbe presto fatto un nome.

«Preferirei parlarti qui» risposi. «Digli di tornare alla casa e di aspettarci là.»

Sempre in ginocchio, lo ascoltai sbraitare ordini sgarbati nell'interfono. Attesi di avere udito la risposta, prima di estrarre la pistola e di appoggiargli la canna sull'inguine. Mi alzai, e le nostre facce vennero a trovarsi vicinissime. Portava imbracato un apparecchio ricetrasmittente. Allungai una mano all'interno della sua giacca e lo spensi. Poi impartii i miei ordini uno a uno.

«Dammi la giacca.»

Obbedì. La posai sul banco. Poi, sempre tenendogli la pistola contro l'inguine, gli tolsi l'imbracatura e la posai accanto alla giacca.

«Metti le mani sulla testa. Fa un passo indietro.»

Anche questa volta obbedì.

«Girati e cammina verso la porta.»

Eseguì l'ordine e mi guardò mentre, con la mano libera, chiudevo la porta sud dall'interno e toglievo la chiave. Poi lo feci camminare fino alla sagrestia e lo rinchiusi là dentro. È una bella porta, quella della sagrestia. E la chiave splendida, come tutte le altre chiavi della chiesa; l'unica differenza, rispetto alla maggioranza delle sagrestie, è che questa non ha né una porta sull'esterno né una finestra.

«Se urli, ti sparo attraverso la porta» minacciai. Probabilmente quello stupido mi credette, perché se ne restò in silenzio.

Mi affrettai a raggiungere il pulpito, recuperai la cartella dal nascondiglio e, lasciando accese le candele dell'altare, uscii dalla porta nord che per maggior precauzione chiusi a chiave dall'esterno. Le pallide pennellate di una nuova alba mi illuminavano il cammino. Un sentiero per le passeggiate a cavallo, che scorreva quasi invisibile lungo il muro della vigna, portava alla fattoria dove mettevamo il vino in botti e in bottiglie. Lo percorsi in fretta. L'aria odorava di funghi. Con una delle mie chiavi aprii la doppia porta del granaio per le decime. Dentro c'era un furgone Volkswagen appartenente alla proprietà Honeybrook, che a volte usavo per i miei giri di ispezione. Dopo l'appuntamento con Larry avevo tenuto il serbatoio pieno e una tanica di riserva nel bagagliaio, insieme con una valigia di pratici indumenti di ricambio; quando sei in fuga, non c'è niente di peggio che restare a corto di indumenti decorosi.

Guidai a fari spenti fino al viale d'accesso e, sempre a fari spenti, proseguii per un chilometro e mezzo fino all'incrocio. Presi poi la vecchia strada delle Mendip, costeggiai Priddy Pool senza degnarlo nemmeno di un'occhiata e proseguii fino all'aeroporto di Bristol dove, lasciato il furgone nel parcheggio a lungo termine, presi un biglietto a nome Cranmer sul primo volo per Belfast della giornata. Poi salii su un pullman che faceva la spola con la stazione Temple Meads, affollato di tifosi di calcio gallesi che cantavano tranquillamente i loro inni in perfetta armonia. Dal piazzale della stazione mi concessi un'ultima occhiata incredula alla collina di Cambridge street, poi salii su uno dei primi treni per Paddington. Scesi però a Reading dove, nei panni di Bairstow, presi alloggio in uno sgargiante albergo per commessi viaggiatori. Cercai di dormire, ma il terrore pulsava in me come un secondo cuore; era il più brutto dei terrori, quello di chi assiste attanagliato dal senso di colpa a una catastrofe senza riuscire a impedirle di travolgere della gente; gente che non può mettere in guardia; la mia gente, in quel caso. Ero stato io a condannare Larry a una vita di finzione, a insegnargli le arti del sotterfugio e a scatenare in lui quel meccanismo disastrosamente impazzito. Ed ero stato io a stringere un cappio intorno a Emma non immaginando di certo, quando l'avevo eletta a mia compagna perfetta, che sarebbe diventata la compagna perfetta di Larry.

Una volta nella mia squallida camera d'albergo accesi tutte le luci e mi feci un pessimo tè con una bustina, aggiungendo un po' di latte artificiale e dedicandomi poi a riesaminare i fasci di carte che avevo stipato nella cartella prima di lasciare lo stanzino del prete. Scrissi alla banca una lunga lettera di istruzioni con la quale provvedevo, fra l'altro, alla signora Benbow, a Ted Lanxon e alle Toller. Chiusi la busta, scrissi l'indirizzo e andai a imbucare in centro. Feci qualche telefonata da una cabina pubblica e passai il pomeriggio al cinema, ma del film non ricordo nulla. Alle cinque, su una Ford rossa noleggiata a nome Bairstow, lasciai Reading con l'ondata serale dei pendolari. Ogni campo, dorato e racchiuso da un suo recinto marrone, somigliava a un ennesimo brandello del mio mondo in frantumi.

"Sono i suoni e gli odori della giovinezza quelli che senti tornare" aveva scritto Larry a Emma. "È il cielo che guardavi quando eri bambina. Le idee ridiventano chiare. Il denaro non ha potere."

11

«Oh, magnifico, Tim!» aveva esclamato Clare Dugdale con quel suo squittìo tardo-thatcheriano, quando le avevo telefonato da una cabina pubblica dicendole che mi trovavo per caso da quelle parti. «Simon sarà al settimo cielo! Sono settimane che non fa quattro chiacchiere con un amico. Vieni presto, ti prego, così ci beviamo un drink e poi mi aiuti a mettere a letto i bambini come ai vecchi tempi. Non ci crederai, quando vedrai Petronella. È diventata enorme. Ti piace il pesce? Simon ha di nuovo problemi al cuore. Sei solo, Tim, o sei con?»

Attraversando un ponte vidi sotto di me il nostro albergo bianco, che la recessione aveva fatto diventare grigio. Nei prati lungo il fiume l'erba era troppo alta. Sulla porta del bar dove ero solito aspettarla qualcuno aveva scarabocchiato col gesso la parola DISCO. Ammiccavano biliardini, in quella che un tempo era stata l'elegante sala da pranzo; là mangiavamo filetti flambé mentre lei mi esplorava l'inguine con un piede scalzo, aspettando il momento di andare a letto; cosa che nei limiti della ragionevolezza facevamo non appena possibile, perché alle quattro del mattino lei era già appollaiata davanti allo specchio a rifarsi il trucco prima di tornare a casa.

«Non posso permettere che i bambini sentano la mia mancanza, ti pare, tesoro?» dice. «E il povero Simon potrebbe benissimo decidere di svegliarmi telefonando da Washington. Non riesce mai a dormire, nei viaggi brevi.»

«Ha qualche sospetto?» domando, più per quella che ormai mi sembrava umana curiosità che non per un particolare senso di colpa.

Pausa, durante la quale finisce di mettersi il rossetto. «Non credo. Sim è un berkeliano. Nega l'esistenza di tutto ciò che non può percepire.» Clare si era laureata in filosofia a Cambridge, prima di addossarsi il fardello intellettuale che spetta alla moglie di un funzionario degli Esteri. «E dal momento che noi non esistiamo possiamo tranquillamente fare quel che vogliamo, no? E ancora non l'abbiamo fatto, dico bene?»

Parcheggiai alla stazione ferroviaria di Maidenhead e, armato della cartella di Bairstow, raggiunsi in taxi gli orribili casermoni anni Cinquanta dove abitavano loro. Uno scivolo per bambini in disfacimento adornava il giardino incolto davanti alla casa. La Renault di Clare, tutta scassata, era stata teatralmente abbandonata sul viale d'accesso infestato dalle erbacce. Un cartello sbiadito accanto al campanello recitava CHIEN MÉCHANT. Immaginai che fosse un residuo dei viaggi di Simon a Bruxelles, dove si recava in qualità di esperto della Nato in faccende moscovite. La porta si aprì, e la ragazza alla pari mi guardò con un misto di pigrizia e di curiosità.

«Anna Greta. Ancora qui, Dio mio. Che meraviglia!»

Passai nell'atrio, facendomi strada fra carrozzine, biciclette per bambini e una tenda degli indiani. Nel frattempo Clare scese precipitosamente le scale gettandomi le braccia al collo. Portava la spilla di ambra che le avevo regalato. Simon credeva che l'avesse ereditata da una cugina lontana. O così diceva lei.

«Anna Greta, tesoro, andresti per favore a tirare fuori le verdure e a metterle sulla piastra?» ordinò, prendendomi per mano e conducendomi di sopra. «Sei sempre appetitoso, Tim. E si dice che ti sia trovato una ragazza veramente super e spaventosamente giovane. Secondo me hai fatto benissimo. Petronella, guarda chi c'è!» Mi spostò la mano sul sedere e mi diede un pizzicotto. «Niente pesce oggi, anatra. Ho deciso che per una volta il cuore di Si può benissimo reggerla. Ma lascia ancora che ti guardi.»

Petronella uscì dal bagno tutta accigliata, indossando un accappatoio e un cappello impermeabile. Era diventata una ingrata ragazzina di dieci anni, con l'apparecchio ai denti e il sorriso esitante del padre.

«Perché stai baciando la mamma?»

«Perché siamo vecchissimi amici, Pet, tesoro mio» rispose Clare con una gran risata. «Non essere sciocca. Anche a te, scommetto, piacerebbe farti abbracciare da un tipo attraente come Tim.»

«No che non mi piacerebbe.»

I due gemelli volevano che gli leggessi *L'orso Rupert*. Hubbie, un'amichetta in visita, voleva *Bellezza nera*. Sfruttando le mie doti di mediatore scelsi *Peter Coniglio*, e stavo arrivando al punto in cui il padre di Peter ha un incidente nel giardino del signor McGregor quando udii i passi di Simon su per le scale.

«Ciao, Tim, che piacere vederti» disse, senza alcuna variazione di tono, tendendomi intanto la mano esangue. «Ciao, Pet. Ciao, Clive. Ciao, Mark. Ciao, Hubbie.»

«Ciao» dissero loro.

«Ciao, Clare.»

«Ciao» disse Clare.

Continuai a leggere, e Simon rimase ad ascoltare sulla soglia. Nello stato d'animo in cui mi trovavo avevo sperato che manifestasse forse una maggiore simpatia nei miei confronti, adesso che ero becco anch'io. Ma non avevo questa impressione, e quindi, forse, non si vedeva come stavo.

L'anatra doveva essere stata surgelata, dato che in parte lo era ancora. Mentre tagliuzzavamo quegli arti sanguinolenti ricordai gli orribili pasti che facevamo insieme, erano sempre stati così: patate bollite fino a ridursi in poltiglia, e cavoli da mensa scolastica che galleggiavano in un lago verde. Che le loro anime cattoliche trovassero conforto, in questa astinenza? Che si sentissero più vicine a Dio e più lontane dal gregge?

«Come mai sei qui?» domandò Simon con la sua voce nasale e secca.

«Sono stato a trovare una zia zitella» replicai.

«Non sarà ricca da fare schifo anche questa, Tim?» disse Clare.

«Dove vive?» chiese Simon.

«No, questa è in miseria» dissi a Clare. «A Marlow» risposi a Simon.

«In quale casa di riposo?» chiese Simon.

«Sunnymeades» dissi, citando un'istituzione che avevo trovato sulle pagine gialle, e sperando che fosse ancora in attività.

«È zia da parte di tuo padre?» domandò Simon.

«In realtà è una cugina di mia madre» spiegai, anticipando la possibilità che Simon telefonasse alla casa di riposo Sunnymeades, scoprendo così che questa zia non esisteva.

«Produci molta uva?» cantò Anna Greta, promossa per la serata al rango di ospite.

«Be', non è una vendemmia eccezionale» risposi. «Ma non c'è da lamentarsi. E i primi assaggi sono estremamente promettenti.»

«Oh» esclamò Anna Greta, come stupita.

«A dire la verità ho ereditato un bel po' di problemi. Mio zio Bob, che aveva avviato questa attività per passione, si fidava moltissimo del Creatore e assai meno della scienza.»

Clare scoppiò a ridere, mentre le mascelle di Anna Greta si afflosciavano perplesse. Per qualche ragione che non so spiegarmi, proseguii.

«Ha piantato la vite sbagliata nel luogo sbagliato,

poi ha pregato di ricevere sole e invece ha avuto gelo. Purtroppo la durata media di una vite è di venticinque anni. Il che significa che o commettiamo un genocidio o dovremo continuare a combattere la natura per un altro decennio.»

Non riuscivo a fermarmi. Dopo avere deriso i miei sforzi, esultai per il successo dei miei concorrenti inglesi e gallesi, deplorando il carico fiscale loro imposto da un governo indifferente. Offrii una visione esagerata dell'Inghilterra come di uno dei più antichi produttori di vino al mondo, mentre Anna Greta mi fissava a bocca aperta.

«Poverino» commentò Simon.

«E adesso raccontaci di questa minorenne con cui ti sei messo a convivere» intervenne Clare sconsideratamente; dopo due bicchieri di chiaretto romeno era capace di dire qualsiasi cosa. «Ci sai proprio fare, Tim. Simon è assolutamente verde d'invidia. Non è vero, Sim?»

«Niente affatto» disse Simon.

«È bella, le piace la musica, non sa cucinare e la adoro» proclamai con allegria, felice di questa occasione per esaltare le virtù di Emma. «Ha anche un'indole affettuosa e un'intelligenza acuta. Che cos'altro volete sapere?»

Si aprì la porta e Petronella fece irruzione in vestaglia, i capelli biondi ben spazzolati e gli occhi azzurri fissi sulla madre, in un'espressione di eterea sofferenza.

«Fate un tale baccano che non riesco a dormire!» protestò, pestando i piedi. «E lo fate apposta!»

Clare la riportò a letto. Anna Greta, di pessimo umore, sparecchiò la tavola.

«Simon, c'è una faccenda che riguarda il Servizio, vorrei discuterne con te» dissi. «Potremmo restare soli per un quarto d'ora?»

Simon lavava i piatti e io li asciugavo. Indossava un grembiule blu da macellaio. Non c'era lavastoviglie. Avevo l'impressione che stessimo rigovernando i resti di parecchi pasti.

«Che cosa vuoi?» esordì Simon.

Avevamo avuto altre volte conversazioni del genere nel suo triste cubicolo al ministero degli Esteri, mentre gli scoloriti piccioni di Whitehall ci guardavano da dietro la finestra sporca.

«Si è messo in contatto con me un tale che vuole un mucchio di quattrini in cambio di certe informazioni» dissi.

«Credevo che fossi a riposo.»

«Lo sono. È una vecchia storia che è tornata a galla.»

«Non devi preoccuparti di queste cose, si esauriranno da sole» disse Simon. «Cosa sta cercando di venderti?»

«Un'imminente rivolta armata nel Caucaso settentrionale.»

«Chi dovrebbe rivoltarsi e contro chi? Bella novità» disse, mentre gli passavo una casseruola sporca. «Si rivoltano in continuazione. Non fanno altro.»

«Gli ingusci, contro i russi e gli osseti. Con un piccolo aiuto da parte dei ceceni.»

«Ci hanno già provato nel '92 e sono stati travolti. Non avevano armi. Soltanto quelle poche che erano riusciti a rubare o a comprare sottobanco. Gli osseti, invece, grazie a Mosca erano armati fino ai denti. E lo sono ancora.»

«E se gli ingusci fossero riusciti a procurarsi un armamento decente?»

«Non è possibile. Sono sparpagliati, scoraggiati, e per quante armi riescano a trovare, gli osseti ne avranno sempre di più. Le armi sono la loro specialità. Abbiamo saputo la settimana scorsa che stanno comprando i residuati dell'Armata rossa con l'aiuto dei Servizi segreti russi in Estonia per rivenderli ai serbi della Bosnia.»

«La mia fonte sostiene che stavolta gli ingusci rischieranno il tutto per tutto.»

«Be', che altro potrebbe dire dal suo punto di vista?»

«Dice che niente potrà fermarli. Hanno un nuovo capo. Un certo Bashir Haji.»

«Bashir è un eroe del passato» disse Simon, sfregando con forza una casseruola tutta bucherellata. «Coraggioso come un leone. Splendido a cavallo. Cintura nera. Sufista. Ma quando si tratta di affrontare la cavalleria russa, coi suoi missili e con i suoi elicotteri, è come se comandasse una banda musicale.»

Avevamo già avuto conversazioni del genere. In Simon Dugdale l'arte di smontare informazioni segrete aveva trovato il suo maestro.

«A sentire il mio uomo, hanno promesso a Bashir di fornirgli armi occidentali ad altissimo livello tecnologico, per rispedire russi e osseti nei luoghi da cui sono venuti.»

«Ascolta!» Sbattendo la casseruola sul lavello, Simon fece il gesto di colpirmi in faccia, ma la sua mano bagnata riuscì a fermarsi qualche centimetro prima. «Nel '92 gli ingusci si tirarono su le maniche e marciarono sul *raion* di Prigorod. Avevano qualche carro armato, un po' di APC e un po' di artiglieria, tutta roba russa comprata o rubata, non molte cose. E si trovarono di fronte» si afferrò un pollice con l'altra mano «le forze interne degli osseti settentrionali» e si afferrò l'indice «le truppe speciali russe OMON, le guardie repubblicane, i cosacchi del Terek» era arrivato al mignolo «e un buon numero di cosiddetti volontari dell'Ossezia meridionale portati in aereo dai russi per tagliare gole e prendere possesso del *raion* di Prigorod. Gli ingusci ebbero aiuto soltanto dai ceceni, che prestarono loro un po' di cosiddetti volontari e un po' di armi. I ceceni sono amici degli ingusci, ma hanno un loro progetto di cui i russi sono perfettamente al corrente. E quindi i russi si servono degli ingusci per seminare discordia fra i ceceni. Se il tuo uomo ti ha detto in tutta serietà che Bashir o chiunque altro sta pensando di organizzare un attacco su vasta scala contro i nemici dell'Inguscezia, o se l'è inventato o Bashir è impazzito.»

Concluso lo sfogo, immerse di nuovo le braccia nella saponata.

Tentai un'altra strada. Forse volevo tirargli fuori qualcosa che sapevo di trovare. Qualcosa che avevo bisogno di ascoltare ancora, una conferma che la logica di Larry si fondava sull'emotività.

«E secondo te c'è giustizia, in questo?» suggerii.

«In cosa?»

Lo stavo facendo arrabbiare. «Nella causa inguscia. Hanno ragione?»

Sbatté a faccia in giù un colabrodo sul piano di scolo. «Ragione?» ripeté indignato. «Vuoi sapere, nero su bianco, come li ha trattati la storia?»

Prese un tegame da arrosto e lo attaccò con una paglietta. Simon Dugdale non aveva mai saputo resistere alle tentazioni del conferenziere.

«Trecento anni a prendere calci in culo dagli zar. Ricambiando spesso il complimento. Arrivano i comunisti. Un finto intermezzo di serendipità, e poi tutto come prima. Deportati da Stalin nel '44 e proclamati popolo di criminali. Tredici anni nella natura più selvaggia. Riabilitati da un decreto del Soviet Supremo e autorizzati a vuotare il sacco. Tentano una protesta pacifica. Nessun risultato. Tumulti. Mosca se ne sbatte.» Premendo la mano sul tegame, si mise a sfregare con furore. «I comunisti vanno in malora, arriva Eltsin. Li imbonisce. Il Parlamento russo approva ambigue delibere per consentire ai popoli espropriati di rientrare nelle terre d'origine.» Continuò a sfregare. «Gli ingusci si lasciano convincere. Il Soviet Supremo promulga una legge che istituisce una Repubblica inguscia all'interno della Federazione russa. Urrà. Cinque minuti dopo Eltsin blocca tutto con un decreto presidenziale che vieta qualsiasi rettifica delle frontiere nel Caucaso. Un po' meno urrà. Il più recente piano di Mosca consiste nel costringere gli osseti ad accettare il ritorno degli ingusci in un numero concordato e a determinate condizioni. Qualche vaga speranza. Da un punto di vista morale, qualunque sia il significato di questo aggettivo, la tesi inguscia è inattaccabile, ma in questo mondo di compromessi contrastanti dove ho la disgrazia di vivere, significa più o meno un cazzo. Da un punto di vista legale, sempre che a qualcuno importi qualcosa della legalità nel mondo post-sovietico, non ci sono dubbi. Gli osseti violano la legge, gli ingusci sono senza macchia. Ma quando mai ciò ha avuto qualche rilevanza?»

«E cosa pensano gli americani di tutto questo?»

«Chi?» disse, facendo capire che magari sapeva tutto del Caucaso settentrionale, ma che gli Stati Uniti d'America gli erano concettualmente estranei.

«Lo zio Sam» dissi.

«Mio caro» mai in vita sua si era rivolto a me con un'espressione affettuosa, «apri bene le orecchie, se non ti dispiace.» Assunse un accento americano. Una via di mezzo fra il proprietario di una piantagione del profondo Sud e un venditore ambulante dell'East End. «Chi cazzo sono gli ingusci, amico? Delle specie di indiani? Degli ameringusci?»

Dopo che gli ebbi sorriso garbatamente, ricominciò con mio sollievo a parlare con la sua solita voce piatta.

«Se l'America ha un atteggiamento qualsiasi rispetto alla politica post-sovietica da quelle parti, esso consiste nel non avere un atteggiamento politico. Il che corrisponde, posso aggiungere, alla sua politica post-sovietica in qualunque altro luogo. Apatia pianificata, è la definizione migliore che mi venga in mente: comportati con naturalezza e mentre i pulitori etnici fanno funzionare l'aspirapolvere, ristabilendo quella che i politici chiamano normalità, tu guarda altrove. In altre parole, tutto ciò che fa Mosca a Washington sta bene, a patto che nessuno spaventi la cavalleria. Questo e nient'altro è la loro politica.»

«E allora cosa possono sperare gli ingusci?» domandai.

«Assolutamente un cazzo» replicò Simon Dugdale con soddisfazione. «In Cecenia ci sono enormi bacini petroliferi, anche se finora sono stati penalizzati dall'incapacità di sfruttarli. Minerali, legname, tutto quello che puoi desiderare. C'è l'autostrada militare georgiana che Mosca intende tenere aperta, checché ne pensino ingusci e ceceni. E l'esercito russo, che si sta preparando a marciare sulla Cecenia, non lascerà certo in pace la vicina Inguscezia.»

Si era versato sul grembiule qualcosa che gli entrò anche nei calzoni. Prese un altro grembiule, ancora più sporco del primo, e se lo avvolse intorno alla vita. «E comunque» disse in tono accusatore, «chi favoriresti tu se fossi al Cremlino? Un branco di montanari musulmani assetati di sangue o quei leccaculo sovietizzati e cristianizzati degli osseti, che pregano ogni giorno perché torni Stalin?»

«E tu cosa faresti, se fossi Bashir?»

«Non lo sono. Ma eccoti una ipotetica idiozia.»

All'improvviso, e con mia sorpresa, si mise a parlare come Larry quando concionava sul tema delle guerre alla moda e di quelle fuori moda. «Per prima cosa mi comprerei uno di quegli ammiccanti lobbisti di Washington coi capelli di plastica. Un milione di dollari da buttare via. In secondo luogo mi procurerei un piccolo cadavere inguscio, preferibilmente femmina, e lo mostrerei in prima serata alla televisione fra le braccia di un piagnucolante conduttore, anche lui con i capelli di plastica. Farei presentare interpellanze al Congresso e all'Onu. E quando, come al solito, non fosse poi successo un cazzo, direi al diavolo tutto; dopodiché, se mi fossero avanzati dei soldi, porterei la famiglia nel sud della Francia e manderei tutto a farsi fottere. Anzi no. Ci andrei da solo.»

«O faresti la guerra» suggerii.

Si era accovacciato per accatastare le casseruole in un armadietto totalmente buio, al livello del pavimento.

«È stato diffuso un avviso che ti riguarda» disse. «Ho pensato che avrei fatto bene a dirtelo. Chiunque abbia tue notizie dovrebbe informare l'Ufficio del personale.»

«E tu lo farai?» gli chiesi.

«Penso di no. Tu sei amico di Clare, non mio.»

Credevo che avesse finito, ma evidentemente aveva ancora troppe cose da dire.

«Se devo essere sincero, mi sei piuttosto antipatico. Tu e il tuo maledetto Servizio. Non ho mai creduto a una parola di quello che mi avete raccontato, a meno che non l'avessi già letto prima sui giornali. E non so cosa stai cercando, ma ti sarei grato se non la cercassi qui.»

«Dimmi soltanto se è vero.»

«Che cosa?»

«Gli ingusci stanno tramando qualcosa di serio? Potrebbero farcela? Se avessero le armi?»

Mi domandai, ma era troppo tardi, se fosse ubriaco. Sembrava che non sapesse più dov'era. E invece mi sbagliavo. Si stava scaldando.

«In effetti è un caso molto interessante» ammise, con lo stesso entusiasmo giovanile di quando parlava di una qualsiasi forma di catastrofe. «Secondo i materiali che ci stanno arrivando, sembra che Bashir stia sollevando suo malgrado un certo polverone. È possibile che tu sia su una strada giusta.»

Assunsi il ruolo di Emma, recitando la parte dell'ingenuo. «E nessuno può impedire che accada?»

«Ma certo. Possono impedirlo i russi. Facendo quello che hanno fatto l'altra volta. Scatenargli contro gli osseti. Bombardare coi razzi i loro villaggi. Cavare loro gli occhi. Trascinarli giù dalle montagne, rinchiuderli nei ghetti. Deportarli.»

«Voglio dire noi. Noi Nato, senza gli americani. In fondo è Europa. È territorio nostro.»

«Vuoi dire fare una Bosnia?» propose, usando quel tono trionfale con il quale Simon Dugdale era solito celebrare ogni situazione senza via di uscita. «Sul suolo russo? Un'idea brillante. E già che ci siamo, permettere a un po' di truppe d'assalto russe di battersi con i nostri hooligan.» La rabbia che avevo acceso in lui stava esplodendo. «Che presunzione» riprese su una nota più alta, «pensare che questo paese, che qualsiasi paese civile, abbia il dovere di intromettersi fra due qualsiasi gruppi di bestioni decisi a massacrarsi fra loro» (sta parlando come me, notai) «di pattugliare il globo, di mediare fra cocciuti selvaggi pagani che nessuno ha mai sentito nominare... ti dispiacerebbe andartene, adesso?»

«Che cos'è la foresta?»

«Sei impazzito?» domandò.

«Perché un inguscio metterebbe in guardia qualcuno contro la foresta?»

La faccia gli si illuminò di nuovo. «Il Ku Klux Klan osseto. Una banda clandestina, foraggiata dal Kgb o da suoi emissari. Se dovessi svegliarti domattina con le palle in bocca, e a mio parere non sarebbe la cosa peggiore del mondo, molto probabilmente dovresti ringraziare la Foresta. Dopo di te.»

Clare, in salotto con una rivista in grembo, stava guardando un televisore in bianco e nero da sopra gli occhiali da lettura.

«Oh, Tim, tesoro, lascia che ti porti alla stazione. Non abbiamo quasi parlato.»

«Gli sto chiamando un taxi» disse Simon dal telefono.

Il taxi arrivò e lei mi ci accompagnò tenendomi sottobraccio, mentre Simon il berkeliano restò in casa, continuando a negare l'esistenza di tutto ciò che non poteva percepire. Ricordai le occasioni in cui avevo usato a Emma una simile cortesia, restando anch'io in casa a fumare di rabbia, guardando storto il mio riflesso nello specchio mentre sul viale d'accesso lei si congedava da Larry.

«Penso sempre a te come a un uomo che fa delle cose» mi sussurrò Clare all'orecchio, e intanto me lo mordicchiava. «Il povero Sim è così accademico.»

Non provavo nulla per lei. Il Cranmer che c'era andato a letto era un altro.

Io ero al volante e Larry accanto a me. «Sei matto» gli dissi, strappando una pagina dal libro di Simon Dugdale. «Un pazzo pericoloso e convincente.»

Finse di soppesare le mie parole, come faceva ogni volta prima di ribattere.

«Per me un pazzo, Timbo, è uno che sa esattamente come stanno le cose.»

Era mezzanotte. Mi stavo avvicinando a Chiswick. Lasciata la strada principale, imboccai una viuzza tortuosa ed entrai in una proprietà privata. La casa era un gioiello edoardiano eccessivamente decorato. Alle sue spalle scorreva nero il Tamigi, la superficie fregiata dalle luci della città. Parcheggiai, estrassi la 38 dalla cartella e me la infilai nella cintura. Tenendo la cartella nella sinistra, oltrepassai un cancelletto scassato e mi trovai su un'alzaia. L'aria marrone del fiume odorava di unto. Due innamorati se ne stavano abbracciati su una panchina, la ragazza a cavalcioni dell'uomo. Avanzavo adagio in mezzo alle pozzanghere, disturbando uccelli e topi d'acqua. Oltre la siepe, gli invitati stavano congedandosi dai padroni di casa.

«Una festa letteralmente meravigliosa, carissimi, sul serio.»

Mi venne in mente la voce di Larry quando faceva una delle sue imitazioni. Ero arrivato di nuovo alla casa, stavolta dal retro. Le luci sulla porta posteriore e sul garage erano accese. Scelsi un punto dove il recinto era più basso, abbassai il filo spinato e, lasciata cadere la cartella dall'altra parte, rischiai di castrarmi. Caddi in un giardino con il prato falciato da poco e alcuni roseti. Due bambini nudi mi guardavano tendendo le braccia, ma quando mi avvicinai divennero un paio di cupidi di porcellana. Il garage era alla mia sinistra. Mi affrettai a rifugiarmi nell'ombra che proiettava, poi mi accostai in punta di piedi a una finestra e guardai dentro. Niente macchine. È fuori a cena. È stato convocato a un consiglio di guerra. Aiuto, aiuto, Cranmer ha tagliato la corda.

Appoggiandomi al muro puntai lo sguardo sul cancello anteriore. In quella posizione avrei potuto aspettare per ore. Un gatto mi si strusciò contro la gamba. Sentii il liquido fetore di una volpe. Udii una macchina. Vidi i fari anteriori sobbalzare verso di me lungo la strada sconnessa. Mi schiacciai ancora di più contro il muro del garage. L'auto proseguì la corsa, andando a fermarsi dopo una cinquantina di metri. Comparve una seconda macchina, migliore della prima: due paia di fari bianchi, motore più silenzioso. Mi auguro per te che tu sia solo, Jake, lo avvertii. Non rendermi le cose difficili. Non portarmi qualcuna delle tue ragazzine. Portami solo il tuo te stesso.

La lucidissima Rover di Merriman superò il cancello, imboccando la breve rampa che portava al garage. Al volante c'era Jake Merriman: nessun altro di nessun sesso. Entrò nel garage e spense i fari. Ci fu poi una di quelle pause che ritengo tipiche delle persone di una certa età, durante la quale rimase seduto al volante, armeggiando alla luce dell'abitacolo con qualcosa che non potevo vedere.

Avevo aperto la portiera e gli tenevo puntata la pistola a pochi centimetri dalla testa.

«Non spaventarti, Jake» dissi.

«Non ci penso neanche» rispose.

«Metti la luce nell'abitacolo in posizione "Acceso". Dammi le chiavi della macchina. Tieni le mani sul volante. Non toglierle da lì. Come si chiude la porta del garage?»

Mi mostrò un telecomando.

«Chiudila» dissi.

La porta si chiuse.

Mi sedetti dietro di lui. Tenendogli la pistola alla nuca, gli afferrai la gola con l'avambraccio sinistro e pian piano lo tirai verso di me finché non ci trovammo guancia a guancia.

«Munslow mi dice che state cercando Emma» dissi.

«Munslow è un maledetto idiota.»

«Dov'è?»

«E chi lo sa? Stiamo cercando anche Pettifer, nel caso non te ne sia accorto. Non abbiamo trovato nemmeno lui. E da stasera cercheremo anche te.»

«Jake, lo farò. Lo sai, vero? Ti sparerò, se necessario.»

«Non hai nessun bisogno di convincermi. Collaborerò. Sono un codardo.»

«Sai cosa ho fatto ieri, Jake? Ho scritto una bella lettera al capo della polizia del Somerset, con copia per il "Guardian". Ho raccontato che alcuni di noi del Servizio avevano deciso di fregare l'ambasciata russa, con un piccolo aiuto da parte di Ceceev. Mi sono anche preso la libertà di citare il tuo nome.»

«Sei uno stupido bastardo.»

«Non come capobanda, ma come uno su cui contare perché chiudesse un occhio al momento giusto. Un cospiratore passivo, come Zorin. Le lettere saranno impostate domattina alle nove, a meno che io non pronunci la parola magica. E non la dirò, se ti rifiuti di raccontarmi tutto quello che sai di Emma.»

«Te l'ho già raccontato, quello che sappiamo di Emma. Ti ho anche dato un dannato fascicolo, su di lei. È una troietta. Cos'altro vuoi sapere?»

Stava sudando copiosamente. Cadevano gocce anche sulla canna della 38.

«Voglio un aggiornamento. E per favore non chiamarla troietta. Chiamala gentile signora o qualcosa del genere. Ma non troietta.»

«Era a Parigi. Ha telefonato da una cabina pubblica alla Gare du Nord. L'hai addestrata bene.»

È tutto merito di Larry, pensai. «Quando?»

«In ottobre.»

«Siamo adesso, in ottobre. Quando in ottobre?»

«A metà. Il dodici. Cosa diavolo hai in mente? Calmati. Confessa. Torna a casa.»

«Come sai che è stato il dodici?»

«L'hanno trovata per caso gli americani durante un controllo casuale.»

«Gli americani? Che cazzo c'entrano gli americani?»

«Computerlandia, tesoro. Gli abbiamo dato un campione della voce. Hanno ripassato le loro intercettazioni. Ed è saltata fuori la tua carissima Emma, con finto accento scozzese.»

«Chi stava chiamando?»

«Philip non so che.»

Non ricordavo nessun Philip. «Che cosa ha detto?»

«Che stava bene. Era a Stoccolma. Una bugia. Era a Parigi. Voleva far sapere a tutti i ragazzi e le ragazze che era contenta, e che si proponeva di cominciare una nuova vita. Con trentasette milioni di sterline a disposizione, è facile immaginare che ci riuscirà.»

«L'hai sentita con le tue orecchie?»

«Non crederai che l'abbia lasciata a qualche studentello foruncoloso della Cia?»

«Ripetimi le sue parole.»

«"Torno da dove sono venuta. Sto ricominciando da capo." Al che il nostro Philip dice: "Okay, okay". Si esprimono così, adesso, le classi inferiori. Okay, okay. Evviva invece di grazie. Ti sta aspettando, ti farà piacere saperlo. Ti è totalmente devota. Una schiava. Ero fiero di te.»

«Voglio le sue parole» replicai.

«"Lo aspetterò per tutto il tempo che occorre", detto con una convinzione meravigliosa. "Sarò una Penelope, per lui, ci volessero anche degli anni. Tesserò di giorno e disferò di notte finché non verrà a prendermi."»

Con la pistola in mano e la cartella che svolazzava dietro di me, corsi alla macchina. Guidai verso sud fino alla periferia di Bournemouth, dove scesi in un motel composto da tanti bungalow, con musica da crematorio nei corridoi e luci notturne mauve per indicare le uscite di sicurezza. Sto venendo a prenderti, le dissi. Tieni duro. Ti supplico, tieni duro.

È morta di freddo ma ha ancora l'energia per rabbrividire. Come se l'avessi salvata da un mare di ghiaccio. La sua pelle viscida mi punge, quando mi si aggrappa addosso. Il viso preme talmente forte sul mio che non ce la faccio a resistere.

«Tim, Tim, sveglia.»

È corsa in camera mia, nuda. Ha tirato indietro il piumone e avvolto il corpo gelato intorno al mio, sussurrando: «Tim, Tim», ma in realtà vorrebbe dire "Larry, Larry". Trema e si agita inutilmente contro di me che pure non sono il suo amante, ma soltanto un corpo al quale si attacca perché sta per annegare; un modo per arrivare il più vicino possibile a Larry.

«Anche tu lo ami» dice. «Sono sicura.»

Scivola di nuovo in camera sua.

«Parigi» aveva detto Merriman. Una telefonata da «una cabina pubblica alla Gare du Nord. L'hai addestrata bene.»

Parigi, pensai. Un nuovo inizio.

«A casa di Dee» sta dicendo «dove sono tornata in vita.»

«Chi è Dee?» domando.
«Dee è una santa. Mi ha salvata quando ero a terra.»
«Sto ricominciando da capo» dice Merriman con la sua voce profumata. «Torno da dove sono venuta.»

Una mattina grigia e senza sole. Un lungo viale conduceva alla casa, gabbiani e pavoni urlavano striduli al mio passaggio. Quando dissi il mio nome il cancello di ferro si spalancò come se avessi detto "Apriti Sesamo". Una dimora in finto stile Tudor si levò davanti a me fra prati velati di nebbia, un campo da tennis dove mai nessuno giocava e una piscina dove mai nessuno nuotava. Una bandiera britannica penzolava flaccida in cima a un palo bianco. Dietro la casa, campi da golf e dune. In lontananza si stagliava contro il cielo una vecchia e spettrale corazzata. Era sempre stata lì fin da quando, quindici anni prima, mi ero avventurato per la prima volta su questa collina, suggerendo timidamente a Ockie Hedges di valutare la possibilità di aiutarci in certe faccende, non prive di rapporti con il traffico d'armi.

«Aiutarvi in che modo, figliolo?» domanda Ockie dietro la scrivania napoleonica. Ufficialmente la sua sede è nell'isola di Wight, ma da qualche anno preferisce trattare i propri affari da questa collina di Bournemouth.

«Ecco, signore» dico con una certa goffaggine, «sappiamo che lei parla con il ministero della Difesa, e abbiamo pensato che potrebbe parlare anche con noi.»

«Di che cosa, figliolo?» È ancora più irritante. «Sia più chiaro. Dove sta andando a parare?»

«I russi si servono di trafficanti occidentali per procurarsi armi in segreto» dico.

«Ma certo.»

«E alcuni di questi trafficanti hanno rapporti di lavoro con lei» dico, astenendomi dall'aggiungere che sono anche suoi soci. «Vorremmo che lei diventasse la nostra stazione di ascolto, che accettasse domande, che parlasse regolarmente con noi.»

Segue un lungo silenzio.
«Be'?» dice.
«Be' cosa?»
«Qual è la sua offerta, figliolo? Qual è il dolcificante?»
«Non ce ne sono. Dovrebbe farlo per il suo paese.»
«Che io sia dannato!» dice devoto Ockie Hedges.
Tuttavia, dopo un certo numero di passeggiate nel suo elegante giardino, Ockie Hedges, vedovo, padre orbato dei figli e imbroglione tra i più grandi nel commercio illegale di armi, decide che dopo tutto è venuto il momento di arruolarsi nelle armate dei giusti.

Un giovane alto che indossava un blazer mi guidò lungo l'atrio. Aveva spalle larghe e capelli corti, perché a Ockie piacevano così i giovani alti. Due guerrieri di bronzo con arco e frecce montavano la guardia alla doppia porta dello studio a pannelli.
«Jason, per favore portaci un bel vassoio di tè» disse Ockie, stringendomi contemporaneamente una mano e un braccio. «E se trovi un vitello grasso, ammazzalo. Il signor Cranmer ha diritto al meglio. Come va, figliolo? Devi assolutamente restare a pranzo, ho già dato disposizioni.»
Era un settantenne tarchiato e potente, un piccolo dittatore con un vestito marrone su misura e la catena d'oro dell'orologio che attraversava il davanti del gilet a doppio petto. Quando ti salutava, il petto minuscolo gli si riempiva di orgoglio; ti considerava un suo soldato. Quando ti dava la mano, il suo pugno da pugile te la stringeva come un artiglio. Una finestra panoramica si affacciava sul mare oltre il parco. Alle pareti della stanza, perfettamente lucidi, erano appesi i trofei ai quali teneva di più: quello del circolo del cricket, di cui era presidente effettivo, e del circolo della polizia, di cui era presidente a vita.
«Non sono mai così contento di vedere qualcuno come quando vedo te, Tim» disse Ockie. Parlava come lo

steward di una compagnia aerea britannica, oscillando fra le classi sociali quasi fossero lunghezze d'onda. «Non so dirti quante volte ho avuto la tentazione di prendere in mano quel telefono e di dire: "Tim. Corri qui e cerchiamo di fare un discorso un po' sensato". Quel giovanotto che mi hai presentato è utile quanto un week-end di pioggia. Per prima cosa ha bisogno di un buon barbiere.»

«Oh, andiamo, Ockie» dissi con una risata. «Non è poi tanto male.»

«Cos'è questo "andiamo"? Altro che "male". Peggio ancora, è un finocchio.»

Ci sedemmo, e ascoltai diligentemente un resoconto sui difetti del mio sfortunato successore.

«Tu mi hai aperto delle porte, Tim, e io ti ho fatto qualche favore. Non sarai forse un massone, ma ti comporti come se lo fossi. E nel corso degli anni si è sviluppato un rapporto veramente bello. Il mio solo rimpianto è che tu non abbia mai conosciuto Doris. Ma questo ragazzo che mi hai appioppato vuole fare tutto secondo le regole. È un continuo: dove lo ha saputo e chi glielo ha raccontato e perché hanno detto quello che hanno detto e mettiamolo subito per iscritto in duplice copia. Ma il mondo non è fatto così, Tim. Il mondo è fluido. Tu lo sai e io pure. E allora perché non lo sa anche lui? Gli manca il senso del tempo, ecco il guaio. Ogni cosa deve essere fatta entro ieri. Non sarai venuto a raccontarmi che sei tornato a tirare la carretta?»

«Non per molto» dissi con cautela.

«Peccato. E va bene, cos'hai in mente? Che io ricordi non sei mai venuto qui senza avere bisogno di qualcosa, e io non ti ho mai mandato via a mani vuote.»

Gettai un'occhiata alla porta e abbassai la voce. «È una faccenda del Servizio e non del Servizio, non so se mi spiego.»

«No.»

«È assolutamente non ufficiale. Estremamente delicato. Dobbiamo saperlo tu e io e nessun altro. Se la cosa ti disturba, meglio che tu me lo dica subito.»

«Disturbarmi? Stai scherzando.» Aveva assunto il mio stesso tono. «Se vuoi il mio parere dovreste tenerlo d'occhio, quel ragazzo. È un pacifista. Porta pantaloni a zampa d'elefante.»

«Mi occorrono informazioni aggiornate su un tale che ci interessava ai brutti tempi.»

«Chi?»

«Metà britannico e metà turco» dissi, giocando sul razzismo congenito di Ockie.

«Tutti gli uomini sono uguali, Tim. Tutte le religioni sono strade che conducono alla stessa porta. Come si chiama?»

«Era un grande amico di certe persone di Dublino, e più ancora di certi diplomatici russi di Londra. Era interessato a un carico di armi ed esplosivi partito da Cipro su un motopeschereccio, e diretto verso il mare d'Irlanda. C'eri dentro anche tu, ricordi?»

Ockie stava già sorridendo con quel suo sorriso un po' crudele. «Via Bergen» disse. «Un piccolo e untuoso venditore di tappeti, certo Aitken Mustafa May.»

"Pagamento a AM, Macclesfield" pensai, mentre facevo a Ockie le dovute congratulazioni per la sua memoria prodigiosa.

«Abbiamo bisogno che tu stia con le orecchie dritte» stavo dicendo. «Ci servono indirizzi personali e degli uffici, e anche il nome del suo gatto siamese, ammesso che ne abbia uno.»

Per stare con le orecchie dritte, Ockie seguiva un rituale ben collaudato. Ogni volta che lo faceva, immaginavo una Inghilterra terribile e segreta della cui esistenza noi povere spie potevamo soltanto sospettare, e messaggi cifrati che gli iniziati diffondevano attraverso canali informatici protetti e in segrete conventicole. Per prima cosa convocò la signorina Pullen, una donna dal viso di pietra che, in cardigan e maglietta grigia, scriveva quanto le veniva dettato senza mettersi neppure a sedere. L'altra occupazione di questa donna era l'autobiografia con la quale Ockie intendeva educare un mondo in attesa.

«Oh, e si procuri con la dovuta discrezione delle informazioni su una ditta di nome Hardwear, che ha sede in qualche località del nord e appartiene a un certo signor May, Aitken M. May» disse con voce lugubre e disinvolta, dopo averle affidato tutta una serie di altri incarichi per mascherare il suo vero obiettivo. «Avevamo fatto un affaruccio con loro qualche tempo fa, ma non sono più le stesse persone. Voglio valutazione del credito, contabilità della ditta, nomi degli azionisti, attuali interessi commerciali, capitale versato, indirizzi personali, numeri telefonici, le solite cose, insomma.»

Dieci minuti dopo la signorina Pullen tornò con un foglio dattiloscritto e Ockie si ritirò in un'altra stanza, chiudendo la porta per fare alcune telefonate che riuscii a origliare soltanto vagamente.

«Il tuo signor May sta facendo spese folli» annunciò al suo ritorno.

«Per conto di chi?»

«Della mafia.»

Recitai la mia parte. «Della mafia italiana?» esclamai. «Ma Ockie, quelli hanno tutte le armi che vogliono!»

«Stai facendo il finto tonto. La mafia russa. Non li leggi i giornali?»

«Ma se la Russia trabocca di ogni genere di armi. Sono anni che i militari le vendono a tutti quelli che chiedono.»

«Ci sono mafie e mafie, da quelle parti. Forse ce ne sono che vogliono qualcosa di speciale, e quando comprano non vogliono farsi vedere dai vicini. Forse ce ne sono che dispongono di valuta forte, e sarebbero contente di investire per assicurarsi un pizzico di superiorità.» Esaminò il foglio della signorina Pullen, poi i propri appunti. «Il tuo May è un intermediario. Un piccolo imbroglione. Scommetto che di ogni articolo in catalogo non possiede che un campione dimostrativo.»

«Ma quale mafia, Ockie? Ce ne sono a dozzine.»

«Io so soltanto questo. Mafie. Ufficialmente il suo cliente è una nazione importante che vuole mantenere l'incognito, e quindi l'acquirente ultimo è nominalmente la Giordania. Ma in realtà si tratta della mafia, e lui si sta montando la testa.»

«Perché?»

«Perché quello che compra è troppo al di sopra dei suoi mezzi. Perché è un trafficante di rottami, ecco cos'è, un untuoso trafficante di rottami. E adesso all'improvviso cerca di comprare Stinger, mitragliatrici pesanti, anticarro, mortai pesanti, munizioni; come se non ci fosse un domani, come se si trovasse nel mezzo di un incubo. Dove poi spedisca questa roba è un altro discorso. C'è chi dice Turchia del nord e chi dice Georgia. Si dà delle arie. Da non crederci: l'altra sera ha invitato a cena un mio amico al Claridge. Mi sorprende che lo abbiano lasciato entrare. Tutto qui. Non fidarti mai di chi ha tanti indirizzi.»

Spinse verso di me un mucchietto di fogli che infilai nella cartella. Preceduti da Jason ci trasferimmo in sala da pranzo, e lì ci sedemmo a un tavolo di quercia lungo sei metri: durante il pasto Ockie Hedges attaccò in sequenza gli intellettuali, gli ebrei, i neri, il pericolo giallo e gli omosessuali, con un odio benevolo e universale. Tim Cranmer si limitò a sorridere con quel suo sorriso da finto tonto e a masticare il suo pesce, come faceva da quindici anni ogni volta che si trovava con Ockie Hedges: lusingare la sua vanità, ignorare i suoi insulti, fingere di non udire i suoi discorsi da fanatico e omaggiare la sua disgustosa professione, il tutto in nome di un'Inghilterra più sicura e più saggia.

«Tarati dalla nascita, secondo me. Subumani. Mi sorprende che non li fuciliate.»

«Il guaio è che non resterebbe nessuno, Ockie.»

«E invece qualcuno resterebbe. Resteremmo noi. Non serve altro.»

Dopo il pranzo c'era da ammirare il giardino, non un petalo fuori posto. Ecco poi le ultime aggiunte alla collezione di armi antiche, conservate come vino pregiato in una cantina a temperatura controllata, vi si accedeva con un ascensore dalla porta a forma di ponte levatoio.

Perciò erano le quattro passate quando lì nel portico, con le braccia conserte, come un vecchio tiranno senza figli in cima a una collina, si mise a lanciarmi occhiatacce mentre salivo sulla mia umile Ford; dietro di lui la bandiera della Gran Bretagna se ne stava tutta imbronciata sull'asta.

«Tutto lì, il meglio che può fare per te il tuo paese?» domandò, indicando con il mento nella mia direzione.

«È la Nuova Era, Ockie. Niente diarie generose né belle macchine lucenti.»

«Vieni a trovarmi più spesso. Forse te ne comprerò una io.»

Quando ripresi a guidare, il movimento attenuò per un po' le mie paure. Ogni tanto mi si presentava un motel, ma l'idea di altra aria viziata dal fumo di sigarette e di un ennesimo copriletto di ciniglia mi scoraggiava, così continuai a guidare fino a non poterne più. Stava piovendo e davanti a me il cielo era buio. Come Emma, sentii all'improvviso un gran bisogno di conforto, se non altro di una cena come si deve. Il primo villaggio mi offrì ciò che stavo cercando: una vecchia locanda per carrozze, menu incorniciato e cortile in ciottoli. Mi accolse una ragazza di campagna dal viso fresco. Sentii odore di carne che arrostiva e di legna che ardeva. Una benedizione.

«Se possibile in un angolo tranquillo, grazie» le dissi mentre consultava l'elenco delle prenotazioni.

Fu allora che l'occhio mi cadde su un foglio di numeri stampati che giaceva capovolto accanto al suo gomito nudo. Di solito non ho memoria per le cifre, ma ho buon naso per il pericolo. Non c'erano nomi ma solo gruppi di numeri, come in un cifrario, quattro per ogni riga e ognuno di quattro cifre. L'intestazione del foglio diceva ATTENZIONE, e la fonte era la società di carte di credito della quale Colin Bairstow era membro da tempo.

Non più, però. Il numero della mia carta di credito, quella di Bairstow, era in fondo alla colonna destra, sotto le parole FUORI CORSO stampate a lettere maiuscole.

«Come vuole pagare il conto, signore?» domandò l'impiegata.

«In contanti» e con mano abbastanza ferma inventai un nuovo nome per il registro degli ospiti: Henry Porter, The Malting 3, Shoreham, Kent.

Mi sedetti nella stanza. La macchina, pensai. Mollare la macchina. Togliere la targa. Mi imposi di stare calmo. Se la Ford scottava era rischiosa. Ma fino a che punto scottava? E fino a che punto scottavo, io? Fino a che punto Pew e Merriman mi avrebbero lasciato scottare senza rendere partecipe del loro interesse la polizia? A volte, dicevo spesso ai miei agenti, dovete respirare a fondo, chiudere gli occhi e buttarvi.

Feci il bagno, mi rasai e mi cambiai la camicia. Quando scesi in sala da pranzo ordinai una bottiglia del miglior chiaretto. Più tardi mi sdraiai sul letto ad ascoltare le voci della sibilla: non andare nel nord, Misha... Dammi retta, Misha, ti prego... Se si è già messo in viaggio, è pregato di tornare indietro.

Ma quello non era un viaggio che avessi scelto io. Mi ci facevano andare; e che fosse la Foresta o l'intera valle delle ombre ad assistere al mio passaggio, non aveva alcuna importanza.

La collina era ripida e la casa somigliava a una vecchia arcigna con i piedi saldamente piantati fra amici anziani. Aveva una facciata da scuola domenicale e un portico di vetro colorato, che nel sole del mattino brillava come il paradiso. C'erano pie tendine di pizzo e una vaga aria di abbandono, siepi in vaso, una mangiatoia per uccelli e un castagno che perdeva foglie dorate. La sommità della collina si levava alle sue spalle come la verde collina citata nell'inno, e dietro c'erano vari cieli, l'uno diverso dall'altro, azzurro per il sole, nero per il giudizio, e infine quello bianco e limpido del nord.

Premetti il campanello e udii sulle scale i passi di una persona giovane, in forma. Erano le nove e venticinque. Quando la porta si spalancò mi trovai di fronte una graziosa ragazza in jeans, piedi nudi e camicia a scacchi. Stava sorridendo, ma il sorriso si spense appena si rese conto che non ero la persona che sperava.

«Oh, mi scusi» disse impacciata. «Pensavamo che fosse il mio amico, venuto a farci una bella sorpresa. Vero Ali? Pensavamo che fosse papà.» Parlava con un accento degli antipodi ma con voce melodiosa. Nuova Zelanda, pensai. Un ragazzino mezzo asiatico, a piedi nudi, fece capolino dietro di lei.

«La signora May?» chiesi.

Tornò a sorridere. «Be', quasi.»

«Mi spiace, sono un po' in anticipo. Ho un appuntamento con Aitken.»

«Con Aitken? Qui a casa?»

«Mi chiamo Pete Bradbury. Sono un acquirente. Aitken e io facciamo molti affari insieme. Abbiamo appuntamento qui alle nove e mezzo.» Il mio tono era sempre sbrigativo ma gentile: due persone che chiacchierano sull'uscio in un'assolata mattina autunnale.

«Ma lui non fa mai venire gli acquirenti a casa» obiettò, e il suo sorriso divenne supplichevole, leggermente incredulo. «Vanno tutti in negozio. Vero, Ali? È la regola. Il papà non tratta mai affari in casa; no, tesoro?» Il ragazzino le prese una mano e vi si appese, nel tentativo di trascinarla dentro.

«Be', io sono un cliente piuttosto importante. È da un pezzo che commerciamo. So bene che di regola ci tiene, a proteggere la sua privacy, ma mi ha detto che aveva qualcosa di speciale da mostrarmi.»

Sembrò impressionata. «È lei il grosso, grossissimo acquirente? Quello che ci farà diventare ricchi sfondati?»

«Be', lo spero. E spero che lui faccia ricco me.»

Era sempre più agitata.

«Non può essersene dimenticato» disse. «Non Aitken. Ci pensa giorno e notte, all'affare che state trattando. Sarà certo qui fra poco.» Le tornò qualche dubbio. «Ma è davvero convinto di non essersi sbagliato, che l'appuntamento non fosse al negozio? È che per lui sarebbe stato facile, arrivarci direttamente dall'aeroporto. Fa orari così strani.»

«Non ci sono mai stato, al negozio. Ci siamo sempre incontrati a Londra. Non saprei nemmeno dove andarlo a cercare, il negozio.»

«Neanch'io. Ali, smettila. Voglio soltanto dire che non fa mai così, mai. È all'estero, capisce. Be', ovviamente sta per tornare. Insomma, potrebbe essere già qui.»

Lasciai che continuasse a discutere tra sé.

«Senta. D'accordo. Perché non viene dentro a bersi un tè, mentre aspetta? Aitken si arrabbierà moltissimo. Se qualcuno non si fa vivo a un appuntamento con lui, perde letteralmente le staffe. In questo non è per niente orientale. Io sono Julie, a proposito.»

La seguii in casa, mi tolsi le scarpe e le posai insieme a quelle della famiglia nella rastrelliera accanto alla porta.

Il soggiorno fungeva contemporaneamente da soggiorno, cucina e stanza dei giochi. Conteneva una vecchia casa di bambola, mobili di bambù e una libreria piacevolmente disordinata, con volumi in inglese, in turco e in arabo, messi di traverso o capovolti. C'erano anche un samovar argentato, testi coranici e sete ricamate. Riconobbi una croce copta e garofani ottomani. Un occhio magico verde e oro era appeso sopra la porta per tenere lontani gli spiriti maligni. In un armadietto a muro intagliato una dea della maternità cavalcava all'amazzone uno stallone facilmente riconoscibile in quanto tale. Sul televisore c'era una fotografia a colori di Julie e di un uomo barbuto seduti fra rose rosa. Sul teleschermo scorreva un cartone animato per bambini. Abbassò l'audio, ma quando Ali cominciò a piagnucolare lo alzò di nuovo. Preparò il tè e mise dei biscotti di pasta frolla su un piatto. Aveva gambe lunghe e vita sottile; camminava con la studiata disinvoltura di una indossatrice.

«Se lei sapesse quanto è insolito tutto questo; è così stupido, così atipico» disse. «Non sarà venuto fin da Londra soltanto... be'... soltanto per questo?»

«Non è una tragedia. Da quanto tempo è via?»

«Una settimana. In cosa è specializzato lei?»

«Prego?»

«In cosa commercia?»

«Non ho preferenze. Hamadan. Beluci. Kilim. Il meglio, quando posso permettermelo. È in affari anche lei?»

«Non proprio.» Sorrise, ma lo fece soprattutto alla finestra; continuava a tenerla d'occhio. «Io insegno alla scuola di Ali. Vero, Ali?»

Andò nella stanza accanto e il ragazzo la seguì. La sentii telefonare. Guardai con maggiore attenzione il ritratto della coppia felice. Aveva fatto bene il fotografo a farli posare seduti, perché in piedi il signor Aitken Mustafa May sarebbe stato di un'intera testa, barba inclusa, più piccolo della sua donna, nonostante i tacchi delle lucidissime scarpe con fibbia. Sorrideva orgoglioso e beato.

«Mi risponde sempre la segreteria telefonica» si lamentò la ragazza tornando indietro. «È tutta la settimana che va avanti così. In negozio ci sono un magazziniere e una segretaria. Perché non spengono l'apparecchio e non rispondono di persona? Dovrebbero essere lì a partire dalle nove.»

«Non può contattare uno di loro a casa?»

«Aitken assume sempre gente molto curiosa» protestò scuotendo il capo. «Questi li chiama la strana coppia: lei è una bibliotecaria in pensione o qualcosa del genere, lui un ex militare. Vivono in un villino nella brughiera e non parlano con nessuno tranne che con le capre. È proprio per questo che li assume. Dico sul serio.»

«E non hanno telefono?»

Si era di nuovo appostata alla finestra, i piedi nudi e divaricati. «Acqua dal pozzo» disse indignata. «Niente tubature, niente telefono, niente di niente. Ma lei è proprio sicuro che non le avesse detto al negozio? Non voglio sembrarle stupida o villana ma non è mai successo, dico mai, che facesse venire qui qualcuno per affari.»

«Dove è andato?»

«Ankara. Baku. Baghdad. Sa com'è. Ogni volta che fiuta una traccia, non c'è più niente che lo fermi.» Tamburellò sulla finestra con la punta delle dita. «È la sua anima musulmana» disse. «Tenere le donne al di fuori. Da quanto tempo lo conosce?»

«Sei anni. Forse sette.»

«Vorrei tanto che mi parlasse delle persone che incontra. Scommetto che ce ne sono di molto interessanti.»

Un taxi risalì la collina, ma proseguì senza rallentare. Era vuoto.

«Voglio dire, per cosa li paga?» protestò, sempre più esasperata. «Due zombie grandi e grossi che se ne stanno seduti ad ascoltare una segreteria. Mi spiace per lei. Aitken li ammazzerà, certo che li ammazzerà.»

«Oh no.»

«E poi questa ridicola superstizione di non dirmi mai su quale aereo viaggia» disse. «È convinto che lo farebbero saltare in aria o qualcosa del genere. È così fifone, a volte. Mi domando... ecco, sarò io a diventare come lui o lui a diventare come me?»

«Che macchina guida?»

«Una Mercedes. Blu metallizzata. Nuovissima. Due porte. Il suo orgoglio, la sua gioia. È in seguito al vostro affare che se l'è comprata» aggiunse.

«Dove la lascia quando va all'estero?»

«A volte all'aeroporto. A volte al negozio. Dipende.»

«Non è con Terry, vero?»

«Con chi?»

«Una specie di mezzo socio di Aitken e mio. Terry Altman. Un tipo divertente. Un gran chiacchierone. Da un po' di tempo sta con una bella ragazza che si chiama Sally. Sally Anderson. Ma i suoi amici, non so perché, la chiamano Emma.»

«Se sono conoscenze di lavoro, è inutile che me lo chieda.»

Mi alzai. «Senta. Deve esserci stato un pasticcio. È meglio lasciar perdere; io magari vado fino al negozio per vedere se riesco a svegliare la segretaria. Se scopro qualcosa le farò una telefonata. Non si preoccupi, l'indirizzo mi è venuto in mente. Mi basterà scendere giù per la collina e prendere un taxi.»

Ripresi le scarpe dalla rastrelliera e me le allacciai. Uscii al sole. Avevo un nodo allo stomaco e una voce che mi cantava nelle orecchie.

12

Mentre continuavo lungo la strada le colline diventavano sempre più buie, le strade più ripide e anguste, le cime rocciose nere come dopo un incendio. Passando fra pareti di pietra entrai in un villaggio di tetti di ardesia, muri fatiscenti, vecchi copertoni di automobili e sacchi di plastica. Maiali e galline mi intralciavano il cammino, e le pecore mi osservavano incuriosite; ma non si vedeva essere umano. La mia carta topografica militare giaceva aperta sul sedile accanto, insieme all'elenco degli indirizzi di Aitken May che mi aveva dato Ockie.

Finite le pareti di pietra mi trovai a sorvolare larghe valli macchiate dal sole e solcate da ruscelli. Vedevo cavalli sauri al pascolo in prati perfettamente rettangolari. Nel mio stato d'apprensione tutto questo arrivava però troppo tardi, e anziché piacere mi dava sconforto. Perché non avevo mai giocato qui da bambino, perché da ragazzo non ero mai venuto qui a camminare? Correre in quel campo, vivere in quel villino, fare l'amore sulla riva di quel ruscello. Perché non avevo mai dipinto quei colori? Tu, Emma, eri tutte queste speranze.

Mi fermai su una piazzola per consultare la carta. Comparve dal nulla un vecchio, che si avvicinò al finestrino della macchina: quel viso grinzoso mi ricordava l'inserviente del mio primo collegio.

«Dopo quella cisterna... alla Sala di culto volta a destra... continua diritto finché non ti trovi davanti un mulino... e poi sempre avanti finché non puoi più proseguire...»

Varcando colline gibbose raggiunsi una piantagione di conifere blu che diventarono prima verdi e poi a pallini. Superata una gobba vidi sul ciglio della strada Larry con quel suo cappellaccio che alzava un braccio per fermarmi, cingendo Emma con l'altro; ma erano soltanto due vagabondi con un cane. Superata una seconda gobba li vidi imprecare contro di me nello specchietto retrovisivo. Ma le mie paure erano di gran lunga peggiori di queste fantasie disegnate dall'ansia. Le componevano campanelli d'allarme per ora incompiuti. Una settimana, aveva detto Julie... Mi risponde sempre la segreteria telefonica... Tutta la settimana che va avanti così...

Apparve in lontananza una Sala di culto. Voltai a destra come mi aveva detto il vecchio e vidi il mulino in rovina, un mostro al quale avevano cavato gli occhi. La strada divenne un viottolo. Attraversato un guado mi ritrovai in un ghetto agreste pieno di cavolfiori marci, bottiglie di plastica, rifiuti abbandonati dai turisti e dagli agricoltori. Bambini dal viso duro mi osservavano dalla soglia di una baracca di latta. Attraversai un secondo ruscello, o forse lo stesso, e costeggiando la faccia di pietra di una cava scoprii una freccia dipinta di vernice luminosa arancione, sotto la quale erano scritte le parole HARDWEAR SOLO INGROSSO. Seguendo la freccia mi resi conto di essere sceso più di quanto non avessi immaginato, poiché davanti a me si apriva una seconda vallata di pendii più bassi e coperti di alberi; e sopra gli alberi verdi campi quadrati, e brughiere troncate in alto dalle nuvole. Un'altra freccia mi indicava un cancello di legno. Un cartello giallo diceva STRADA PRIVATA. Aprii il cancello con una spinta e una volta passato con la macchina lo richiusi alle mie spalle. Un altro cartello con la scritta HARDWEAR SEMPRE AVANTI (SOLO VENDITORI).

Filo spinato sui due lati del viottolo. Ciuffi di lana di pecora appesi in cima, mucche bianche che brucavano fra le rocce. Il viottolo era in salita. Percorrendolo vidi a trecento metri di distanza una serie di anonime case in pietra, alcune con finestre e altre senza, simili nel complesso a un treno merci con i carri più alti sulla sinistra, seguite da una fila di pollai e di porcili. Il viottolo portava oltre un ponte bianco, scomparendo in una grossa pozzanghera marrone prima di ricomparire davanti all'ingresso principale. Un cartello diceva SOLTANTO VISITE SU INVITO. Una freccia arancione indicava direttamente la casa.

Attraversato il ponte vidi una Mercedes blu parcheggiata davanti all'abitazione, con il cofano che guardava verso di me. Metallizzata, aveva detto Julie, ma io non ero in grado di stabilire se quel blu fosse o meno metallizzato. A due porte, aveva detto. Ma la macchina era proprio di fronte a me, e così non potevo contare le porte. Malgrado i presentimenti il mio cuore prese a battere più veloce. Aitken May è qui. È tornato. In questa casa. Con loro. Ed è qui anche Larry. È venuto nel nord nonostante gli avvertimenti... quando mai Larry ha dato retta a un avvertimento? Poi è andato a Parigi a cercare Emma.

Mi avvicinai alla casa e una cortina di nuvole bianche rotolò giù dalla collina per impedirmi di entrare, passandomi sopra la testa e proseguendo lungo il viottolo. C'erano altre due macchine, una Volkswagen Golf e una Dormobile grigia tutta malconcia, con una bandiera triangolare sull'antenna, di un rosso sbiadito, e le gomme sgonfie. La Volkswagen era parcheggiata sul lato opposto del piazzale. La Dormobile invece era abbandonata nel fienile, apparentemente eletto a suo definitivo luogo di riposo. Vidi ora che la Mercedes aveva due porte, che la vernice era effettivamente metallizzata e che i finestrini erano tutti sporchi. È con il vostro affare che se l'è comprata, aveva detto Julie. Notai l'antenna del telefono e ricordai una voce orgogliosa e non esattamente inglese: «Pronto, Sally, è Hardwear che chiama dalla macchina...».

Mentre parcheggiavo la Ford rossa, mi toccò affrontare un problema che avrei già dovuto avere risolto: portarmi dietro la cartella o lasciarla in macchina? Continuando a voltare le spalle alla casa, e usando la portiera aperta come copertura, tirai fuori la 38 e me la infilai ancora una volta nella cintura. Mi ci stavo abituando un po' troppo. Poi chiusi a chiave la cartella nel portabagagli. Passando davanti alla Mercedes blu, sfiorai il cofano con le nocche. Era gelido.

L'entrata principale della casa era protetta da un portico di pietra nera grezza, a prova di uragano. La porta era dipinta di verde. Il campanello, collegato a un citofono, era affiancato da una consunta targa di acciaio con dei numeri. O suonavi il campanello o digitavi la combinazione. C'era anche uno spioncino e, ai due lati, strisce di vetro colorato, ma dal vetro non filtrava nessuna luce; probabilmente lo avevano coperto con delle assi dall'interno. Un biglietto da visita sgualcito recitava: "Aitken Mustafa May, BADA, tappeti orientali, oggetti artistici, Chmn, The Hardwear Company, GmbH." Premetti il campanello e lo udii echeggiare in casa: uno di quei sonagli che dovrebbe placare gli animi, ma che in realtà li spingono al limite. Suonai una seconda volta, gli occhi fissi sulla Volkswagen. Era nuova di quest'anno. Targa locale, come la Mercedes. Blu come la Mercedes. E i finestrini, come quelli della Mercedes, imbrattati. Ogni volta che la nave di Aitken tornava in porto, riflettei, si compravano tutti una macchina nuova. «È lei il grosso, grossissimo acquirente? Quello che ci farà diventare ricchi sfondati?» No, quello in realtà è il mio amico: l'uomo con trentasette milioni di sterline rubate da spendere in tappeti del Caucaso.

Premetti il campanello tre volte. Poi, per non ascoltare altri sonagli, camminai lungo tutta la facciata alla ricerca di una seconda porta, ma non ce n'erano; le finestre davano su un corridoio di mattoni dipinti di bianco. E quando tamburellai sul vetro, non venne a darmi il benvenuto nessun viso amico e sorridente, nemmeno quello di Larry.

Mi spostai sul retro, facendomi strada fra i resti di una vecchia segheria: seghe circolari arrugginite, ingombranti motori con le cinghie sfilacciate, una pila di ceppi rimasti dove erano caduti anni prima, una scure arrugginita, mucchi di segatura sopra i quali erano cresciute erbacce e licheni, il tutto abbandonato come in seguito a un ordine improvviso. Mi domandai cosa ci fosse in questo luogo, e perché un segantino e i suoi uomini avessero smesso di segare e fossero fuggiti, chissà quanti anni fa, lasciando ogni cosa esattamente com'era adesso; e perché Aitken Mustafa May, il magazziniere e la segretaria avessero rinunciato alle loro belle macchine nuove per seguirne l'esempio.

Poi vidi il sangue, o forse lo avevo già visto ma continuavo a trovare altro a cui pensare: una macchia di sangue unisex, di Emma o forse di Larry, un'unica isola finemente traforata, lunga una trentina di centimetri e larga quindici, coagulatasi sopra la segatura; ma così densa, così decisa, che quando mi chinai a guardare mi parve in un primo tempo qualcosa di solido, ed ebbi quasi la tentazione di raccoglierla; finché non vidi la mia mano ritrarsi e immaginai il pallido viso di Emma che, ormai morta, mi guardava da sotto la segatura. Scavai, e la segatura risultò normalissima segatura fino al pavimento.

Non c'erano scie macabre, né gocce o macchie eloquenti che potessero guidare il sagace investigatore all'indizio successivo. C'era soltanto quella chiazza di sangue sul mucchio di segatura, e la segatura era a cinque passi dalla porta sul retro. Fra la segatura e la porta distinsi una quantità di orme che si muovevano indaffarate in entrambe le direzioni; non erano unisex, queste, ma chiaramente maschili: scarpette da corsa o scarpe normali con la suola piatta, senza caratteristiche particolari. Erano comunque assolutamente maschili, ed erano andate avanti e indietro un bel po' di volte; quell'energia maschile, quella fretta, era stata sufficiente a formare un fiume oleoso di fango ribollente che sfociava in quell'isola di sangue, in apparenza così decisa a non confondersi con la segatura su cui si era posata.

Ma forse il fiume non finiva lì. Oltre il mucchio di segatura, infatti, vedevo ora le tracce di due ruote che procedevano in coppia. Erano troppo strette per essere ruote d'automobile; forse di motocicletta, solo che c'era una sola traccia per parte e quindi... (la mia mente aveva ormai deciso di lavorare con calma, poiché volevo anzitutto scoprire la provenienza di quella pozza di sangue)... e quindi si trattava probabilmente di una qualche macchina agricola.

Un rimorchio? Uno di quei veicoli che trainano una barca a vela su strade piene di traffico, rallentando la circolazione nel Somerset il giorno di Ferragosto? Un affusto di cannone? Un carro funebre? Che tipo di rimorchio? Dove poi fosse andato era impossibile indovinarlo, perché dopo pochi metri le tracce si inerpicavano lungo una stradina di cemento per poi sparire del tutto. Una stradina che sembrava non condurre a niente, perché un'altra nuvola bianca stava già rotolando giù dalla collina.

La porta era chiusa a chiave, cosa che sulle prime mi scoraggiò e poi mi fece arrabbiare, benché sapessi perfettamente che fra tutte le emozioni inutili a cui abbandonarmi (dolore, disperazione, frustrazione, terrore) la rabbia era la più inutile, la più infantile. Mi ero già avviato verso le auto con l'intento di esaminarle metodicamente quando la rabbia mi bloccò, convincendomi ad aggredire la porta chiusa. La tempestai di pugni. Gridai: «Aprite, maledizione!». Gridai: «Larry! Emma!». Mi ci gettai contro più volte ma con poche conseguenze sia sulla porta sia, cosa ancora più sorprendente, sulla mia spalla. L'immunità tipica di chi agisce in maniera avventata. Gridai: «May! Aitken May! Larry, Cristo! Emma!». Mi venne in mente la scure arrugginita accanto alla pila dei ceppi. Una spia più esperta avrebbe fatto saltare la serratura con la 38; ma io non mi sentivo un esperto e, agitato com'ero, non pensai nemmeno di verificare se la porta fosse davvero chiusa a chiave. Mi limitai a colpire come avevo colpito Larry, questa volta con una scure.

Il primo colpo produsse una discreta crepa, facendo fuggire fra le nuvole una squadriglia di cornacchie indignate: ne rimasi sorpreso poiché gli alberi intorno alla casa erano radi e quasi tutti morti, fatta eccezione per un filare di orribili esemplari bruciati dal vento che parevano cresciuti e morti contemporaneamente. Il secondo colpo mancò di una frazione di centimetro la porta, e anche la mia gamba sinistra. Facendo roteare la scure colpii ancora. Un quarto tentativo e la porta si spaccò come se fosse stata di carta. Gettai dentro la scure e la seguii urlando: «Venite fuori!», «State indietro!», «Bastardi!», in un'altra furiosa emissione di aria e di tensione. Ma forse era soltanto un modo per farmi coraggio perché, quando abbassai lo sguardo, vidi i miei piedi in mezzo a un lago di sangue, di forma molto simile al primo ma più grande. Ed ecco cosa scelsero di vedere prima di ogni altra cosa i miei occhi, nella cucina col soffitto a travi di quella casa colonica: le terraglie fracassate, le pentole e i coltelli scaraventati sul pavimento di pietra, le sedie sfasciate, il tavolo rovesciato e l'albero; i contorni inconfondibili di un albero disegnato, o meglio dipinto, sui mattoni verniciati di bianco che sovrastavano il fornello ormai distrutto. Un castagno forse, o un cedro, di certo un albero frondoso. E su quell'albero il sangue sembrava gocciolare ancora, per quanto ormai secco, in forma di coni o di punte. La Foresta stava a guardare.

Il Ku Klux Klan osseto, aveva detto Simon Dugdale. Una banda clandestina foraggiata dal Kgb...

Mi decisi a esaminare tutto ciò soltanto dopo avere visto il sangue ai miei piedi. E dopo avere esaminato a sufficienza per trarre le necessarie conclusioni, estrassi la pistola dalla cintura (più per difendermi dai morti che dai vivi, mi sa) e imboccato il corridoio lo percorsi con aria disinvolta, tenendo l'avambraccio sinistro in alto, a proteggere la faccia, e gridando: «Aitken Mustafa May. Vieni fuori! Dove sei?». Infatti, pur sapendo benissimo che i nomi che avrei dovuto gridare erano quelli di Larry e di Emma, avevo paura di trovarli e proprio per questo tenevo la mano sinistra alzata, per ripararmi dalla visione che più mi avrebbe terrorizzato.

Portavo solide scarpe marrone da campagna, acquistate da Ducker a Oxford; fatte a mano, avevano suole di gomma ma non erano molto flessibili. Voltandomi indietro vidi sul parquet impolverato una scia di orme marrone appiccicose; mi resi conto che, per quanto la provenienza del sangue fosse ancora da chiarire, quelle orme erano senza dubbio le mie. Oltrepassai una porta chiusa e poi un'altra, gridando: «Salve, salve, c'è qualcuno?». E subito dopo, con voce tonante e perentoria: «May! Aitken May!». Il silenzio che seguì a questi sfoghi era più sinistro di qualsiasi risposta; lo interpretai, credo, come il silenzio della Foresta.

Passai davanti a un'altra finestra e quando vidi le mucche bianche al pascolo, la palude e il ponte, fui contento di avere ritrovato la natura. Passai davanti a una terza porta, chiusa anche questa, ma proseguii, deciso a iniziare la ricognizione dall'ingresso principale e non, a colpi di scure, dalla porta sul retro. Senza contare che sono destrimano: dovendo comportarmi come un assaltatore di mezza età preferivo attaccare porte che fossero alla mia sinistra, tenendo nella destra la pistola. Forse non si farà così alla scuola di addestramento o nei film, ma alla mia età veniva naturale, e col cavolo che avrei impugnato la pistola con entrambe le mani.

L'età in quel momento mi preoccupava, proprio come quando andavo a letto con Emma: sono all'altezza? Sono troppo vecchio rispetto alle mie passioni? Non farebbe meglio uno più giovane? Intanto ero arrivato nell'atrio. Calmati, Cranmer. Cammina, non correre.

«C'è nessuno?» chiamai, in tono più conciliante. «Sono Cranmer. Tim Cranmer. Sono un amico di Sally e di Terry.»

Seggiole morbide. Un tavolino da caffè. Una pila di riviste sgualcite dedicate ai tappeti pregiati e agli oggetti di antiquariato. Un banco con centralino telefonico e segreteria: quella che continuava a rispondere. Un ombrello da donna aperto, rimasto ad asciugare nel portaombrelli benché ormai asciutto. Pioveva, quel giorno? Quale giorno? Ricordai le orme nel fango, davanti alla porta sul retro.

Sulla parete, ricami orientali e un manifesto di caccia a reazione che sfrecciavano a bassa quota nel deserto. Sul tavolo, tre tazze da tè usate e un portacenere a forma di gomma d'automobile, traboccante di mozziconi di sigarette senza filtro. I fondi del tè nerissimi, senza latte né zucchero. Tè russo? Sarebbe stato dolcificato. Tè asiatico? Sarebbe stato più leggero. Tè che forse arrivava dalla grande barriera fra i due continenti. E sigarette russe, come quelle di Larry.

Accingendomi ad affrontare la prima porta, mi fermai per cogliere un eventuale rumore di passi, di un'auto che si stesse avvicinando o di un postino che avrebbe bussato alla porta principale con un allegro "C'è nessuno in casa?". La campagna, lo sapevo bene, non è mai silenziosa, ma non udivo nulla che accrescesse la mia agitazione. Girando la maniglia con decisione, spinsi con tutta la forza e la rapidità di cui ero capace. Poi mi precipitai all'interno nella vana speranza di sorprendere quelli che vi si trovavano, sempre che non fossero già morti.

Ma la sorpresa era già avvenuta; la stanza era stata sistematicamente devastata. Avevano rovesciato e calpestato i cassetti della scrivania. Fracassato sino a renderli irriconoscibili fax e fotocopiatrici. Squarciato la sedia con tale ferocia da farne penzolare le viscere, liberate da quel che le copriva. Gettati sul pavimento e colpiti con ferocia gli schedari. Lacerato a coltellate le tendine. Perfino il sesso della persona che aveva occupato quella stanza rimase un mistero, finché le mie ricerche non rivelarono a poco a poco che si trattava di una donna: un frammento di borsa a tracolla di finta pelle, che non corrispondeva per niente ai gusti di Emma; un fazzoletto di carta spiegazzato, con tracce di un rossetto a buon mercato che Emma non avrebbe mai usato; il rossetto schiacciato; cipria, sparsa come ceneri umane; un borsellino da donna con monete per il parchimetro; la chiave di una Volkswagen con chiusura a telecomando, anche quella sfasciata.

E un paio di scarpe. Non stivali di pelle scamosciata incrostati di fango, e neanche stivaletti neri con le stringhe, di quelli che piacevano a Emma; normali scarpe marrone da donna col tacco alto, invece, abbastanza lucide e quasi nuove, di cui sbarazzarsi con un calcio quando, dovendo sgobbare tutto il giorno alla scrivania, si trattava di far prendere un po' di aria decente a un paio di poveri piedi. Quaranta. Emma portava il trentasette.

Un tempo le porte che collegavano la segretaria di Aitken Mustafa May al padrone erano due. Distavano poco più di venti centimetri l'una dall'altra, ed erano rivestite di plastica verde trapuntata con bottoni. Ma quel tanto di privacy che May aveva forse sperato di assicurarsi era stata violentemente disturbata quando la prima porta era stata fatta a pezzi, e la seconda scaraventata sulla sua scrivania, suscitando immagini di una qualche tortura medievale nella quale la vittima, stesa su una superficie e con un'asse sopra il corpo, moriva letteralmente schiacciata dal peso dei suoi misfatti. In questo caso da cumuli di riviste per aspiranti pirati, mercenari e cacciatori; da cataloghi, inventari e listini prezzi spediti da potenziali fornitori di armi; da lucide fotografie di carri armati, pezzi di artiglieria, mitragliatrici pesanti, lanciarazzi, elicotteri da combattimento e torpediniere.

Avanzando cauto in quel caos, rimasi colpito dalla determinazione degli intrusi. Sembrava che avessero sistematicamente cercato e distrutto ogni segno di idolatria; e anche alcuni che, per quanto ne sapessi, non lo erano affatto, come il lavabo dell'adiacente stanza da bagno, gli scaffali di vetro gettati nella vasca e le tendine ficcate nella tazza del gabinetto.

Ma le profanazioni più marcate erano state inflitte alle cose che Aitken Mustafa May aveva più care: le foto dei figli, che sembravano numerosi e nati da donne diverse, il fermacarte Mercedes, proprietà di un nuovo e orgoglioso acquirente, le statuette di bronzo e i vasi antichi di ceramica; o la giacca del nuovissimo vestito leggero blu scuro marca Aquascutum, di cui restavano frammenti appesi allo schienale della sedia; il Corano miniato, dissacrato da pressioni così forti da sfondare il tavolo su cui era posato; il ritratto di Julie, probabilmente ad opera dello stesso fotografo che li aveva fatti posare insieme su quel tronco assolato; qui però era in costume da bagno sul ponte di quello che probabilmente era un cabinato in navigazione sul mare dei Caraibi, e si chinava sorridendo verso l'obiettivo. E i trofei discreti dell'altra sua vita, come il bossolo di ottone trasformato in vaso da fiori e l'autoblindo placcato d'argento, con dedica autografa di un grato ma anonimo acquirente: appiattiti entrambi.

Tornai in corridoio. La porta della cucina era ancora aperta, ma la superai senza degnarla di un'occhiata. Tenevo lo sguardo fisso davanti a me dove un'altra porta, stavolta di acciaio, mi bloccava il cammino. Dal buco della serratura pendeva un mazzo di chiavi e, mentre stavo per girare quella che vi era già infilata, notai anche quelle della Mercedes di Aitken May. Mi ficcai in tasca tutto il mazzo e superai la soglia di acciaio; la luce del giorno che entrava dalla porta aperta alle mie spalle illuminava un corridoio rivestito di mattoni, con sacchetti di sabbia che proteggevano le finestre sprangate. Pensando all'aspetto esterno della casa, capii che mi trovavo nel secondo vagone del treno merci. Proprio mentre stavo facendo questa scoperta divenni cieco.

Sforzandomi di ragionare dedussi che la porta di acciaio doveva essersi chiusa, o automaticamente o perché qualcuno l'aveva spinta, e che quindi avrei fatto bene a cercare un interruttore, pur dubitando che un qualsiasi impianto elettrico fosse riuscito a sopravvivere a tanta distruzione. Ricordandomi della segreteria telefonica, mi feci animo. E il mio ottimismo fu premiato quando, seguendo il muro a tastoni, scoprii con gioia un filo elettrico esterno. Mi infilai di nuovo la pistola nella cintura (a cosa avrei potuto sparare in quel buio pesto?), seguii il filo con la punta delle dita e vidi all'improvviso, in uno stupendo technicolor, un massiccio interruttore verde a meno di quindici centimetri dai miei occhi.

Ero in un poligono di tiro coperto. Correva per la lunghezza di tutto il complesso, una trentina di metri circa. In fondo, sotto una lampada nuda, erano allineati bersagli in grandezza naturale di ispirazione spudoratamente razzista: negroidi sogghignanti o orchi asiatici che si stringevano il mitra al petto, con un ginocchio sollevato come se stessero scavalcando una persona appena infilzata con la baionetta; portavano tute mimetiche verdi e ocra ed elmetti di acciaio messi con arroganza di traverso, ad attestare mancanza di disciplina. Ero nel punto da dove si sparava. C'erano sacchetti di sabbia sui quali salire o dietro i quali inginocchiarsi, forcelle metalliche per appoggiare il fucile, telescopi per chi voleva studiare bene i bersagli e poltrone per chi non ne aveva voglia.

E pochi metri più in là, trascinato al centro del poligono in modo da costituire un ostacolo per chiunque fosse venuto lì con intenzioni serie, ecco il banco di lavoro di un armaiolo, tutto sporco di sangue. Sangue anche ai piedi del banco e sul pavimento. Era un odore che avevo già notato, ma che avevo attribuito all'olio per i fucili e a vecchi fumi di cordite. E invece no. Era sangue. Sangue da mattatoio. La mattanza era avvenuta in questo tunnel, in questo bunker insonorizzato e dedicato a svaghi redditizi quanto devastanti. Qui erano state trascinate le vittime, una senza scarpe, un'altra senza giacca e una terza (come temevo, avendo visto una tuta marrone di cotone appesa a un chiodo sopra una fila di utensili) senza la tuta da magazziniere. Qui, nell'isolamento di questo silenzio artificiale, erano state comodamente trucidate, prima che uomini con scarpe normali o da corsa le scaricassero, oltre la cucina e la pila di spazzatura, su quell'imprecisato veicolo a due ruote che le stava aspettando.

Oh, lungo il cammino qualcuno si era fermato a dipingere un albero. Albero uguale Foresta. Albero uguale sangue.

Avevo in tasca le chiavi della Mercedes e quelle della Volkswagen. Mi sentivo le gambe di piombo, e la testa piena di immagini di cadaveri morti sette giorni prima e poi infilati nel baule di una macchina. Eppure stavo correndo: o facevo in fretta o tanto valeva che lasciassi perdere. La Mercedes era chiusa; quando infilai la chiave nella serratura dalla parte del passeggero si levò un ululato, le mucche bianche alzarono la testa nella mia direzione mentre nel campo lì accanto una pecora dal muso nero continuò a belare, anche quando avevo ormai disinserito da un pezzo l'antifurto. L'interno della macchina odorava di nuovo. Un paio di guanti di cinghiale erano posati accanto all'amato cellulare. Dallo specchietto del guidatore penzolava uno scacciapensieri; una copia intonsa di "The Economist", risalente a otto giorni prima, giaceva sul sedile del passeggero.

Nessun cadavere.

Respirai a fondo e aprii il baule della Mercedes. Si sollevò con uno scatto, e io lo alzai del tutto. Una borsa da viaggio. Una valigetta di pelle nera, sottile come un portadocumenti. Chiusa a chiave. Da esaminare in seguito. Pensai di trasferire borsa e valigetta nella Ford rossa, ma dopo averci riflettuto decisi di lasciarle dov'erano. Passai alla Volkswagen e con un fazzoletto tolsi il fango dal finestrino. Guardai all'interno. Nessun cadavere. Aprii il baule e sollevai il coperchio. Una fune da traino nuova, una lattina di antigelo, un flacone di detersivo per il parabrezza, una pompa a pedale, un estintore, alcune stuoie, una radio estraibile. Nessun cadavere. Mi stavo avviando verso la Dormobile grigia tutta scassata quando mi fermai di botto, vedendo per la prima volta una cosa finora rimasta nascosta dietro quell'automobile: un vecchio calessino con un'asta per le briglie e ruote di gomma, mezzo sepolto sotto il fieno. E a zigzag su per la collina, le tracce inconfondibili di queste ruote nell'erba incolta. Tracce che terminavano davanti a una casupola in pietra col tetto di ardesia e un albero morto accanto, appollaiata sul pendio proprio sotto una nuvola che si stava allontanando. Vidi il calessino da una distanza di circa quattro metri e mezzo, e una volta raggiuntolo cominciai a spostare il fieno. Carrozzeria e imbottitura erano macchiate di sangue. Andai dietro la Dormobile e, afferrata la maniglia, la contorsi come per romperla. Forse ci riuscii. Cedette all'improvviso. Spalancai subito le portiere ma non vi trovai che sacchi, escrementi di topi e una pila di vecchie riviste porno.

Cominciai a risalire la collina, un po' di corsa e un po' camminando. L'erba, cresciuta a ciuffi, mi arrivava alle ginocchia come a Priddy; dopo tre passi avevo già i calzoni inzuppati. Accanto a me scorreva un muro di pietra. Alberi isolati e spogli che i fulmini avevano privato delle cortecce, e sole e pioggia colorata d'argento, protendevano verso di me dita sottili. Inciampai due volte. Un recinto di filo spinato, che circondava la baracca, si interrompeva dove erano passate le ruote del calesse. La baracca era rettangolare, alta non più di tre metri e mezzo, ma a un certo punto ci avevano aggiunto un'altra rozza costruzione della quale sopravviveva soltanto lo scheletro in legno. La nube era svanita. Da entrambi i lati della valle picchi scuri mi guardavano torvi, e le felci sui pendii erano mosse dal vento.

Stavo cercando una porta o una finestra, ma facendo un primo giro attorno alla casa non trovai nulla. Guardai di nuovo le tracce e vidi che si erano fermate sul lato della casupola che seguiva il pendio, a poca distanza da un punto del muro dove doveva esserci stata una porta; erano ancora riconoscibili l'architrave di pietra e il telaio di legno, anche se l'apertura era stata frettolosamente murata con pietre e calce. Vidi anche un andirivieni di orme tra la porta e le tracce lasciate dalle ruote: le stesse orme maschili che avevo visto davanti alla porta della cucina. Non vidi sangue. Infilando nella calce una moneta che avevo tirato fuori di tasca, scoprii che era più molle attorno alla porta che non sul resto del muro.

A questo punto ebbi una seconda intuizione: non soltanto gli intrusi erano dei dissacratori, degli accoltellatori, ma anche gente che veniva da terre selvagge, abituata a una spartana vita all'aperto. Questo mi dicevo, mentre pungolavo con mano inesperta la calce usando un pezzo di ferro vecchio. Insistetti finché non riuscii a fare leva e a guardare dentro. Ma subito scostai il viso; mi veniva da vomitare, per il fetore che si levava verso di me: grazie a quell'unico raggio di luce, avevo visto tre cadaveri con le mani legate sopra la testa e la bocca spalancata in un unico coro muto. Ma tale è il nostro egoismo nei momenti di crisi che, nonostante la nausea, riuscii ugualmente a emettere un silenzioso Alleluia di sollievo poiché né Emma né Larry facevano parte di quel gruppetto.

Dopo avere rimesso a posto alla bell'e meglio le pietre scesi lentamente la collina, con i calzoni inzuppati che mi sfregavano le gambe. In presenza della morte ci aggrappiamo con tenacia alle cose più banali; fu senza dubbio per questo che tornai nella sala d'aspetto, estraendo automaticamente dalla segreteria la cassetta su cui si erano registrati i messaggi e mettendomela in tasca. Da lì passai di stanza in stanza facendo a ritroso il percorso di prima, e domandandomi cos'altro avrei dovuto prendere con me, e se valesse la pena perdere tempo per cercare di cancellare ogni traccia della mia presenza. Avevo lasciato impronte digitali dappertutto, e anche le orme dei miei piedi. Diedi un'altra lunga occhiata all'ufficio di May. Toccai quello che era rimasto della giacca, e frugai fra i resti della scrivania. Niente portafoglio. Niente soldi. Niente carta di credito. Mi ricordai allora della valigetta nera.

Tornai lentamente alla Mercedes e cominciai ad esaminare il mazzo delle chiavi di May, soffermandomi su una in particolare che somigliava a un minuscolo apriscatole cromato. Aprii così la valigetta nella quale trovai un fascicolo di carte, una calcolatrice tascabile, una penna stilografica tedesca, una matita con la mina rientrante, un massiccio passaporto britannico a nome di May, qualche traveller's cheque, dollari statunitensi e una busta per biglietti aerei. Un passaporto simile a quello di Bairstow: rilegatura blu, novantaquattro pagine, visti esotici, sovrabbondanza di timbri di entrata e di uscita, validità dieci anni, altezza 1 metro e 70, nato ad Ankara 1950, rilasciato il 10 novembre 1985, scadenza 10 novembre 1995. La faccia fresca della fotografia del titolare, a pagina tre, aveva ben poco in comune con quel signore di mezza età seduto a cavalcioni su un tronco accanto all'amata. E niente a che vedere con il cadavere legato e mutilato nella baracca. I biglietti aerei erano per Bucarest, Istanbul, Tbilisi, Londra e Manchester; la ragazza quindi aveva sbagliato, parlando di Ankara e Baku. Soltanto il volo per Bucarest era stato prenotato, ma l'aveva già perso. Il resto del viaggio, compresa la frazione del ritorno a casa, era aperto.

Rimisi tutto nella valigetta, presi i bagagli dalla Ford rossa, richiusi la 38 nella cartella e caricai ogni cosa nel baule della Mercedes. Dovevo scegliere fra due macchine che scottavano: la Ford, che insieme con la persona di Colin Bairstow era forse nell'elenco dei ricercati diramato a ogni poliziotto; e la Mercedes blu che, dal momento in cui fossero stati scoperti i cadaveri, sarebbe stata la macchina più scottante di tutto il paese; ma non fino a quel momento. E alla fin fine, visto che erano già passati sette giorni, perché non un ottavo? Per quanto se ne sapesse Aitken May era all'estero. Si faceva spedire la corrispondenza a una casella postale di Macclesfield. Nessun postino aveva mai occasione di venirci, qui. Quanto tempo ci sarebbe voluto prima che qualcuno notasse la scomparsa della strana coppia dal villino isolato nella brughiera?

Parcheggiata la Ford fra la Dormobile e il calessino, in modo che non fosse più visibile, tirai giù una balla di fieno e la sparpagliai sul tetto e sul cofano. Riattraversai il ponte bianco al volante della Mercedes, sapendo che ogni ora di ritardo poteva essere l'ultima.

Emma mi stava di nuovo parlando. Con insistenza. Non l'avevo mai sentita esprimersi con voce così tesa e autoritaria.

«Hardwear» diceva il primo messaggio. «Parla Sally. Dove sei? Siamo preoccupati per te. Chiamami.»

«Aitken. Sono di nuovo io. Sally» diceva il secondo. «Ho un messaggio importante per te. Ci sono problemi in vista. Chiamami, per favore.»

«Hardwear, è ancora Prometeo» diceva il terzo. «Ascolta, Terry non può venire. La situazione è cambiata. Ti prego, non appena senti questo messaggio, ovunque tu sia molla tutto e telefona. Se sei lontano da dove lavori, resta dove sei. Se hai famiglia, portala in vacanza. Hardwear, chiamami. Ti do il numero, casomai lo avessi perso. Ciao. Sally.»

Spensi la cassetta.

Ero in uno stato di panico pronto a esplodere. Sarebbe bastato che mi lasciassi sprofondare sotto il sottile strato di ghiaccio della mia calma, e sarei stato spacciato. Ogni possibile dubbio sull'impresa nella quale mi ero imbarcato era ormai caduto. Larry e Emma correvano un rischio tremendo. Se poi Larry era morto, Emma era doppiamente in pericolo. Il fuoco che avevo acceso in lui una mezza vita fa, alimentandolo finché ci era stato utile, era ormai incontrollabile, e per quanto ne sapevo quelle fiamme stavano lambendo i piedi di Emma. Aprire il mio cuore a Pew e a Merriman sarebbe semplicemente servito ad aumentare il mio senso di colpa; di risultati non ne avrei ottenuti: «Sono peggio che ladri, Marjorie. Sono sognatori. Si sono arruolati per una guerra di cui nessuno ha mai sentito parlare».

Avevo due passaporti, quello di Bairstow e quello di May. Avevo i bagagli di May e quelli di Bairstow, ed ero alla guida della macchina di May. Mi misi al lavoro riflettendo sulle combinazioni che questi due documenti mi offrivano. Il passaporto di Bairstow poteva rivelarsi pericoloso ma solo nel Regno Unito; era impensabile che il Servizio, attanagliato dalla paura congenita di venire smascherato, corresse il rischio di trasmettere il nome di Bairstow all'Interpol. Il passaporto di May era in migliori condizioni di salute del suo titolare, ma apparteneva pur sempre a May, e i nostri lineamenti erano di una diversità ridicola.

Potendo, mi sarebbe piaciuto sostituire la terza pagina del passaporto di May (che conteneva la fotografia ma non i dati personali) con la terza pagina di quello di Bairstow, dando così al primo la mia faccia. Ma un passaporto britannico si presta male a simili adattamenti e i modelli d'epoca, come quelli di May e di Bairstow, sono i peggiori. Non c'è una pagina che sia staccata dalle altre. Sono fogli a fisarmonica, cuciti alla copertina con un unico filo. L'inchiostro tipografico è diluito in acqua, e se si comincia a manometterlo si scioglie. Le filigrane e le gradazioni di colore sono straordinariamente complesse, come non si stancavano mai di ripeterci con tutto il loro risentimento gli istruttori in camice bianco della sezione contraffazioni del Servizio: «Se il passaporto è britannico, signori, è molto meglio adattare il vostro uomo al documento che il documento al vostro uomo». Così recitavano, con una cattiveria più appropriata a un sergente dell'esercito che si rivolga a un allievo ufficiale.

Ma come adattarmi al passaporto di May, che gli attribuiva una statura di 1 metro e 70 (probabilmente coi tacchi) mentre la mia era di 1 metro e 83? Barba nera, carnagione un po' più scura, capelli neri: tutte cose che immaginavo più o meno alla portata delle mie limitate capacità. Ma come diavolo avrei fatto a ridurmi di tredici centimetri in statura?

La risposta la trovai con gioia nel sedile del guidatore della Mercedes: premendo un pulsante all'interno della portiera, mi trasformava in un nano. Fu questa scoperta che, un'ora dopo Nottingham, mi convinse ad accostarmi a un caffè sul ciglio della strada; staccai le etichette per i bagagli che l'agenzia di viaggio aveva accluso al blocchetto dei biglietti di May e le sostituii a quelle di Bairstow sui miei bagagli; dopo di che prenotai a nome May, per la Mercedes e per me, una traversata in traghetto da Harwich a Hoek van Holland, partenza quella sera stessa alle nove e mezzo; fatto questo, consultai le pagine gialle per cercare il costumista e fornitore teatrale più vicino; nulla di strano che ce ne fosse uno a Cambridge, e cioè a meno di ottanta chilometri.

A Cambridge mi comprai anche un vestito leggero blu e una di quelle vistose cravatte che May sembrava prediligere, nonché un feltro scuro, un paio di occhiali da sole e (visto che mi trovavo a Cambridge) una copia di seconda mano del Corano che posai, insieme col cappello e gli occhiali, sul sedile del passeggero, sopra la valigetta; era la posizione più adatta ad attirare l'occhio di un doganiere zelante, che si fosse sporto all'interno dell'abitacolo per confrontarmi col mio passaporto.

Mi trovavo adesso di fronte a un dilemma per me nuovo e che, in circostanze più piacevoli, avrei ritenuto divertente: dove si può mettere un'onesta spia di sesso maschile che voglia passare quattro ore ad alterare il proprio aspetto, se per definizione dovrà entrare in quel posto come una persona e uscirne come un'altra? La regola aurea del travestimento è di limitarlo il più possibile. Ma non c'era nulla da fare, avrei dovuto frizionarmi i capelli con una tintura scura e attenuare la tonalità della mia carnagione da campagnolo inglese, senza dimenticare le mani; spalmarmi mastice sul mento e munirmi, filo per filo, di una barba nera brizzolata che avrei poi amorevolmente spuntato secondo i gusti pacchiani di Aitken May.

La soluzione, dopo una ricognizione nei dintorni di

Harwich, fu un motel a un piano con camere che davano direttamente sui posti macchina numerati, e con un impiegato antipatico che pretese il pagamento anticipato.

«È qui da tanto?» gli domandai in tono amichevole, mentre contavo le mie trenta sterline.

«Da troppo.»

Avevo in mano un'altra banconota da cinque. «La rivedrò stasera? Devo prendere il traghetto.»

«Io smonto alle sei.»

«Be', prenda queste» aggiunsi in vena di generosità: e per cinque sterline stabilii che non sarebbe venuto a vedermi, quando me ne sarei andato nei miei nuovi panni.

Il mio ultimo atto prima di lasciare l'Inghilterra fu di far lavare e lucidare la Mercedes. Quando devi trattare con dei burocrati, insegnavo un tempo ai miei agenti, se non puoi essere umile sii almeno pulito.

I posti di frontiera mi hanno sempre innervosito, in particolare quelli del mio paese. Pur considerandomi un patriota, ogni volta che lascio la terra natia mi sento come liberato da un peso, e quando ci torno ho la sensazione di riprendere a scontare un ergastolo. Forse per questo motivo, mi veniva naturale recitare la parte del passeggero in partenza, e infatti mi misi di buon animo in coda con le altre macchine, avanzando allegramente verso il controllo passaporti, presidiato, se così si può dire, non da un drappello di funzionari armati di una mia descrizione, ma da un giovane con berretto a punta e capelli biondi lunghi fino alle spalle. Gli mostrai il passaporto di May. Lo ignorò.

«Biglietti, amico».

«Oh, mi scusi. Ecco.»

Ma era già un miracolo che riuscissi a parlare, perché proprio in quel momento mi ero ricordato della 38. Era nascosta insieme con sessanta proiettili a poco più di un metro da me, davanti al sedile del passeggero, nella cartella rigonfia di Bairstow, ormai di proprietà del mercante d'armi Aitken Mustafa May.

Sul ponte soffiava un impetuoso vento notturno. Alcuni coraggiosi si erano raccolti fra le panchine. Avanzai barcollando verso prua e sporgendomi dal parapetto nella posa classica del passeggero col mal di mare, lasciai cadere nell'oscurità prima la pistola e poi le munizioni. Non udii nessun tonfo ma avrei giurato di essermi sentito passare davanti, sospinti dal vento marino, gli odori dell'erba di Priddy.

Tornato in cabina dormii così sodo che dovetti poi vestirmi in fretta per arrivare in tempo alla Mercedes, consegnandola a un parcheggio a più piani sui dock. Comprai una carta telefonica, e feci il numero da una cabina pubblica.

«Julie? Sono Pete Bradbury, quello di ieri» dissi, ma non potei aggiungere altro perché lei mi interruppe.

«Aveva promesso di chiamarmi, mi pare» esplose isterica la sua voce. «Non è ancora tornato, riesco a parlare soltanto con la segreteria telefonica, e se non sarà a casa stasera domattina carico Ali in macchina e corro là...»

«Non lo faccia» dissi.

Una brutta pausa.

«Perché no?»

«C'è qualcuno con lei? A parte Ali? C'è qualcuno con lei in casa?»

«Cosa diavolo gliene importa?»

«Ha una vicina da cui andare? Ha un'amica che possa venire da lei?»

«Mi dica cosa sta cercando di dirmi, Cristo!»

Allora glielo dissi. Avevo esaurito astuzie del mestiere e supporti tattici. «Hanno assassinato Aitken. Tutti e tre. Aitken, la segretaria e il magazziniere. Sono nella casupola di pietra sulla collina sopra l'ufficio. Aitken trafficava in armi, oltre che in tappeti. Si sono trovati fra due fuochi. Mi dispiace molto.»

Non sapevo se mi stesse ancora ascoltando. Udii un grido, ma così acuto che forse a lanciarlo era stato il ragazzino. Mi parve anche di sentire una porta aprirsi e chiudersi, e poi qualcosa che si schiantava. Continuavo a dire: «È sempre lì?», ma senza ottenere risposta. Mi si presentò l'immagine del ricevitore che penzolava dal filo, e di me che parlavo a una stanza vuota. Così dopo un po' riattaccai e la sera stessa, dopo essermi tolta la barba e avere restituito ai capelli e alla pelle qualcosa di simile al loro colore originario, presi il treno per Parigi.

«Dee è una santa» dice dalla finestra di camera mia.

«Dee mi ha accolta quando ero depressa e fuori di testa» dice mentre passeggiamo insieme sulle Quantock, e intanto mi sta aggrappata a un braccio.

«Dee mi ha rimessa insieme» ricorda assonnata tenendo la faccia appoggiata sulla mia spalla, distesa insieme a me davanti al caminetto di camera sua. «Senza Dee non ce l'avrei mai fatta a venirne fuori. Per me è stata madre, padre, amica, tutto quanto.»

«Dee mi ha restituita alla vita» dice durante una delle nostre discussioni su come aiutare Larry. «Mi ha insegnato a fare musica, a fare l'amore, a dire di no... Senza Dee sarei morta...»

Ma alla fine il mio orgoglio di supervisore di agenti ne rimane ferito, cogliendo nella presenza di Dee un ennesimo tentativo di tenere sotto controllo la vita di Emma. Vorrei che dimenticasse Dee e la dissuado dal parlarne ancora, di questa Dee e del suo favoloso castello vuoto a Parigi, che contiene solo un letto e un piano; Dee, il cui aristocratico nome e indirizzo sono amorevolmente evidenziati nella rubrica di Emma: contessa Ann-Marie von Diderich, con casa sull'Île Saint-Louis.

13

Foglie di castagno bagnate, appiccicate ai ciottoli del marciapiede. Questa è la casa, pensai, guardando muri alti e grigi e finestre sprangate che mi ero immaginato in sogno. Lassù nella torre siede Penelope a tessere il suo sudario: fedele a Larry nei suoi vagabondaggi, non accetta sostituti.

Mi ero guardato alle spalle per ore. Ero andato a sedermi in vari caffè, osservando auto, pescatori e ciclisti. Avevo viaggiato sul metrò e sugli autobus. Avevo passeggiato nei parchi appollaiandomi sulle panchine. Avevo fatto tutto ciò che poteva venire in mente a un agente operativo per proteggere la sua amante infedele da Merriman, da Pew, da Bryant e Luck, e dalla Foresta. Non avevo nessuno alle calcagna. Lo sapevo. Gli esperti diranno che non si può mai essere sicuri, ma io lo ero.

Venne ad aprirmi una vecchia grinzosa. Portava i capelli grigi avvolti sulla nuca, e indossava una ruvida tunica blu scura, da serva. Sandali ortopedici e calze di filo di Scozia.

«Vorrei vedere la contessa, per favore» dissi in un francese austero. «Mi chiamo Timothy. Sono un amico di mademoiselle Emma.»

Non mi venne in mente nulla da aggiungere e per un po' nemmeno a lei, almeno a giudicare dalle apparenze. Rimase sulla soglia inclinando il capo e stringendo gli occhi come per mettermi a fuoco, ma ben presto mi resi conto che in realtà mi stava esaminando con attenzione, prima la faccia, poi le mani e le scarpe, poi di nuovo la faccia. E se ciò che vide in me era un mistero imbarazzante per entrambi, ciò che io vidi in lei era un'intelligenza e un'umanità forse troppo grandi per il corpo piccolo e raggrinzito che le ospitava. Udivo fievolmente, dal piano di sopra, qualcuno che stava suonando il piano; se il suono fosse dal vivo o registrato, potevo saperlo soltanto io.

«La prego, mi segua» disse in inglese, al che salii dietro di lei due rampe di scale in pietra; a ogni passo gli accordi del piano diventavano un po' più forti e cominciavo a sentire un malessere da riconoscimento, come una vertigine provocata dall'altitudine. Le visioni della Senna, dalla finestra di ogni pianerottolo, mi sembravano immagini di fiumi differenti: uno impetuoso, uno calmo e un terzo stretto come un canale. Bambini dalla pelle scura mi osservarono nascosti dietro una porta. Una ragazza con un vestito di cotone arabo colorato scese dabbasso, sfrecciandomi accanto. Arrivammo a una stanza in alto dove, al di là di una finestra lunga, i fiumi tornavano a unirsi ridiventando la Senna, con gli immancabili pescatori e gli innamorati abbracciati. Qui la musica si sentiva molto meno ma io la riconoscevo ugualmente, trattandosi di un oscuro brano scandinavo che Emma usava a Honeybrook per i suoi esercizi di digitazione, prima che s'impossessassero di lei le cause disperate. Quella mattina insisteva ancora sulle stesse frasi, continuando a suonarle fino a ottenere un'esecuzione soddisfacente. Ricordai che, mentre altri si sarebbero forse stancati di questa eterna ripetizione, io ne ero sempre stato profondamente attratto, identificandomi con lei, cercando quasi fisicamente di aiutarla a superare ogni ostacolo in tutti i suoi numerosi tentativi; era questa, in sostanza, la funzione che mi ero attribuito rispetto alla sua vita: quella della guida, oltre che dello spettatore devoto e dell'uomo pronto a raccoglierla ogni volta che cadeva.

«Mi chiamo Dee» disse la donna, dando come per scontato che non avrei contribuito granché alla conversazione. «Sono un'amica di Emma. Ma questo lo sa già.»

«Sì.»

«Emma è di sopra. La sente.»

«Sì.»

L'accento era tedesco, più che francese. Ma le rughe del viso esprimevano una sofferenza universale. Sedeva rigida su una sedia dall'alto schienale, tenendo le braccia come una regina. Le stavo di fronte su uno sgabello di legno. Le lastre nude del pavimento si susseguivano senza ostacoli dai suoi piedi fino ai miei. Non c'erano né tappeti né quadri alle pareti. In una stanza non lontana suonò un telefono ma lei non gli badò; e dopo un po' non lo si sentì più. Ma ricominciò presto, e sospettai che suonasse quasi in continuazione, come quello di un medico.

«È innamorato. È per questo che è qui.»

Una minuscola ragazza asiatica in jeans venne sulla soglia per ascoltarci. Dee la apostrofò con durezza, e la ragazza sgambettò via.

«Sì» dissi.

«Per dirle che la ama? Lo sa già.»

«Per metterla in guardia.»

«L'hanno già messa in guardia. Sa di essere in pericolo. Le va bene così. È innamorata, ma non di lei. È in pericolo, ma il pericolo che corre lui è più forte di quello che corre lei, e quindi non si sente in pericolo. È tutto abbastanza logico. Capisce?»

«Certo.»

«Ha smesso di trovare giustificazioni per il suo amore. Non gliene chieda, per favore. Sarebbe degradante per Emma, continuare a giustificarsi. La prego, non la interroghi su questo.»

«Non lo farò. Non voglio. Non è per questo che sono venuto.»

«Allora devo di nuovo chiederglielo: perché è venuto? La prego... non c'è nulla di male a non saperlo! Ma se dovesse scoprirlo nel momento in cui la vede, sia così gentile da pensare soprattutto ai sentimenti di lei. Prima di incontrare lei, Emma era un disastro. Non aveva centro né stabilità. Avrebbe potuto essere chiunque. Come lei, forse. Voleva soltanto entrare in un guscio e viverci tutta la vita. Ma adesso le è passato. Lei è stato l'ultimo dei gusci. Adesso Emma è vera. Definita. Una persona. Questa è la sensazione che lei ha di se stessa. E se le cose non stanno così, le varie persone che la compongono stanno perlomeno andando nella stessa direzione. Grazie a Larry. Forse anche grazie a lei. Perché quella faccia triste? Forse perché ho nominato Larry?»

«Non sono qui per sentire i ringraziamenti di Emma.»

«E allora perché? Per una scena madre? Spero di no. Forse un giorno sarà vero anche lei. Forse Emma e lei eravate molto simili. Troppo. Ognuno voleva che fosse vero l'altro. Adesso la sta aspettando. La aspetta ormai da qualche giorno. Se la sente di andare a parlarle da solo?»

«Perché non dovrei?»

«Stavo pensando a Emma, signor Timothy, non a lei.»

Mi riaccompagnò alla scala. Il piano aveva smesso di suonare. La ragazzina ci stava guardando nell'ombra.

«Le ha regalato una quantità di gioielli, credo» disse Dee.

«Non mi risulta che l'abbiano danneggiata.»

«È per questo che glieli ha dati, per salvarla?»

«Glieli ho dati perché era bella e la amavo.»

«Lei è ricco?»

«Abbastanza.»

«Forse glieli ha dati perché non la amava. Forse lei considera l'amore una minaccia, un conto da saldare. Forse è in concorrenza con altre sue ambizioni.»

Avevo affrontato Pew e Merriman. Avevo affrontato l'ispettore Bryant e il sergente Luck. Dee era peggio di tutti.

«Deve semplicemente salire al piano di sopra» disse. «Ha deciso perché è venuto?»

«Sto cercando il mio amico. Il suo amante.»

«Per perdonarlo?»

«Qualcosa del genere.»

«O forse è lui che deve perdonarla?»

«Di che?»

«Noi esseri umani siamo un'arma pericolosa, signor Timothy. E tanto più pericolosa quanto maggiore è la nostra debolezza. Sul potere degli altri la sappiamo lunga. Ma non sul nostro. Lei ha una volontà di ferro. E forse con lui non si è reso conto della forza che possiede.» Rise. «Che uomo incoerente. Sta cercando Emma, e un attimo dopo cerca il suo amico. Ma sa una cosa? Io credo che lei non voglia trovare il suo amico, ma piuttosto diventarlo. Stia attento con Emma. Sarà nervosa.»

Lo era. E anch'io.

Se ne stava in fondo allo stanzone, uno stanzone così simile all'ala da lei occupata a Honeybrook che il mio primo pensiero fu di domandarmi perché mai si fosse presa la briga di trasferirsi. L'aspetto era quello di una mansarda, il che le era particolarmente congeniale, con un alto soffitto a travi fortemente inclinato; di lì poteva godersi i suoi panorami preferiti su entrambe le sponde del fiume. Un angolo era occupato da un vecchio pianoforte verticale di palissandro; immaginai fosse quello che aveva desiderato a Portobello road, quando le avevo comprato il Bechstein. In un altro angolo c'era una scrivania: non una di quelle con lo spazio per infilarci le gambe, ma un semplice scrittoio, come a Cambridge street. E sulla scrivania una macchina da scrivere; sopra la macchina, e sul pavimento, una ricostruzione delle carte che avevo rubato. Esprimevano una sorta di orgogliosa rinascita, come di truppe coraggiosamente riorganizzatesi dopo una terribile disfatta. Se avessi visto sventolare una bandiera a brandelli, non mi sarei sorpreso.

Teneva le mani lungo i fianchi. Portava mezzi guanti come il giorno del nostro primo incontro. E indossava un grembiule di tela sgualcito che sembrava la sua divisa abituale: una rinuncia deliberata alla carne; e a me. I capelli neri erano legati a coda di cavallo. L'effetto sorprendente di tutto questo era che la desideravo più che mai.

«Mi spiace per i gioielli» cominciò, quasi barcollando.

Le sue parole mi offesero poiché non volevo, dopo tutto ciò che avevo passato per lei – angoscia, disagi, privazioni – che mi attribuisse una preoccupazione per cose tanto futili.

«E allora, Larry sta bene?» dissi.

Girò la testa impaziente, l'ansia negli occhi spalancati. «Bene? Cosa intendi dire? Cosa hai saputo?»

«Scusa. Dicevo in generale. Dopo Priddy.»

Capì in ritardo a cosa avevo voluto alludere. «Certo. Avevi cercato di ammazzarlo, no? Ha espresso la speranza che tutte le sue morti potessero essere così confortevoli. In realtà non sopporto che parli così. Anche se scherza. Non dovrebbe. Allora naturalmente glielo dico, e lui lo fa di nuovo proprio perché gli è stato detto di non farlo.» Scosse il capo. «È inguaribile.»

«Dov'è adesso?»

«Laggiù.»

«Laggiù dove?» Silenzio. «A Mosca? Di nuovo a Grozny?» Ancora silenzio. «Immagino che dipenda da Ceceev.»

«Credo che nessuno sia in grado di spostare Larry come una merce. Neanche CC.»

«Forse no. Ma come resti in contatto con lui? Gli scrivi? Gli telefoni... in che modo?»

«Non resto in contatto. E non devi farlo neanche tu.»

«Perché no?»

«Lo ha detto lui.»

«Detto cosa?»

«Che se tu fossi venuto a cercarlo, a chiedere sue notizie, non dovevo dirti niente. Neanche se avessi saputo qualcosa. Ha detto che non era perché non si fidasse di te. Lo preoccupava soltanto che tu potessi essere più affezionato al Servizio. Non telefona mai. Dice che non è sicuro. Né per lui né per me. Ma mi arrivano messaggi: "Sta bene...", "Ti manda i suoi saluti...", "Nessuna novità...", "Presto..." e anche: "Signorina, lei ha degli occhi bellissimi". Naturalmente. Nient'altro, in sostanza.»

«Certo.» Poi ritenni opportuno informarla, caso mai non sapesse. «Aitken May è morto. I suoi due aiutanti sono stati uccisi insieme a lui.»

Distolse il viso all'istante, come se l'avessi schiaffeggiata. Poi mi voltò anche la schiena.

«Li ha ammazzati la Foresta» dissi. «Temo che il tuo avvertimento sia giunto troppo tardi. Mi dispiace.»

«Allora CC dovrà trovare un sostituto» disse infine. «Larry conoscerà qualcuno. Conosce sempre qualcuno.»

Mi volgeva ancora le spalle, e ricordai che da sempre questo era il modo in cui le risultava più facile parlare. Stava guardando fuori, e la luce della finestra mi mostrava la forma del suo corpo attraverso il grembiule: la desideravo talmente che quasi non osavo parlare; chimica sessuale, suppongo. Per la natura stessa del nostro particolare rapporto avevamo sempre fatto l'amore come due estranei, col risultato che la carica erotica era sempre stata straordinariamente forte. Mi domandai se il suo desiderio si accompagnava al mio, come ai bei tempi sembrava accadere ogni volta, e se si aspettava che la prendessi lì all'istante, facendola voltare verso di me e gettandola sul pavimento, mentre Dee da basso se ne stava ad ascoltare nella speranza che ci comportassimo in modo corretto. Ricordai il bacio che mi aveva dato al Connaught svegliandomi da un sonno centenario, e il modo in cui la sua istintiva ingegnosità di amante mi avesse condotto in territori di cui ignoravo l'esistenza.

«E come stanno, quelli di Honeybrook?» chiese, quasi avesse solo un vago ricordo di quel luogo.

«Oh, bene. Sì, magnificamente. E il vino continua a migliorare...»

Forse perché la vedevo come una persona che si comporta con coraggio in un ospedale (un eccesso di emozioni poteva rivelarsi dannoso) mi inventai qualche storia sulle Toller, dicendo che erano più che mai energiche e che le mandavano i loro saluti; e qualcun'altra sulla signora Benbow, che si augurava rispettosamente di non essere stata dimenticata; e sulla tosse di Ted Lanson che sembrava molto migliorata, benché la moglie fosse ancora convinta che si trattava di cancro, anche se per il dottore era soltanto una bronchite leggera. Accolse queste informazioni come buone notizie, e tali in effetti volevano essere, con cenni di approvazione dalla finestra e con commenti formali come «Oh, splendido», oppure «Sono proprio gentili.»

Poi mi domandò allegramente quali fossero i miei progetti, e se avessi in programma qualche viaggio per l'inverno. Inventai allora un progetto invernale. Non avevo ricordi che chiacchiere tanto futili venissero così naturali a lei o a me, e immaginai quindi che ci stessimo entrambi godendo quel sollievo provato da due persone nello scoprire che, nonostante le nefandezze che si sono scambiate, sono entrambe sane, integre e funzionanti, e soprattutto liberate l'una dell'altra. In circostanze diverse, sarebbe stata una buona ragione per fare l'amore.

«Cosa farete quando torna?» domandai. «Metterete su famiglia? Non sono mai riuscito a immaginarti, con dei bambini.»

«Era perché consideravi me, una bambina» ribatté. Dalle chiacchiere futili eravamo passati ai discorsi seri, e di conseguenza l'atmosfera era tesa.

«Comunque potrebbe anche non tornare» aggiunse con sicurezza. «Potrei andare là io. È l'ultima autentica terra di Dio, dice lui. Non ci sarà soltanto da combattere. Ma da cavalcare, camminare, incontrare gente meravigliosa, sentire nuove musiche e tante altre belle cose. Il guaio è che siamo in ottobre. Si avvicina l'anniversario della grande repressione. E c'è una tensione spaventosa. Gli sarei d'impiccio. Specie considerando come trattano le donne da quelle parti. Voglio dire che di me non saprebbero cosa farne. A me non dà fastidio che sia tutto spaventosamente primitivo e rudimentale, ma lo darebbe a Larry per me. Il che gli farebbe perdere la concentrazione, ed è l'ultima cosa di cui ha bisogno. Almeno in questo momento.»

«Certo.»

«Voglio dire che per loro in pratica è una specie di generale. Soprattutto sulle questioni logistiche: come fare arrivare la roba, come pagarla, come addestrare gli uomini a servirsene eccetera.»

«Certo.»

Aveva evidentemente udito nella mia voce qualcosa che riconosceva e che non le garbava. «Cosa vuoi dire? Perché continui a ripetere "certo"? Non essere così mellifluo, Tim.»

Ma io non ero mellifluo, o almeno non me ne accorgevo. Stavo ricordando altre conversazioni con precedenti donne di Larry: «Non c'è nessun dubbio che tornerà presto, be', sai com'è Larry... Sono sicuro che scriverà o telefonerà...». E a volte: «Secondo me lui è convinto che la vostra relazione abbia fatto il suo corso». Stavo anche riflettendo, senza prendermela troppo, che sebbene l'amore di Larry per Emma fosse stato senza dubbio una grande passione finché era durato (e, per quanto ne sapevo, durava ancora), in realtà l'avevo amata di più io, e con rischi maggiori. La ragione era che le donne andavano da lui istintivamente: gli bastava allungare un braccio perché gli saltassero in mano. Mentre per me Emma era stata la sola, l'unica, anche se non mi era mai stato facile spiegarlo a Larry; men che meno a Priddy. La sintesi delle mie meditazioni fu che mi ritrovai a cercare segni più chiari di quanto la amasse, oltre che a raccomandarle di tessere e di aspettarlo. E poiché non me ne veniva in mente nessuno, di quei segni, la cosa migliore sarebbe stata spingerla ad andare a cercarlo, prima che l'ardore di Larry si focalizzasse su un'altra.

«Mi è venuto in mente... be', lo sai benissimo. In Inghilterra c'è una quantità di persone che vi sta cercando... e non solo in Inghilterra. Voglio dire che sono molto arrabbiati. La polizia, la gente. Dopo tutto trentasette milioni di sterline non è una somma da lasciare sotto il piatto, ti pare?»

Mi concesse una risatina.

«Perciò il Caucaso potrebbe essere, in un certo senso, una buona soluzione. Anche se avrai, per così dire, qualche problema con le altre donne, anche se non riuscirai a vedere Larry molto spesso. Per un certo periodo, almeno. Finché non si saranno calmate le acque.»

«Vuoi dire da un punto di vista pratico» suggerì, alzando un poco la voce in tono di sfida.

«Be', il punto di vista pratico non è sempre il peggiore. L'aspetto comico della faccenda è che sono anch'io sulla stessa barca.»

«Tu? È assurdo, Tim. Perché?»

«Be', i poteri che contano mi hanno associato alla vostra operazione, temo. Pensano che ne faccia parte. E il risultato è che... be', sono alla macchia anch'io.»

«Ma è assolutamente ridicolo. Devi solo spiegare

che tu non c'entri.» La irritava, che dovessi aspirare alle vette della loro criminalità. «Sai essere così persuasivo, quando vuoi. Non c'è la tua firma su niente. Tu non sei Larry. Tu sei tu. Non ho mai sentito niente di più assurdo.»

«Be', comunque ho pensato di girare un po'» dissi, sentendomi obbligato per qualche ragione a insistere su questa versione futuristica di me stesso. «Stare fuori dall'Inghilterra. Mettermi al sicuro. Aspettare che le acque si calmino.»

Era evidente che non aveva il minimo interesse per il mio avvenire.

«E non era tutto un perfido complotto del Cremlino, adesso lo sappiamo» dissi in tono amichevole, come chi è ben deciso a prendere le cose dal lato buono. «Voglio dire non era che tu, Larry e CC mi aveste in qualche modo incastrato, usando Honeybrook come casa sicura o qualcosa del genere. Elaboravo queste terribili teorie cospirative, nei momenti di depressione. Fu un tale sollievo scoprire che erano tutte sciocchezze.»

Scosse il capo. Mi compativa, e capii che la confortava scoprirmi per l'ennesima volta inaccettabile. «Tim. Francamente, Tim. Insomma.»

Ero sulla porta prima ancora che si accorgesse che le stavo dicendo addio. Presi in considerazione altre cose da dirle. "Io ci sarò sempre, se avrai bisogno di me" per esempio, o "Se lo trovo, gli porterò i tuoi saluti" ma avevo solo la sensazione di sentirmi un estraneo, e quindi non dissi nulla. E anche Emma, alla finestra, sembrava arrivata alla stessa conclusione, poiché continuò a guardare fuori come se si aspettasse di vedere Larry avanzare a lunghi passi verso di lei lungo la riva del fiume, con in testa uno dei suoi cappelli.

"Puoi metterti in contatto con Sergej che si è impegnato a impostare questa lettera per me" lessi mentre giacevo a letto insonne. "Telefonagli, ma in inglese, al numero che sai..." Nel mondo di Zorin, era prudente avere un Sergej.

Feci il numero di Mosca, e al sesto tentativo sentii suonare. Rispose un uomo.

«Parla Timothy» dissi in inglese. «L'amico di Peter. Vorrei parlare con Sergej.»

«Sono io Sergej.»

«Dica per favore a Peter che sto per arrivare a Mosca. Gli dica di lasciare un messaggio a un mio amico di nome Bairstow. Alloggerà per qualche giorno all'Hotel Luxor.» Gli spiegai come si scrive Bairstow, e già che c'ero anche Colin.

«Riceverà un messaggio, signor Timothy. E per favore, non chiami più questo numero.»

Nei tre giorni di attesa per il visto visitai gallerie d'arte, andai al ristorante, lessi i giornali e mi guardai alle spalle. Ma non vedevo nulla e non sentivo nulla. Di giorno la ricordavo con affetto. Era una della famiglia, una vecchia amica, un colpo di testa da tempo dimenticato. Ma di notte, visioni di cadaveri mutilati si alternavano a immagini di Emma che giaceva morta negli stagni di una foresta. Cumuli di segatura macchiati di sangue si ergevano sulle montagne del Caucaso intorno al mio letto. Ricostruendo il rapporto fra cause ed effetti di tutto ciò che era accaduto in vita mia, vidi in Emma il culmine del mio fallimento. Ricordai tutto ciò che avevo evitato e finto. Ripensai a tutto ciò che per me aveva avuto un valore, alla protezione e alle comodità che avevo dato per scontate, ai pregiudizi cui avevo ciecamente aderito e all'agilità con cui ero sfuggito alle conseguenze delle mie intuizioni. Seduto alla finestra della mia stanza, mentre osservavo la vecchia città prepararsi per l'inverno mi resi anche conto, senza cogliervi una rivelazione fondamentale, che Emma era morta: vale a dire che, dal momento in cui mi era risultato chiaro che non aveva bisogno della mia protezione, era divenuta per me lontana e anonima come un qualsiasi passante sul marciapiede là sotto.

Emma era morta perché mi aveva ucciso, e perché era tornata in quel mondo fuori dal mondo dove l'avevo trovata, piedi sprofondati nel fango e occhi fissi su un orizzonte impossibile. Soltanto Larry era sopravvissuto. E soltanto inseguendo Larry avrei potuto riempire quella fossa che per tanto tempo mi era servita da anima.

14

Non c'erano messaggi di Sergej.

Lampadari zaristi illuminavano il salone e ninfe di gesso saltellavano in una fontana arcobaleno, i torsi lucenti riflessi all'infinito in un carosello di specchi dalle cornici dorate. Una ballerina di cartone raccomandava il casinò al terzo piano e finte hostess mi invitavano a godermi la giornata. Avrebbero dovuto dirlo alle mendicanti imbacuccate all'angolo della strada, ai bambini dagli occhi spenti che indugiavano con intenzioni evidenti ai semafori e nei luridi sottopassaggi, ai giovani derelitti che come morti dormivano in piedi negli androni o alle armate sconfitte di pedoni alla ricerca di un pizzico di economia del dollaro, da acquistare con i loro rubli in agonia.

Ancora nessun messaggio da Sergej.

Il mio albergo era dieci minuti a piedi dalla vera Lubjanka, in una strada buia e piena di buche. Le pietre del selciato risonavano come metallo ogni volta che ci posavo sopra un piede, e sprofondavano trasudando fango giallastro. La sorveglianza all'ingresso principale era affidata a sei uomini: una sentinella in divisa blu, sguardo duro, che presidiava l'esterno; due agenti in borghese che si occupavano delle macchine in arrivo e in partenza; e nell'atrio un secondo trio in abito nero, personaggi talmente solenni che avrei potuto scambiarli per un gruppo di becchini: mi squadrarono da capo a piedi, come se mi stessero prendendo le misure per la bara.

Non avevano messaggi di Sergej.

Percorrevo le larghe strade senza analizzare nulla e stando attento a tutto, nella consapevolezza di non avere più un rifugio né un rassicurante numero di telefono da chiamare se fossi finito nei pasticci; ero nudo, insomma, costretto a vivere con un nome falso in quello che per tutta la mia vita era stato territorio nemico. Erano passati sette anni dall'ultima volta che ci ero stato, mascherato da tirapiedi del ministero degli Esteri con un incarico amministrativo all'ambasciata che doveva durare due settimane, in realtà per incontrare segretamente un tecnocrate del Partito che aveva qualcosa da vendere. E benché avessi vissuto qualche momento di ansia nel salire e nello scendere di nascosto da una macchina, o nel sostare in androni bui, il rischio peggiore che avevo corso era di venire scoperto; con conseguente fuga indecorosa a Londra, un paio di righe vaghe sui giornali e un sorriso ironico dei colleghi nel bar riservato agli alti funzionari. Se guardando dall'alto in basso i poveracci che mi stavano attorno avevo avuto una visione del mio ruolo, era quella dell'emissario clandestino di un mondo superiore. Adesso invece non c'erano più visioni nobilitanti in grado di consolarmi. Ero come loro, sospinto come loro dal passato e ignaro del futuro. Ero un fuggiasco senza casa e senza stato, una minuscola nazione composta da una sola persona.

Camminavo, e ovunque guardassi mi trovavo di fronte la follia della storia. Nel vecchio palazzo del GUM, che esponeva un tempo i vestiti meno indossabili del mondo, corpulente donne russe diventate ricche all'improvviso provavano abiti di Hermès e profumi di Estée Lauder, mentre fuori aspettavano in fila berline con autisti, guardie del corpo e macchine di scorta. Eppure bastava un'occhiata alla strada, in entrambe le direzioni, per vedere gli scheletri di ieri che pendevano dalle loro sudice forche; quarti di luna in ferro, con le stelle arrugginite del trionfalismo sovietico penzolanti dalle loro code; falci e martello scolpite su facciate in disfacimento; frammenti di parole d'ordine del Partito scarabocchiati da mani ubriache contro il cielo piovoso d'ottobre. E con l'avvicinarsi della sera, le luci dei nuovi conquistatori che lampeggiavano ovunque il loro vangelo: "Compraci, mangiaci, bevici, indossaci, guidaci, fumaci, muori di noi! Abbiamo sostituito la schiavitù!". Mi ricordai di Larry. Me lo ricordavo spesso, ultimamente. Forse perché ricordarmi di Emma era troppo doloroso. «Lavoratori di tutto il mondo unitevi» diceva sempre quando voleva prendermi in giro. «Non abbiamo nulla da vendere tranne le nostre catene.»

Entrando in camera vidi una busta marrone che mi guardava dai lussuosi cuscini del mio enorme letto.

"Per favore venga a questo indirizzo domani alle 13 e 30, settimo piano, stanza 609. Dovrà portare un mazzo di fiori. Sergej."

Era una casa stretta in una via stretta e sporca, alla periferia orientale della città. Niente che ne rivelasse la funzione. Avevo portato un mazzo di garofani inodori avvolti in un giornale. Avevo viaggiato in metrò, cambiando linea più spesso del necessario. Scesi una fermata prima e percorsi a piedi gli ultimi ottocento metri. Era una giornata cupa. Sembravano scure perfino le betulle lungo i viali. Non c'era niente alle mie spalle.

Il numero era il sessanta ma bisognava scoprirlo da soli basandosi sugli edifici accanto, perché sulla porta non c'era nessun numero. Davanti allo squallido ingresso era parcheggiata una Zil nera con due uomini a bordo, uno dei quali era l'autista. Guardarono i miei fiori e me, poi guardarono altrove. Luck e Bryant, pensai, versione russa. Mentre premevo il campanello, fermo sulla soglia, mi arrivò dalla fessura fra le porte sbilenche un odore di canfora che mi ricordava il fetore sentito nello scoprire la tomba di Aitken May. Mi aprì un vecchio; una donna in bianco, a una scrivania, non mi prestò attenzione. Seduto su una panca, un tale in giacca di pelle mi scrutò da sopra il giornale, poi ricominciò a leggere. Ero in un atrio alto e fatiscente, pilastri di marmo e ascensore rotto.

La scala era di pietra lucida, senza passatoia. I rumori erano altrettanto ostili: tacchi pesanti su ceramica, carrelli cigolanti e voci aspre di vecchie che coprivano con le loro grida i mormorii dei pazienti. Un luogo un tempo privilegiato e ora in grave decadenza. Al settimo piano una volta di vetro colorato illuminava il pozzo delle scale. Là sotto aspettava timido un ometto barbuto con gli occhiali; era vestito di nero, e aveva in mano un mazzo di gigli.

«Il suo amico Peter sta andando a trovare la signorina Eugenie» mi disse tutto d'un fiato. «I suoi protettori gli hanno concesso mezz'ora. La prego di essere breve, signor Timothy.» E mi consegnò i gigli che dovevo portare con me.

«Il mio amico Sergej è un cristiano praticante» mi aveva confidato Zorin. «Io gli evito la in prigione e lui mi farà andare in paradiso.»

La signorina Eugenie era un sottile rilievo bianco sotto le lenzuola sudice che la coprivano. Era gialla, minuscola, e respirava con rantoli striduli; il soldato Zorin sedeva sull'attenti accanto a lei come una guardia d'onore, le spalle all'indietro e il petto in fuori per le medaglie che avrebbe dovuto portare. I suoi lineamenti scabri erano scolpiti nella sofferenza. Mentre mi guardava, riempii d'acqua un vaso di vetro per metterci i fiori, poi mi feci avanti dalla sua parte del letto fino ad afferrare le sue mani tese. Si alzò e, stringendomi la mano, mi attirò a sé con un abbraccio da lottatore, prima a destra poi a sinistra, e infine mi diede un bacio;

poi mi lasciò andare a sedere dalla parte opposta del letto, su quello che sembrava uno sgabello per mungere.

«Grazie per essere venuto, Timothy. Sono spiacente di averti recato disturbo.»

Prese la mano della signorina Eugenie e la tenne per un momento. Quella donna avrebbe potuto essere indifferentemente un bambino o un vecchio. Teneva gli occhi chiusi. Zorin tornò a posarle la mano sul petto, ma la spostò subito su un fianco temendo che le pesasse troppo.

«È tua moglie?» domandai.

«Sarebbe dovuta esserlo.»

Restammo a guardarci imbarazzati; nessuno dei due riusciva a parlare per primo. Lui aveva gli occhi cerchiati di giallo. E il mio aspetto forse non era migliore.

«Ti ricorderai di Ceceev» disse.

L'etica professionale mi imponeva di frugare nella memoria.

«Konstantin. L'addetto culturale della vostra ambasciata. Perché?»

Aggrottò la fronte con impazienza, gettando un'occhiata alla porta. Parlava in inglese, in fretta ma sottovoce. «La cultura era la sua copertura. Credo che tu lo sappia benissimo. Era il mio numero due alla Residenza. Aveva un amico di nome Pettifer, un intellettuale marxista borghese. Credo che tu conosca anche lui.»

«Vagamente.»

«Non siamo qui per giocare, Timothy. Zorin non ha tempo, e neanche il signor Bairstow. Questo Pettifer ha cospirato con Ceceev per rubare quantità enormi di denaro al governo russo, usando come copertura la nostra ambasciata a Londra. Ricorderai che le mie responsabilità riguardavano il settore commerciale. Ceceev falsificò la mia firma su certi documenti. La somma rubata supera ogni immaginazione. Potrebbe trattarsi addirittura di cinquanta milioni di sterline. Ne sei al corrente?»

«Me ne è giunta voce» dissi, notando che a cinquantacinque anni Zorin parlava ancora un elaborato inglese da scuola di spionaggio, pieno di pedanterie e di espressioni idiomatiche fuori moda; e che, ascoltandolo nella casa sicura di Shepherd Market, avevo immaginato che i suoi insegnanti fossero stati vecchi socialisti inglesi col ciuffo spettinato e una passione per Bernard Shaw.

«Il mio governo vuole un capro espiatorio. Ha scelto me. Zorin ha cospirato con quel culo nero di Ceceev e col dissidente inglese Pettifer. Zorin deve essere processato. Che parte ha avuto in questo il tuo ex Servizio?»

«Nessuna.»

«Sulla tua parola?»

«Sulla mia parola.»

«E tu che ne sai di questa storia? Ti hanno consultato?»

«Sì» dissi.

«Per chiederti un parere?»

«Per interrogarmi e per accusarmi. Mi vogliono assegnare lo stesso ruolo, come tuo complice. Tu e io avevamo colloqui segreti, e di conseguenza dobbiamo aver rubato insieme.»

«È per questo che sei Bairstow?»

«Sì.»

«Dov'è Pettifer?»

«Qui, forse. Dov'è Ceceev?»

«I miei amici mi dicono che è sparito. Forse a Mosca, forse sulle montagne. Quegli idioti lo hanno cercato per mari e per monti, hanno perfino messo in carcere alcuni dei suoi. Ma gli ingusci non sono facili da interrogare.» I lineamenti si incrinarono fino a esprimere un sorriso sardonico. «Nessuno, finora, si è fatto avanti con una dichiarazione spontanea. Ceceev è intelligente. A me piace, ma in sostanza è un culo nero e noi i culi neri li stiamo ammazzando come mosche. Ha rubato per aiutare la sua gente. Con l'appoggio del vostro Pettifer... per soldi, forse, chissà? Forse anche per amicizia.»

«Lo pensano anche gli idioti?»

«No, naturalmente! Non sono così idioti!»

«Perché no?»

«Perché si rifiutano di sanzionare una teoria fondata sulla loro incompetenza!» replicò, sforzandosi di non alzare la voce nel momento in cui la sua rabbia repressa esplodeva. «Se Ceceev era un patriota inguscio, non avrebbero mai dovuto mandarlo a Londra. Ti pare che il Cremlino voglia sbandierare al mondo le aspirazioni nazionalistiche di una tribù di selvaggi? Ti pare che voglia far sapere alla santa confraternita dei banchieri internazionali che un culo nero può firmare a proprio favore un assegno di cinquanta milioni di sterline allo sportello di un'ambasciata russa?»

Eugenie stava tossendo. Cullandola nelle sue braccia enormi, Zorin la fece sedere diritta e la guardò desolato. Non credo di avere mai visto una tale espressione di sofferenza e di adorazione incisa su lineamenti così poco promettenti. Lei reagì con una sommessa esclamazione di scuse. A un cenno di lui, le sprimacciai i guanciali. Zorin la fece delicatamente appoggiare.

«Trovami Ceceev, Timothy» ordinò. «Digli di gridarlo al mondo, di proclamare la sua causa, di dire che è un uomo dabbene, di raccontare cosa ha fatto e perché. E già che c'è, potrebbe aggiungere che Volodja Zorin è innocente, e tu anche. Digli di muovere quel suo culo nero prima che gli idioti mi piantino una pallottola nella nuca.»

«Ma come lo trovo?»

«Pettifer era un tuo agente, Cristo! Ci ha scritto. A noi! Al Kgb o come diavolo ci chiamano adesso. Ha confessato apertamente i suoi delitti. Ci ha detto che apparteneva anzitutto a voi, e a noi soltanto in seconda battuta. Adesso però non vuole più appartenere a nessuno, vuole essere padrone di se stesso. Né vostro né nostro. Purtroppo la lettera l'hanno in mano gli idioti, e quindi non verrà mai alla luce. Ha ottenuto un solo risultato: fare di sé un bersaglio. Se gli idioti riusciranno a uccidere anche Pettifer, oltre a Ceceev, saranno felici.» Tirò fuori di tasca una scatola di fiammiferi inglesi e la posò davanti a me sul letto. «Va' dagli ingusci, Timothy. Di' che sei amico di Pettifer. Lui confermerà. E anche Ceceev. Qui ci sono i numeri di telefono dei loro capi che conosciamo qui a Mosca. Digli che ti portino da lui. Possono farlo. Potrebbero anche ucciderti, ma in quel caso non prenderla come una faccenda personale. Un culo nero è un culo nero. E se incontri Ceceev, tagliagli le palle per conto mio.»

«C'è un problema.»

«Ce ne sono centinaia. E sarebbe?»

«Se fossi al posto dei tuoi padroni e volessi catturare Ceceev, e se tu fossi mio prigioniero, quello che mi hai proposto adesso è proprio ciò che ti avrei chiesto di dire a Cranmer appena fosse entrato in questa stanza.» Fece per protestare, ma non lo lasciai parlare. «Poi aspetterei che Cranmer mi conducesse da Ceceev. E naturalmente dal suo amico Pettifer...»

Mi interruppe con un ringhio di malcelato furore. «Pensi forse che non lo farei, se fosse necessario? Gesù Cristo, andrei difilato dagli idioti. "Sentite, idioti! Cranmer, la spia inglese, sta per venire a trovarmi. È tenero di cuore. Mi considera un amico. L'ho attirato io qui. Lasciate che lo mandi dagli ingusci. Seguiremo insieme le sue tracce, come una macchia nell'acqua fino alla sorgente. Poi, distrutta quella masnada di ribelli, manderemo all'inferno lo spione britannico." Farei tutto questo e anche di più, se servisse a restituirci la nostra dignità e il nostro rango nel mondo. È tutta una vita che credo in ciò che faccio. "Be'" dicevo "commettiamo errori, imbocchiamo anche noi strade sbagliate; siamo esseri umani, non angeli. Ma stiamo dalla parte giusta. Con noi il futuro dell'uomo è al sicuro. Siamo gli strumenti morali della storia." Quando ci fu la perestrojka, la appoggiai. E lo stesso fece il Servizio. "Ma per gradi" dicevamo. "Imbocchiamoli come neonati, un po' di libertà per volta." Ma quelli non volevano imboccarli. Dunque si sono buttati sulla scodella e hanno mangiato tutto in un solo boccone. E dove siamo andati a finire?»

Stava guardando Eugenie. Era come se si rivolgesse anche a lei: aveva abbassato la voce e parlava con una certa tenerezza.

«Certo, abbiamo fucilato della gente» disse. «Molta gente. Alcune erano brave persone che non avremmo dovuto fucilare. Altre erano dei bastardi schifosi che avremmo dovuto fucilare dieci volte. Ma quante persone ha ucciso Dio? E per cosa? Quante continua a ucciderne ingiustamente ogni giorno senza una ragione, senza una spiegazione, senza pietà? Noi siamo soltanto uomini. E una ragione ce l'avevamo.»

Prima di uscire dalla camera, mi voltai a guardarlo. Era chino su di lei e ascoltava angosciato il suo respiro, la faccia larga bagnata di lacrime.

C'erano due telefoni nella mia stanza, uno rosso e uno nero. Quello rosso, secondo il dépliant patinato, era la mia linea personale diretta con tutto il mondo. Ma fu quello nero che, verso le due del mattino, mi strappò al dormiveglia.

«È lei il signor Bairstow, prego?» Una voce maschile, in un inglese preciso ma con un forte accento.

«Chi parla?»

«Parla Issa. Cosa vuole da noi, prego, signor Bairstow?»

Issa, quello sulla segreteria telefonica di Emma in Cambridge street, pensai. «Sono un amico di Misha» dissi.

Negli ultimi giorni lo avevo già detto chiamando da

cabine pubbliche e da caffè, parlando con segreterie telefoniche e con bruschi intermediari nel mio russo artigianale, come lo definiva Larry. Componevo i numeri che mi aveva dato Zorin: sono qui, sono Bairstow, sono un amico di Misha, è urgente, contattatemi per favore, questo è il telefono del mio albergo. Lo ammetto: operare sia pure parzialmente come agente di Zorin mi sembrava un po' strano.

«Chi è Misha, prego, signor Bairstow?»

«Misha è un signore inglese come me, Issa» replicai con disinvoltura, non volendo dare l'impressione di un colloquio fra cospiratori alle altre venti persone che ci stavano ascoltando.

Silenzio. Issa stava metabolizzando la mia risposta.

«Qual è la professione di Misha, prego? La professione di quest'uomo.»

«Commercia in tappeti. Compra tappeti all'estero e li fa consegnare ai suoi clienti speciali.» Aspettai, ma non ebbi risposta. «Purtroppo, l'esportatore di cui si serviva Misha per le sue consegne...» Non aggiunsi altro perché Issa mi interruppe.

«Che cosa l'ha portata a Mosca, prego, signor Bairstow?»

«L'amicizia. Ho importanti messaggi personali per Misha.»

La comunicazione si interruppe. Sono pochi i russi che dicono arrivederci al telefono; come Larry. Rimasi a contemplare l'oscurità. Dopo dieci minuti l'apparecchio squillò di nuovo. Stavolta Issa parlava con un accompagnamento di voci crepitanti in sottofondo.

«Come si chiama di nome, prego, signor Bairstow?»

«Colin» risposi. «Ma quelli che mi conoscono a volte mi chiamano Tim.»

«Tim?»

«È un diminutivo di Timothy.»

«Colin Timothy?»

«Colin oppure Timothy. Timothy è una specie di soprannome.» Ripetei la parola soprannome in russo. Ripetei la parola Timothy, prima in inglese e poi in versione russa.

Sparì. Si rifece vivo venti minuti dopo.

«Signor Colin Timothy?»

«Sì.»

«Sono Issa.»

«Sì, Issa.»

«Una macchina l'aspetterà davanti al suo albergo. Una Lada bianca. Il numero di targa» coprì il microfono con una mano, come se stesse consultandosi con qualcuno «il numero è 686.»

«Chi c'è a bordo? Dove mi porteranno?»

La voce divenne un ordine, e perentorio; come se anche lui stesse ricevendo ordini mentre mi parlava. «È già davanti al suo albergo. Il guidatore si chiama Magomed. Venga immediatamente, prego. Ora.»

Mi vestii in fretta. In corridoio erano esposti quadri orribili con gioiosi contadini russi che ballavano in radure coperte di neve. Nel casinò, due accigliati finlandesi stavano puntando contro una sala piena di croupier e di entraîneuse. Uscii in strada. Avanzò verso di me un turbine di ragazze con i loro magnaccia. Gridai loro un «no» più veemente di quanto fosse nelle mie intenzioni facendole indietreggiare. Fiocchi di nevischio mescolati a una pioggia gelata. Ero senza cappello, avevo soltanto un impermeabile leggero. Lo Herr voleva un taxi? domandò il portiere in tedesco. Lo Herr non lo voleva. Lo Herr voleva Larry. I tombini tra i ciottoli emettevano vapore. Sul marciapiede opposto vidi delle figure scivolare nell'ombra.

C'era una Lada parcheggiata fra due camion in mezzo alla strada; non era bianca ma verde, e aveva il numero 688, non il 686. Era comunque una Lada e quella era Mosca. Un uomo con espressione ammiccante e decisamente grosso, anche se non più alto di un metro e mezzo, teneva aperto lo sportello del passeggero sorridendomi. Portava un largo zucchetto con una nappa che penzolava dal cocuzzolo, tuta e gilet imbottito; aveva la faccia triste del buffone. Un secondo uomo se ne stava nascosto nell'ombra sul sedile posteriore, il viso scarno appena visibile sotto la tesa del cappello. Ma la camicia azzurro chiaro rifletteva un raggio proveniente dal lampione sulla strada. E poiché nei momenti di tensione si vede tutto oppure non si vede nulla, notai che la camicia, priva di un colletto nel senso occidentale del termine, era di stoffa pesante tessuta a mano, accollatissima e allacciata con stringhe di panno intrecciato.

«Il signor Timothy?» domandò il buffone. Mi strinse la mano. «Mi chiamo Magomed, signore, come il profeta» annunciò in un russo altrettanto formale del mio. «Purtroppo i miei amici sono quasi tutti morti.»

Salii davanti, chiedendomi se avesse voluto dirmi che era morto anche il mio, di amico. Chiuse la portiera e ricomparve davanti alla macchina per sistemare i tergicristallo nelle loro guide. Poi prese agilmente posto al volante, su un sedile troppo largo per le sue dimensioni. Girò la chiavetta dell'accensione, ripetendo più volte lo stesso gesto. Poi scosse la testa e tutte le sue nappe, con l'aria di chi sa che in realtà le cose non funzionano mai, e girò di nuovo la chiavetta. Il motore si accese e partimmo zigzagando fra le buche della strada. Vidi allora che Magomed stava facendo ciò che avevo sperato: teneva costantemente d'occhio lo specchietto retrovisivo.

L'uomo dietro di noi borbottava in un cellulare; una lingua che non capivo. Ogni tanto si interrompeva per dare indicazioni a Magomed, salvo annullarle dopo qualche istante, e il viaggio divenne così una serie di false partenze e di rettifiche frettolose, finché non ci fermammo dietro una fila di berline e di guardie del corpo. Giovani gagliardi in colbacco di visone, maglioni dolce vita e stivali da cowboy emersero da un portone. Uno di loro aveva una pistola mitragliatrice in mano e una catena d'oro al collo. Magomed gli fece una domanda, e dopo un momento di pausa ricevette una risposta ben meditata. Esaminò con calma la strada in entrambe le direzioni, poi mi prese per un gomito come si fa quando si guida un cieco. Ci infilammo in un vicolo fra due magazzini separati da travi. Camminava maestoso, il petto enorme in fuori, la testa indietro e le mani cerimoniosamente appoggiate sui fianchi. Due o tre dei ragazzi ci seguirono.

Passammo sotto un arco e scendendo una ripida scala di pietra arrivammo a una porta rossa di ferro, dotata di chiavistelli e sovrastata da una lanterna accesa. Magomed bussò, e restammo ad aspettare sotto la pioggia che si riversava sulle nostre spalle. Quando la porta si aprì fummo inghiottiti da una nuvola di fumo di sigaretta. Udii ritmi di musica rock, e vidi appese a una parete di mattoni rosa le facce bianche degli amici di Magomed che erano morti. Il rosa divenne arancione e sotto quelle facce potei distinguere corpi vestiti di scuro, armi luccicanti e mani robuste, impazienti di battersi. Avevo di fronte un drappello di sette o otto uomini armati, che indossavano giubbotti antiproiettile. Avevano bombe a mano appese alle cinture. La porta si chiuse alle mie spalle. Magomed e i suoi amici erano spariti. Due uomini mi guidarono lungo un corridoio cremisi fino a un balcone buio dal quale, attraverso un vetro opaco, si potevano osservare ricchi moscoviti adagiati nelle eleganti alcove di un night. I camerieri si muovevano lenti in mezzo a loro, e qualche coppia ballava. Su pedane appena visibili, ragazze go-go nude ballonzolavano stupide a ritmo di rock. L'atmosfera era erotica quanto la sala d'aspetto di un aeroporto; e altrettanto tesa. Voltato un angolo, la balconata divenne una sala di proiezione e un ufficio. C'era un fascio di kalashnikov appoggiato al muro, accanto a casse di munizioni e bombe a mano. Due ragazzi presidiavano la finestra mentre un terzo teneva un cellulare accostato all'orecchio, sorvegliando su una fila di monitor il vicolo, le berline parcheggiate, la scala di pietra e l'atrio.

In un angolo, un uomo calvo in maglietta e mutande ammanettato a una sedia. Era crollato in avanti, e giaceva lungo disteso in un lago del suo sangue. A una scrivania, a meno di un metro e mezzo da lui, sedeva un ometto grasso, tozzo, vestito di marrone, affaccendato a infilare banconote da cento dollari in una macchinetta elettronica e ad aggiornare i conteggi su un abaco di legno. Ogni tanto, mentre contava, scuoteva il capo o abbassava gli occhiali per consultare un libro mastro. Ogni tanto si interrompeva per inghiottire un enorme sorso di caffè.

A presiedere l'intera stanza, esaminandone ogni angolo con occhi calmi e inespressivi, un uomo molto atletico sulla quarantina: indossava un blazer verde scuro con bottoni d'oro, portava alle dita una serie di anelli d'oro e al polso un Rolex d'oro tempestato di diamanti e di piccoli rubini. Aveva la faccia altrettanto larga delle spalle. Notai i muscoli del collo.

«È lei Colin Bairstow che chiamano Timothy?» domandò in inglese. Riconobbi la voce che avevo udito al telefono.

«E lei è Issa» replicai.

Mormorò un ordine. L'uomo alla mia destra mi posò le mani sulle spalle. Un altro si mise dietro di me. Sentii le loro quattro mani che mi esploravano la parte superiore del corpo, davanti e dietro, l'inguine, le cosce, le caviglie. Mi tolsero il portafoglio dalla tasca interna della giacca e lo consegnarono a Issa, che lo prese con la punta delle dita come se lo considerasse impuro. Notai i suoi gemelli: grandi come vecchi penny, con figure incise che sembravano lupi. Dopo il portafoglio, gli uomini gli porsero la mia stilografica, il fazzoletto, la chiave della camera, il lasciapassare dell'albergo e le monete. Issa mise meticolosamente ogni cosa in una scatola di cartone marrone.

«Dov'è il passaporto?»

«L'albergo lo ritira quando si firma il registro.»

«Rimanga in quella posizione.»

Estratta dalla tasca della giubba una piccola macchina fotografica, la puntò su di me da una distanza di un metro. Due lampi. Poi mi girò attorno con passi lenti, da padrone. Mi fotografò da entrambi i lati, avvolse la pellicola nella macchina, la fece cadere nel palmo della mano e la consegnò a una guardia che si affrettò a portarla in un'altra stanza. L'uomo sulla sedia emise un grido soffocato, tirò indietro la testa e cominciò a perdere sangue dal naso. Issa mormorò un altro ordine e due ragazzi, dopo avergli tolto le manette, lo condussero in corridoio. Il sagrestano dall'abito marrone continuava a passare banconote da cento dollari nella sua macchinetta e a registrarle sull'abaco.

«Si metta qui.»

Issa si sedette alla scrivania. Io di fronte. Trasse di tasca un foglio e lo spiegò. Posò in mezzo a noi un registratore a nastro, che mi fece venire in mente Luck e Bryant al posto di polizia. Aveva mani grandi, abili e misteriosamente eleganti.

«Qual è il nome completo dell'uomo che lei chiama Misha?»

«Dottor Lawrence Pettifer.»

«Quali sono le attitudini di quest'uomo?»

«Prego?»

«Le sue capacità. I suoi talenti. Non va bene "attitudini"?»

«Va benissimo. Ma subito non avevo capito. È uno studioso della rivoluzione. Un amico delle piccole nazioni. Un linguista. Come lei.»

«E cos'altro è quest'uomo, prego?»

«Un ex agente del Kgb, ma in realtà del Servizio segreto britannico.»

«Qual è attualmente la posizione ufficiale della Gran Bretagna su quest'uomo?»

«È un latitante. Gli inglesi sospettano che abbia rubato una grossa somma di denaro all'ambasciata russa. Così credono anche i russi. E hanno ragione. Lo ha fatto.»

Issa esaminò il foglio che aveva davanti, tenendolo però in modo che io non lo vedessi. «Quando è stato il suo ultimo incontro con questo Misha?»

«Il diciotto settembre di quest'anno.»

«Ci descriva le circostanze dell'incontro.»

«Avvenne di notte. In una località chiamata Priddy, sulle colline Mendip. Nel Somerset. Eravamo soli.»

«Di che avete parlato?»

«Di cose personali.»

«Di che avete parlato?»

I burocrati russi usano una frase fatta cui altre volte ero ricorso con buoni risultati, e fui così imprudente da servirmene anche in quell'occasione.

«Non mi parli come se fossi un contadino. Se le dico che erano cose personali, erano cose personali.»

Mi avevano schiaffeggiato a scuola, fin troppo spesso. Mi avevano schiaffeggiato delle donne, anche se non avevo mai permesso loro di riprovarci. Avevo fatto pugilato. Ma i due ceffoni che mi diede Issa, sporgendosi oltre la scrivania, erano come colori che non avevo mai visto e suoni che non avevo mai udito. Mi colpì con la sinistra e poi, quasi contemporaneamente, con la destra; una destra che era come un tubo di ferro, per via degli anelli d'oro a tutte le dita. E mentre mi colpiva, vidi fra una mano e l'altra i suoi occhi marrone da tiratore scelto fissarmi con determinazione tale da farmi temere che avrebbe continuato a schiaffeggiarmi finché non fossi morto. Chiamato dall'altra parte della stanza, si dovette però interrompere; allontanando con una spinta il contabile, afferrò il cellulare che gli veniva porto dal ragazzo davanti ai monitor. Ascoltò, gli restituì l'apparecchio e si voltò a interrogare il contabile, che scosse il capo senza smettere di occuparsi delle sue banconote da cento dollari.

«Sono dei buffoni» si lamentò costui in russo. «Dicono un terzo e non è nemmeno un decimo di un terzo. Non basta a pagare la loro quota e non basta nemmeno a nutrire un topo. Sono stupidi ladruncoli, ti domandi come abbiano fatto a diventare degli imbroglioni.»

Con un rapido movimento del gomito raccolse il denaro, lo consegnò a Issa, spostò velocemente qualche pallottola sull'abaco, prese un righello e una matita rossa con cui tracciò una linea su ognuno dei quattro fogli del mastro; si tolse gli occhiali, mettendoli in un astuccio di metallo e infilando l'astuccio in una tasca interna del vestito marrone. Immediatamente ci avviammo tutti di gran carriera (contabile, guerrieri, Issa e io) verso l'atrio, passando per il corridoio cremisi. La porta di acciaio era aperta, la scala di pietra appariva invitante, c'erano ragazzi armati che scorrazzavano dappertutto, l'aria fresca mi lambiva come un soffio di libertà e le ultime stelle ammiccavano nel cielo pallido del mattino. Una lunga auto accostò ai piedi della scala. Lo scarno compagno di Magomed era seduto al volante, le mani guantate. Davanti alla portiera posteriore ecco Magomed con un foulard a pallini in mano; se ne servì con la destrezza di un'infermiera, bendandomi subito gli occhi.

Sto passando attraverso lo specchio, mi dissi, mentre l'oscurità mi inghiottiva. Sto annegando a Priddy Pool. Sono un berkeliano. Non vedo, dunque non respiro. Urlo, ma sono tutti sordi e ciechi. L'ultima cosa che vidi furono le eleganti scarpe italiane di Issa, che avevo accanto, mentre Magomed stringeva lentamente la benda. Erano fatte di strisce di cuoio marrone intrecciate, e avevano per fibbia una catenella dorata.

Cosa vogliono?

Chi stanno aspettando?

Qualcosa è andato storto. Stanno rivedendo i loro piani.

Sognai che mi avrebbero fucilato all'alba, e quando mi svegliai era l'alba; udii dietro la porta rumori di passi e voci sommesse.

Sognai Larry seduto sul mio letto a guardarmi, in attesa che mi svegliassi. Mi svegliai e vidi Zorin chino su di me che ascoltava il mio respiro, ma in realtà erano soltanto le mie giovani guardie che mi portavano la colazione.

Udii Emma che suonava Peter Maxwell-Davies nella chiesa di Honeybrook.

La mia cantina era una palestra con antiquate attrezzature ginniche spinte contro la parete e un cartello sulla porta che diceva CHIUSO PER RESTAURI. Si trovava sotto un mostruoso condominio di pietra, a un'ora bendata di viaggio dal centro di Mosca, in fondo a una strada sconnessa e mai terminata, tra odori di spazzatura, di petrolio e di alberi in putrefazione: il più malandato tra i luoghi esistenti sopra o sotto la terra. L'aria era umida e puzzolente, l'acqua gocciolava e gorgogliava tutta la notte nei tubi che scorrevano lungo il soffitto scendendo fino a un pavimento di cemento pieno di crepe; tubi per i liquami, tubi per l'acqua calda e per l'acqua potabile, tubi che fungevano da condotti per l'elettricità, per il telefono e per piccoli topi grigi, quasi tutti in viaggio verso chissà quale destinazione. Per quanto potevo fidarmi della mia aritmetica vi restai nove giorni e dieci notti, ma il tempo era irrilevante perché la prima volta che finisci in prigione passano anni senza che il tuo orologio avanzi più di pochi secondi, e la distanza fra due pasti è una marcia attraverso l'intero deserto della tua vita. In una notte dormi con tutte le donne che hai conosciuto, e quando ti svegli è sempre notte, e continui a rabbrividire tutto solo.

Nella mia cantina non c'erano finestre. Le due grate in alto, che avrebbero dovuto fare circolare l'aria, erano state chiuse da tempo. Quando salii a esaminarle su un cavallo per volteggi divorato dai topi, scoprii che i telai di ferro si erano saldati insieme per via della ruggine. Il primo giorno il fetore nella cella era insopportabile, il secondo mi diede un po' meno fastidio e il terzo scomparve; mi resi conto di esserne divenuto parte. Ma gli effluvi che venivano dall'alto erano un teatro permanente dei sensi: olio di girasole, aglio, cipolla, agnello, pollo arrosto, e l'universale odore di stantio delle piccole stanze sovraffollate.

«Bashir Haji!»

Mi svegliai in piena notte, tutto tremante per questo grido, meravigliato o angosciato che fosse, delle mie guardie.

Prima lo squillo del telefono da campo. Poi questo grido straziato o estasiato.

Lo stavano festeggiando?

Proclamavano la loro fede, gridando il suo nome alle colline?

Invocavano maledizioni su di lui? Lo piangevano?

Restai sveglio ad aspettare l'atto successivo. Non venne. Mi addormentai.

Un prigioniero degli ingusci può sentirsi solo ma non è mai da solo.

Io, che non avevo figli, ero inondato di bambini. Mi correvano sopra la testa, saltavano, pestavano i piedi, ridevano, gridavano, e le madri rispondevano urlando anche loro. Ogni tanto uno schiaffo sonoro al quale seguivano un silenzio ansante e risentito, poi altre urla. Udivo ululati di cani; provenivano da fuori. Io volevo uscire, e i cani chiedevano di entrare. Udivo gatti dappertutto. Udivo l'enfatico rimbombo dei televisori tenuti accesi tutto il giorno. Udivo una telenovela messicana doppiata in russo, e nell'intervallo il drammatico annuncio del fallimento di un'altra società finanziaria. Udivo i rumori del bucato, le scaramucce di uomini in collera, uomini ubriachi e donne indignate. Udivo piangere.

L'accompagnamento sonoro era costituito da una dozzinale disco music russa e da stupido rock americano, inframmezzati da qualcosa di ben più profondo e gradito: un ritmico rullio di tamburi, lento e sommesso, agitato e insistente, che mi stimolava ad alzarmi, ad affrontare la giornata, a battermi, a vincere. Sapevo che era il genere di musica caro a Emma, nato nelle valli e nelle montagne di origine degli esuli che ora la ascoltavano. E di notte, quando questi suoni cessavano quasi del tutto, udivo il flusso continuo, antico quanto il mare, delle chiacchiere intorno ai fuochi di bivacco.

Avevo insomma a pieno titolo l'impressione di essere entrato a fare parte di una vita sotterranea, perché anche quelli che mi ospitavano erano lontani dalle proprie case e disprezzati; e a me, benché fossi prigioniero, venivano concessi i privilegi dell'ospite d'onore. Le mie guardie mi conducevano quotidianamente a lavarmi, portandosi un dito alle labbra per ordinarmi di tacere, e lanciandomi cupe occhiatacce mentre mi facevano percorrere le viscere dell'edificio sino alla toilette piena di pezzi appena strappati di giornali incomprensibili; in quei momenti mi sentivo loro complice, e non un semplice recluso.

Sto ascoltando Pettifer che parla della paura. Non è una lunga dissertazione, né tanto meno un seminario domenicale. Siamo in un albergo di Houston, in Texas; ha passato dieci giorni in un carcere cubano con una falsa accusa di detenzione di stupefacenti; in realtà sospetta che il tutto sia servito alla polizia militare per studiarlo con calma. Prima non lo lasciavano dormire. Poi gli avevano fatto passare una notte e un giorno senza bere. Poi lo avevano appeso, braccia e gambe divaricate, a quattro anelli conficcati in una parete, perché confessasse di essere una spia americana.

«Quando ho cominciato a incazzarmi è stato magnifico» mi assicura Larry, sdraiato sui bordi della piscina dell'albergo a esaminare i bikini di passaggio e a succhiare con la cannuccia una piña colada. «Ho detto che fra tutti gli insulti appioppabili a un gentiluomo inglese, accusarlo di essere una spia yanqui era il più volgare. Gli ho detto che era peggio che dirmi che mia madre era una puttana. Poi gli ho detto che puttane erano le loro madri e a quel punto, più o meno, arriva Rogov e gli dice di tirarmi giù, di farmi fare un bagno e di lasciarmi andare.»

Rogov è il capo residente del Kgb all'Avana. Dentro di me sono convinto che sia stato lui, a ordinare l'interrogatorio.

Gli rivolgo la domanda impossibile: com'era? Larry si finge sorpreso.

«Dopo Winchester? Una pacchia. Potendo scegliere, preferirò sempre una prigione cubana alla biblioteca del pensionato. Ehi, Timbo» e mi dà una gomitata, «che ne dici di quella? Fatta apposta per te. Brutta e disponibile. Niente rischi.»

Avevo due guardie che non avevano altra vita all'infuori di me. Notte e giorno, facevano tutto insieme. Camminavano in punta di piedi come i loro colleghi al night. Parlavano il russo dolce del sud, ma come seconda lingua o forse, a questo punto, come terza: frequentavano entrambi il primo anno di studi musulmani all'Università islamica di Nazran, dove le materie erano arabo, Corano e storia dell'Islam. Non vollero dirmi come si chiamavano; suppongo che glielo avessero ordinato, ma poiché la loro fede gli proibiva di mentire, in quei dieci giorni non ebbero nome.

Erano *murid*, mi dissero con orgoglio, devoti a Dio e

ai loro maestri spirituali, impegnati a condurre una vita virile e riservata nel perseguimento della sacra conoscenza. I murid, dicevano, erano il nucleo morale della causa inguscia e dell'opposizione militare e politica alla Russia. Si erano solennemente impegnati a diventare modelli di devozione, onestà, coraggio e abnegazione. Quello più massiccio e più preparato – a nessuno dei due davo più di vent'anni – veniva da Ekazhevo, un grosso villaggio nei dintorni di Nazran; il suo minuscolo compagno da Jairakh, sulle montagne vicine all'autostrada militare georgiana, nella punta meridionale del contestato *raion* di Prigorod, che come mi spiegarono costituiva la metà dell'effettivo territorio dell'Inguscezia.

Tutto questo il primo giorno, mentre se ne stavano intimiditi all'altro capo della mia cella nei loro giubbotti imbottiti, con le pistole mitragliatrici strette al petto, e mi guardavano consumare una colazione a base di quello stesso tè nero e forte che avevo trovato nella sala d'aspetto di Aitken May, con una fetta di preziosissimo limone, pane, formaggio e uova sode. I pasti furono fin dall'inizio una cerimonia. I miei murid me li servivano a turno, ed erano molto fieri della loro munificenza. E poiché mi ero accorto quasi subito che si nutrivano in modo assai più frugale (consumavano soltanto le provviste che si erano portati da Nazran, mi spiegarono, per essere sicuri di non violare nessuna restrizione alimentare) finsi di mangiare con gusto. Il secondo giorno cominciarono ad apparire anche le cuoche; donne dallo sguardo impassibile, il capo avvolto in uno scialle, che mi sbirciavano da dietro la porta; le più giovani particolarmente pudiche, le più anziane con occhi scintillanti di curiosità.

Solo una volta, e per un malinteso, sperimentai il lato meno affabile del nostro rapporto. Giacevo a letto sognando, e i miei sogni dovevano avere avuto una svolta violenta perché quando aprii gli occhi vidi i miei due murid che mi guardavano dall'alto, l'uno portando con orgoglio saponetta e asciugamano, l'altro il mio pasto della sera. Mi alzai con un grido bellicoso, e un attimo dopo mi fu tolta la possibilità di reggermi sulle gambe; mentre mi sforzavo di rialzarmi, mi sentii premere sul collo la bocca unta di una pistola. Poi, di nuovo solo, udii gracchiare il telefono da campo e le loro voci che riferivano con calma l'accaduto. Tornarono per guardarmi mangiare, poi portarono via il vassoio e mi incatenarono al letto.

Per il mio bene rinunciai a ogni resistenza fisica e spirituale. Supino, inerte, mi convinsi che la più grande libertà al mondo consisteva nel non controllare il proprio destino.

Ma il mattino dopo, quando le guardie mi liberarono, mi sanguinavano i polsi e avevo le caviglie così gonfie che mi dovettero fare un pediluvio in acqua fredda.

Magomed arrivò con una bottiglia di vodka. Aveva gli occhi cerchiati di rosso e la faccia tonda, sotto lo zucchetto, oscurata dalla barba non fatta. Che cosa lo rattristava? O sorrideva sempre con tanta tristezza? Versò la vodka ma non ne bevve. Mi domandò se ero contento. Risposi: «Come un re». Mi sorrise con distacco e ripeté: «Come un re». Parlammo, senza un ordine particolare, di Oscar Wilde, Jack London, Ford Madox Ford e Bulgakov. Mi assicurò che solo di rado gli capitava l'occasione di conversare a un certo livello, e mi domandò se in Inghilterra avessi modo di fare discussioni simili.

«Solo con Larry» risposi, sperando di farlo parlare.

Reagì con un altro sorriso triste, che non ammetteva né smentiva l'esistenza di Larry. Domandò come mi ero trovato con i miei murid.

«Sono gentili?»

«Gentilissimi.»

«Sono figli di martiri.» Lo stesso sorriso triste. «Forse la considerano uno strumento della volontà di Dio.»

«Perché mai?»

«C'è una profezia assai diffusa negli ambienti sufisti fin da quando, nel XIX secolo, l'Imam Shamyl scrisse alla vostra regina Vittoria; dice che un giorno l'Impero russo crollerà e l'intero Caucaso settentrionale, compresa l'Inguscezia e la Cecenia, passerà sotto il dominio della corona britannica.»

Accolsi questa informazione con la stessa serietà con cui me l'aveva fornita.

«Sono in molti, tra gli anziani, a parlare della profezia inglese» continuò. «Adesso che l'Impero russo è crollato si domandano: quando avremo il secondo segno?»

Mi ricordai all'improvviso di una storia che una volta mi aveva raccontato Larry: «Devo avere letto da qualche parte» dissi, usando frasi come le sue, attentamente calibrate «che la regina Vittoria aveva fornito armi all'Imam Shamyl per aiutarlo a sconfiggere l'oppressore russo».

«È possibile» ammise Magomed, mostrandosi poco interessato. «L'Imam Shamyl non apparteneva al nostro popolo, e quindi non è il più grande dei nostri eroi.» Si passò la grossa mano prima sulla fronte e poi sulla barba, come per cancellare un pensiero molesto. «C'è anche una leggenda secondo la quale i fondatori delle nazioni cecena e inguscia furono allattati da una lupa. È una storia che lei forse conosce in un contesto differente.»

«Già» dissi, ricordando i lupi incisi sui gemelli d'oro di Issa.

«In termini più pratici, c'è sempre stato fra noi chi sosteneva che la Gran Bretagna potrebbe mitigare la determinazione dei russi, che vogliono farci loro schiavi. Ritiene che questo sia soltanto uno dei nostri tanti sogni insensati, o possiamo sperare che parlerà di noi nei consigli dai quali siamo esclusi? Glielo domando con estrema serietà, signor Timothy.»

Non avevo ragione di dubitarne, ma mi era difficile dargli una risposta.

«Se la Russia violasse i trattati conclusi con i suoi vicini...» cominciai con un certo imbarazzo.

«Sì?»

«Se i carri armati invadessero Nazran come hanno invaso Praga nel '68...»

«L'hanno già fatto, signor Timothy. Lei forse allora dormiva. L'Inguscezia è un paese occupato dai russi. E qui a Mosca siamo dei paria. Né ci amano né si fidano di noi. Siamo vittime degli stessi pregiudizi dell'epoca zarista. Il comunismo non ci ha portato niente di diverso. L'attuale governo Eltsin è pieno di cosacchi, e i cosacchi ci odiano fin dagli albori del mondo. Ha generali cosacchi, spie cosacche e cosacchi nelle commissioni incaricate di decidere i nostri nuovi confini. Possiamo stare certi che continueranno a imbrogliarci. Negli ultimi duecento anni, il mondo per noi non si è spostato di un centimetro. Siamo oppressi, stigmatizzati, ma resistiamo. Resistiamo strenuamente. Forse è questo che dovrebbe dire alla sua regina.»

«Dov'è Larry? Quando potrò vederlo? Quando mi farete uscire da qui?»

Si stava già alzando per andarsene, e pensai sulle prime che avesse deciso di ignorare quelle domande nelle quali, con mio rammarico, si era insinuato un tono di disperazione non conforme alle regole del buon comportamento. Si addolcì, mi abbracciò solenne e guardandomi fiero negli occhi mormorò qualcosa che non riuscii a capire, ma che doveva essere, credo, una richiesta di protezione.

«Magomed è il più grande lottatore di tutta l'Inguscezia» disse con orgoglio il murid più vecchio. «È un grande Sufi, e ha anche il dottorato. È un grande guerriero e un maestro spirituale. Ha ucciso molti russi. In prigione l'hanno torturato, e quando è uscito non poteva più camminare. Adesso le sue gambe sono le più forti di tutto il Caucaso.»

«È Magomed, il vostro maestro spirituale?»

«No.»

«Bashir Haji?»

Ero andato a sbattere contro il muro degli argomenti proibiti. Si ritirarono in silenzio nella loro stanzetta sul lato opposto del corridoio. Il silenzio divenne profondo, spezzato di tanto in tanto da un mormorio. Immaginai che i figli dei martiri stessero pregando.

Si fece vivo Issa. Indossava una massiccia giacca di pelle nuova di zecca. Splendida. Lo faceva enorme. Mi portò dall'albergo valigia e valigetta. Lo accompagnavano due di quei suoi giovanotti armati. Anche lui, come Magomed, non si era fatto la barba. Aveva un'espressione seria, tormentata.

«Ha qualcosa di cui lamentarsi?» domandò, chinandosi su di me con tanta ferocia da farmi pensare che volesse di nuovo schiaffeggiarmi.

«Sono stato trattato con onore e rispetto» ribattei con eguale aggressività.

Invece di picchiarmi mi prese una mano e mi attirò a sé, abbracciandomi come aveva fatto Magomed e dandomi anche lui una pacca amichevole sulle spalle.

«Quando potrò andarmene da qui?»

«Vedremo. Un giorno, due, tre. Dipende.»

«Da cosa? Che cosa stiamo aspettando?» Le conversazioni con i murid mi avevano dato coraggio. «Io non ho niente contro di voi. Né ho cattive intenzioni. Sono qui per una missione d'onore, per vedere il mio amico.»

Il suo sguardo torvo mi turbava. La barba non rasata, gli occhi devastati, gli davano l'aspetto di chi abbia visto cose orribili. Ma non mi rispose. Si girò di scatto e se ne andò, seguito dai suoi guerrieri. Aprii la valigia.

Le carte di Aitken May erano scomparse, e anche l'indirizzario di Emma. Mi domandai se Issa avesse pagato il conto del mio albergo e, in caso affermativo, se si fosse servito della carta di credito di Bairstow che era stata annullata.

Sto ascoltando Pettifer nella solitudine delle telefonate interurbane di una spia. Un po' si lamenta e un po' è contento. Paragona la propria esistenza alle ascensioni alpinistiche, che gli piacciono molto.

«È un enorme e maledetto strapiombo buio. A un certo punto sei fiero di essere solo. Un attimo dopo daresti qualsiasi cosa per avere un altro paio di uomini in cordata. Altre volte vorresti estrarre il coltello, allungare un braccio e tagliare la fune così da potere finalmente dormire.»

Col passare dei giorni, le ore più divertenti e istruttive erano quelle che passavo a chiacchierare con i miei murid.

A volte pregavano senza imbarazzo anche davanti a me, dopo avere pregato da soli. Venivano in camera mia con lo zucchetto in testa, si sedevano e, evitando di guardarmi, chiudevano gli occhi sgranando devoti il rosario. Un murid, mi spiegarono, non prendeva mai fra le dita un grano di rosario senza invocare il nome di Dio. E poiché Dio aveva novantanove nomi erano novantanove anche i grani, il che significava che almeno novantanove dovevano essere le invocazioni. Ma certi ordini sufiti (compreso il loro, lasciavano capire) imponevano di ripetere più volte le stesse invocazioni. Un murid, prima di essere accettato, doveva dare molte e diverse prove di fedeltà. Avevano una struttura gerarchica complicata e decentralizzata. Ogni villaggio era diviso in un certo numero di quartieri, ognuno dei quali aveva una sua piccola organizzazione guidata da un *turgh*, o capogruppo, che era soggetto a un *thama-*

da, soggetto a sua volta a un *vekil* o vice sceicco... Ascoltandoli, non potevo non provare una certa simpatia per i poveri funzionari del Servizio segreto russo, che avevano il compito impossibile di infiltrarsi in quelle organizzazioni. I miei murid recitavano le cinque preghiere obbligatorie della giornata sui tappeti per la preghiera che tenevano nella loro stanzetta. Quelle in mia presenza erano preghiere supplementari, dedicate a certi santoni e a cause speciali.

«Issa è un murid?» chiesi, e la domanda suscitò grasse risate.

Issa è molto laico, risposero ricominciando a ridere. Issa è un eccellente imbroglione dedito alla nostra causa! Ci aiuta finanziariamente con i suoi racket! Senza di lui non avremmo armi! Issa ha tanti amici nella mafia, Issa è del nostro villaggio, è il miglior tiratore con il fucile, il migliore nel judo e nel calcio e...

Poi di nuovo silenzio. Riflettei su Issa e sulla sua nuova personalità: complice di Ceceev e forse anche cervello del furto di trentasette milioni di sterline...

La mia voglia di interrogarli non era niente, in confronto alla loro estrema curiosità sul mio conto. Facevano appena in tempo a mettermi davanti il vassoio che già si sedevano al tavolo per sottopormi a un ennesimo fuoco di fila: volevano sapere quali fossero gli inglesi più coraggiosi. Chi erano i guerrieri, i lottatori e i combattenti migliori? Elvis Presley era inglese o americano? La regina aveva un'autorità assoluta? Poteva distruggere villaggi, ordinare esecuzioni capitali, sciogliere il parlamento? Erano alte le montagne inglesi? In parlamento c'erano soltanto gli anziani? I cristiani avevano ordini segreti, sette, santoni, sceicchi e imam? Chi insegnava loro a combattere? Quali armi avevano? I cristiani macellavano gli animali senza averli prima dissanguati? E, poiché avevo loro detto che vivevo in campagna, quanti ettari possedevo, quanti capi di bestiame, quante pecore?

La mia situazione personale suscitava in loro infinite perplessità. Se ero un vero uomo, come mai non avevo una moglie né figli che mi confortassero nella vecchiaia? Inutile spiegare che ero divorziato. Per loro il divorzio era un dettaglio, una formalità a cui dedicare poche ore. Perché non avevo una nuova moglie che mi desse dei figli?

Desiderando essere ripagato con uguale franchezza, rispondevo sempre con la massima precisione.

«Che cosa vi ha portati a Mosca? Non dovreste essere a Nazran a studiare?» domandai una sera, davanti a una serie interminabile di tazze di tè nero.

Si consultarono fra loro, discutendo su chi avrebbe avuto l'onore di rispondere per primo.

«Siamo stati scelti dal nostro capo spirituale per sorvegliare un importante prigioniero inglese» dichiarò il ragazzo che veniva dalla vallata, con un'impennata di orgoglio.

«Siamo i due guerrieri migliori dell'Inguscezia» disse il ragazzo che veniva dalle montagne. «Non abbiamo rivali, siamo i combattenti più prodi e coraggiosi, i più resistenti, i più fedeli!»

«E i più devoti!» disse il suo amico.

Ma a questo punto si ricordarono forse che le vanterie non erano ammesse dai loro insegnamenti, perché si fecero improvvisamente seri, prendendo a parlare più sottovoce.

«Siamo venuti a Mosca come scorta a una grande somma di denaro per un conoscente di mio zio» disse il primo ragazzo.

«I soldi erano stati stipati in due bei cuscini ricamati» disse il secondo. «Questo perché i caucasici vengono sempre perquisiti agli aeroporti. Ma quegli stupidi russi non hanno minimamente sospettato i cuscini.»

«Secondo noi il denaro che abbiamo scortato era falso, ma non ne siamo sicuri» disse tutto serio il primo. «Gli ingusci sono falsari abilissimi. Comunque all'aeroporto è arrivato un uomo che, fattosi riconoscere, si è portato via i nostri cuscini su una jeep.»

Per un po' si persero in un'animata discussione su cosa avrebbero comprato con i guadagni di questa missione: uno stereo, qualche vestito, altri anelli d'oro o una Mercedes rubata, introdotta di contrabbando dalla Germania. Ma io non avevo fretta. Potevo aspettare tutta la notte.

«Magomed mi ha detto che siete figli di martiri» dissi, quando ebbero esaurito l'argomento.

Il ragazzo di montagna si calmò. «Mio padre era cieco» disse. «Si guadagnava da vivere recitando a memoria il Corano. Gli osseti lo torturarono davanti a tutto il villaggio, poi i soldati russi lo legarono mani e piedi e lo schiacciarono con un carro armato. E quando gli abitanti del villaggio cercarono di recuperare il cadavere, fecero fuoco su di loro.»

«Anche mio padre e i miei due fratelli sono con Dio» disse pacato il ragazzo della valle.

«Quando arriverà la morte ci troverà pronti» disse l'amico, adottando lo stesso tono con cui aveva parlato del padre. «Vendicheremo i nostri padri, fratelli e amici, poi moriremo.»

«Abbiamo giurato di combattere la *gazavat*» disse l'altro con eguale intensità. «È la guerra santa, che libererà il nostro paese dai russi.»

«Dobbiamo salvare il nostro popolo dall'ingiustizia» disse il ragazzo di montagna. «Fare in modo che il nostro popolo sia così forte e devoto da impedire agli infedeli di depredarlo.» Si alzò e, allungando una mano dietro di sé, estrasse un pugnale ricurvo e me lo mise in mano. «Questo è il mio *kinjal*. Se non avrò altre armi e mi troverò circondato, senza munizioni, uscirò da casa di corsa, colpendo il primo russo che mi capiterà a tiro.»

Passò un po' di tempo prima che il suo fervore si

smorzasse. Ma la parola infedele mi aveva dato l'occasione che attendevo dall'inizio della serata.

«Può un infedele essere soggetto della preghiera di un murid?» domandai.

Il ragazzo della valle si riteneva evidentemente il più attendibile come autorità spirituale. «Se l'infedele ha grande reputazione e moralità, e se si è messo al servizio della nostra causa, un murid pregherà per lui. Come pregherà per chiunque sia strumento di Dio.»

«Potrebbe un infedele di grande reputazione e moralità vivere in mezzo a voi?» domandai, chiedendomi come Larry avrebbe accolto questa definizione.

«Quando un infedele è ospite in casa nostra, viene chiamato *hashash*. Un *hashash* è una sacra responsabilità. Se qualcuno gli farà del male sarà un'offesa grave, come se venisse fatto del male alla tribù che lo proteggeva. Inizierà una faida sanguinosa per vendicare la morte dell'*hashash* e riscattare l'onore della tribù.»

«E adesso uno di questi *hashash* vive con voi?» domandai; e in attesa di una risposta aggiunsi: «Un inglese, magari? Un uomo che si batte per la vostra causa e parla la vostra lingua?».

Per un meraviglioso istante credetti sul serio che la mia paziente strategia avesse funzionato. Si scambiarono sguardi eccitati, gli si accesero gli occhi, parlarono fra loro in frasi sommesse e ansanti, piene di promesse incomprensibili. Ma poco per volta mi resi conto che quanto il ragazzo di montagna mi avrebbe detto con piacere, il suo amico della valle gli stava ordinando di tenere per sé.

Quella notte sognai Larry nei panni di un moderno Lord Jim, monarca incoronato di tutto il Caucaso, ed Emma sua spaventata consorte.

Vennero a prendermi all'alba, ora in cui arrivano i giustizieri. Prima li sognai, poi si materializzarono: Magomed, il suo smunto compagno e due dei ragazzi che erano stati presenti quando mi avevano preso a schiaffi nel night. I miei murid erano spariti. Forse li avevano richiamati a Nazran. Forse volevano prendere le distanze da ciò che stava per accadere. Un colbacco di astrakan e un *kinjal* giacevano ai piedi del mio letto; dovevano averceli messi mentre dormivo. La barba incolta di Magomed era diventata una barba vera e propria. Portava un colbacco di visone.

«Andiamo via subito, prego, signor Timothy» mi comunicò. «Si prepari, per favore, a partire con discrezione.»

Poi si adagiò sulla mia poltrona come un maestro di cerimonia, con l'antenna di un cellulare che gli spuntava dal panciotto imbottito: guardava i suoi ragazzi che mi sollecitavano a fare i bagagli in fretta (avevo il *kinjal* legato alla valigia, e il colbacco di astrakan in testa), tenendo le orecchie tese per cogliere eventuali rumori sospetti in corridoio.

Quando il cellulare ronzò, Magomed mormorò un ordine e mi assestò una pacca sulla spalla, come per dare il via al suo campione in una corsa. Uno dei ragazzi mi prese la valigia, un altro la valigetta; nella mano libera tenevano entrambi una pistola mitragliatrice. Li seguii in corridoio. Mi accolse un'aria gelida, e allora ricordai che indossavo vestiti leggeri; apprezzai il colbacco d'astrakan. L'uomo smunto sibilò in russo: «Svelto, maledizione!» e mi diede una spinta. Salii due brevi rampe di scale. Sulla seconda, la neve svolazzava giù dai gradini verso di me. Mi inerpicai da un'uscita di sicurezza su un balcone coperto di neve, presidiato da un uomo con la pistola. Mi indicò con un gesto una scala di ferro. Scivolai, provando un forte dolore alla base della spina dorsale. Mi urlò un insulto. Gli risposi a tono e proseguii barcollando.

Davanti a me scorgevo i ragazzi con i miei bagagli, quasi invisibili oltre uno schermo di neve fitta. Mi trovavo in un'area fabbricabile fra terrapieni, trincee e trattori parcheggiati. La neve mi entrava nelle scarpe attaccandosi ai polpacci. Scivolai in una trincea, e ne uscii aiutandomi con i gomiti e con le dita. La neve mi accecava. Mentre mi ripulivo, vidi con stupore Magomed saltellare davanti a me, un po' pagliaccio e un po' cervo, e l'uomo smunto alle sue calcagna. Continuai ad arrancare, approfittando delle orme che avevano lasciato. Ma la neve era così alta che a ogni passo sprofondavo sempre di più nel pantano di Priddy. Passavo da un avvallamento all'altro agitando le braccia e inciampando in continuazione.

Magomed e il suo compagno avevano rallentato per aspettarmi. Due volte mi rimisero in piedi con la loro forza bruta; poi, con un ruggito di frustrazione, Magomed mi prese in braccio e mi trasportò oltre la neve, in mezzo agli alberi, fino a un furgone con quattro cingoli coperto per metà da un'incerata. Mentre mi arrampicavo in cabina, vidi infilarsi sotto il telone il secondo dei due ragazzi del night. Magomed prese il volante e l'uomo smunto si sedette di fianco a me dall'altra parte, con un kalashnikov fra le ginocchia e caricatori di ricambio ai piedi. Quando cominciammo ad arrancare fra i cumuli di neve, il motore si mise ululando a protestare. Attraverso il parabrezza incrostato di bianco presi congedo dal paesaggio spettrale che soltanto adesso avevo modo di vedere: condomini anneriti, sottratti a qualche vecchio film di guerra, e una finestra fracassata che eruttava aria calda come se fosse fumo.

Ci immettemmo in una strada maestra, dove ci piombarono addosso macchine e camion. Magomed mise una mano sul claxon e ce la tenne finché non riuscì ad aprirsi un varco. Il suo compagno alla mia destra osservava tutte le auto che ci superavano. Aveva un cellulare: dalle sue risate e dal suo continuo voltare la testa intuii che stava parlando con i ragazzi sotto l'incerata. La strada si inclinò e noi con lei. Più avanti c'era una curva. L'abbordammo fiduciosi ma il furgone, recalcitrando come un cavallo ombroso, proseguì diritto, salendo su quello che era evidentemente il ciglio della strada e rotolando poi con grazia su un fianco. Un attimo dopo, Magomed e tre dei suoi uomini erano già all'opera. Muovendosi all'unisono lo raddrizzarono, e ripartimmo prima che avessi il tempo di spaventarmi.

Adesso la strada era fiancheggiata da dacie, ognuna col suo frontone appesantito dalla neve e col suo piccolo giardino coperto da un manto bianco. Poi le dacie finirono. Ci sfilarono accanto campi piatti e piloni, seguiti da muri alti e da recinti di filo spinato alti tre metri che proteggevano i palazzi dei miliardari. Ci sentivamo tutti in qualche modo sollevati; eravamo in una foresta di pini e di bianche betulle spoglie, e avanzavamo lenti su un viottolo di neve fresca diritto come un fuso, che superava tronchi abbattuti e carcasse bruciate di auto misteriosamente abbandonate. Il viottolo diventava sempre più stretto e più buio. Nuvole di aria gelida spazzavano il cofano del furgone. Ci fermammo in una radura.

In un primo tempo Magomed lasciò acceso il motore per mantenere in funzione il riscaldamento. Poi lo spense e abbassò il finestrino dalla sua parte. Annusando odore di pini e di aria bagnata, ascoltammo il linguaggio della neve, folate e schiocchi furtivi. Il mio cappotto, inzuppatosi quand'ero caduto, era freddo, bagnato, pesante. Cominciavo a preoccuparmi per gli uomini sotto l'incerata. Udii un fischio, tre note sommesse. Guardai Magomed ma il santone, gli occhi chiusi e la testa piegata all'indietro, era assorto in meditazione. Teneva stretta una bomba a mano di plastica verde, il mignolo infilato nell'anello metallico. Era evidentemente il solo dito che riuscisse a farci entrare. Udii un secondo fischio, una nota sola. Guardai gli alberi alla mia destra e alla mia sinistra, poi il viottolo davanti e dietro, ma non vidi nulla. Magomed rispose a sua volta con un fischio, due note. Nessuno si mosse. Mi voltai di nuovo verso Magomed e vidi, incorniciata nel finestrino, la faccia barbuta di Issa che sbirciava all'interno.

Un uomo era rimasto sul furgone; mentre ci mettevamo in cammino sentii il veicolo che si allontanava e vidi mulinelli di neve corrergli appresso. Issa faceva strada, e Magomed gli camminava accanto: come una coppia di cacciatori pattugliavano la foresta imbracciando il kalashnikov, uno a destra e uno a sinistra. L'uomo smunto e i due ragazzi formavano la retroguardia. Magomed mi aveva dato guanti di kapok e soprascarpe che mi permettevano di camminare decentemente sulla neve.

La nostra comitiva stava scendendo una ripida massicciata. Gli alberi sopra di noi si congiungevano in un arco impenetrabile, attraverso il quale baluginavano pallidi frammenti di cielo. La neve lasciò il passo al muschio e al sottobosco. Superammo cumuli di immondizia e vecchi copertoni, poi cervi e scoiattoli sagomati in legno. Entrando in una radura piena di tavoli e di panche, vedemmo sul lato opposto una fila di baracche di legno. Un campeggio estivo abbandonato. Al centro, un vecchio capanno di mattoni. Sulla porta, chiusa con un lucchetto, era tracciata con vernice militare la parola CLUB.

Issa proseguì. Magomed si fermò sotto un albero, alzando una mano per ordinarci di rimanere dove eravamo. Guardando in alto vidi tre uomini appostati sopra di noi sul pendio. Issa batté un colpo sulla porta, poi un secondo. La porta si aprì. Issa fece cenno a Magomed che con un gesto mi chiamò al suo fianco, proprio mentre l'uomo smunto mi dava uno spintone.

Magomed si fermò per cedermi il passo. Entrai nella baracca e vidi in fondo alla stanza un uomo seduto tutto solo su un palcoscenico rudimentale, la testa scura nascosta disperatamente fra le mani. Un fondale a brandelli raffigurava eroici contadini che, armati di pale, marciavano vangando verso la vittoria. Quando la porta si richiuse alle mie spalle l'uomo, udendo il rumore, alzò il capo come se si fosse appena svegliato e si voltò a guardarmi. Nella luce delle finestre coperte di neve riconobbi il viso tormentato e barbuto di Konstantin Abramovic Ceceev che, rispetto alla sua ultima fotografia clandestina, sembrava invecchiato di dieci anni.

15

«Lei è Cranmer» disse. «L'amico di Larry. L'altro amico. Tim, il grande controllore di spie britannico. Il suo destino borghese.» La voce era intontita dalla stanchezza. Si passò una mano sul viso, con un gesto che mi ricordò i murid. «Oh, Larry mi ha raccontato tutto di lei. Qualche mese fa, a Bath. "CC, mettiti comodo. Bene, manda giù un bel sorso di scotch. Ho una confessione da farti." Mi stupì che avesse ancora qualcosa da confessare. La conosce, questa sensazione?»

«Fin troppo bene.»

«E allora confessò. Ne rimasi sconvolto. Che stupido, certo. Perché sconvolgersi? Per il semplice fatto che avevo tradito il mio paese, avrei forse dovuto aspettarmi che lui tradisse il suo? Così tracannai ancora del whisky e dopo non ero più sconvolto. Era un buon whisky. Glen Grant, di Berry Brothers & Rudd. Stravecchio. Poi risi. Sto ridendo ancora adesso.»

Ma quelle parole non trovavano conferma nella sua faccia stralunata, e neppure nella sua voce strascicata: non avevo mai visto un uomo così alterato dalla spossatezza e, come mi parve di capire, dall'odio nei confronti di se stesso.

«Chi è Bairstow?»

«Un nome falso.»

«Chi le ha fornito il passaporto?»

«L'ho rubato.»

«A chi?»
«Al Servizio. Un'operazione di qualche anno fa. Lo avevo tenuto da parte per quando mi sarei ritirato.»
«Perché?»
«Come polizza assicurativa.»
«Contro cosa?»
«Le disgrazie. Dov'è Larry? Quando posso vederlo?»
Si passò di nuovo la mano sul viso, stavolta con un gesto brusco, incredulo.
«Sta seriamente tentando di dirmi che è qui per una questione personale?»
«Sì.»
«Non l'ha mandata nessuno? Nessuno le ha detto: portaci la testa di Pettifer e ti compenseremo? Portaci la testa di tutti e due e ti compenseremo due volte? Davvero lei è venuto qui per sua scelta personale, per cercare il suo amico, la sua spia?»
«Sì.»
«Larry direbbe: balle. E lo dico anch'io. Balle. Nel mio paese non siamo molto inclini alle parole volgari. Prendiamo troppo sul serio gli insulti, perché si possa pronunciarli senza pericolo. Ebbene, balle. Due volte balle.»
Sedeva dietro un tavolo, un piede in avanti: figura solitaria sul palcoscenico, ma il cui sguardo passava da me ai lavoratori sulla parete. Sul tavolo c'era una candela accesa. Altre candele erano disposte a intervalli sul pavimento. Vidi muoversi un'ombra e mi resi conto che non eravamo soli.
«Come sta il grande e buon colonnello Zorin?» domandò.
«Sta bene. Le manda i suoi saluti. Le chiede di dichiarare pubblicamente di avere rubato quel denaro per la sua causa.»
«Forse l'hanno mandata qui tutti e due. Gli inglesi e i russi. Nel nuovo grande spirito di *entente*.»
«No.»

«Forse l'ha mandata la sola superpotenza rimasta al mondo. È un'ipotesi che mi piace. L'America come grande poliziotto: punire i ladri, domare i ribelli, ristabilire l'ordine, riportare la pace. Non ci saranno guerre, ma nella lotta per la pace non rimarrà in piedi nemmeno una pietra. Ricorda quella battuta così divertente degli anni della guerra fredda?»

Non la ricordavo ma risposi di sì.

«I russi chiedono soldi all'Occidente per mantenere la pace. Ha sentito anche questa?»

«Credo proprio di avere letto qualcosa del genere.»

«È vera. Una battuta non lontana dalla realtà. E l'Occidente glieli dà, i soldi. Per mantenere la pace nell'ex Unione Sovietica. L'Occidente ci mette i soldi, Mosca le truppe e l'epurazione etnica. I cimiteri sono pieni di pace e tutti sono felici. Quanto la pagano?»

«Chi?»

«Quelli che l'hanno mandata.»

«Non mi ha mandato nessuno. E quindi niente.»

«Un libero professionista, insomma. Un cacciatore di taglie nello spirito del mercato libero. Un rappresentante delle forze del mercato. Quanto valgono sul mercato libero Larry e Ceceev? Ha un contratto? Lo ha negoziato il suo avvocato?»

«Nessuno mi paga. Nessuno mi ha mandato. Non sto prendendo ordini da nessuno, non devo riferire a nessuno. Sono qui per conto mio, al solo fine di trovare Larry. Non ho intenzione di venderla. Neanche se potessi. Rappresento soltanto me stesso.»

Tirò fuori di tasca una borraccia e bevve un sorso. Era appannata, consumata dall'uso, ma il disegno era lo stesso della borraccia che mi aveva regalato Zorin, lo stesso emblema rosso sgargiante del suo ex Servizio.

«Lo odio, il mio nome. Il mio lurido e maledetto nome. Se me lo avessero impresso con un ferro rovente non lo odierei di più.»

«Perché?»

«"Ehi, culo nero, ti piace Ceceev?" "Va benissimo" dico. "Non è un brutto nome. Un nome da culo nero, ma non troppo nero. Suona bene." Prova a chiamare culo nero un qualsiasi inguscio, e quello ti ammazza. Ma io? Io sono un uomo che scende a compromessi, un commediante. Il loro negro bianco. Sfrutto i loro insulti prima ancora che lo facciano loro. "Che ne dici di Konstantin?" domandano. "Va benissimo" dico. "Grande imperatore. Grande dongiovanni." Ma fu soltanto quando arrivarono al patronimico che si divertirono sul serio. "Ehi, culo nero, forse ti faremo un po' ebreo" dicono, "tanto per metterli su una falsa pista. Abramo aveva un mucchio di figli. Uno di più e non se ne accorgerà nemmeno." Così sono un culo nero, sono ebreo e continuo a sorridere.»

Ma non stava sorridendo. Era furioso, disperato.

«Cosa farà se lo trova?» domandò, asciugando con una manica il collo della borraccia.

«Gli dirò che ha intrapreso un viaggio disastroso, nel quale ha trascinato la sua ragazza. Gli dirò che in Inghilterra sono già state assassinate tre persone...»

Mi interruppe. «Tre. Già tre? E sarebbe un disastro? Ricorda quella battuta che piaceva tanto a Stalin? Tre persone che muoiono in un fossato per un incidente d'auto sono una tragedia nazionale. Un intero popolo deportato, e sterminato per metà, è una statistica. Stalin era un grand'uomo. Più di Costantino.»

Ripresi a parlare con determinazione. «Hanno commesso un furto, sono immersi fino al collo nel traffico illegale di armi, sono diventati dei fuorilegge...»

Si era alzato e ora, con le mani dietro la schiena, stava al centro del palcoscenico. «Quale legge?» domandò. «Quale legge, per favore? Quale legge ha infranto Larry?»

Stavo perdendo la pazienza. Il freddo mi portava alla disperazione.

«La legge di chi? Quella britannica? Russa? Americana? Internazionale? Quella delle Nazioni Unite? La legge di gravità? La legge della giungla? Non capisco di quale legge stia parlando. È per questo che l'hanno mandata qui? Il suo Servizio... il mio Servizio... il sensibile e altruistico colonnello Zorin... per fare a me una predica sulla legge? Quegli stessi che hanno infranto tutte le leggi da loro promulgate! Tutte le promesse che ci hanno fatto: mai mantenute! Trecento anni di pacche sulle spalle: balle! Ci stanno ammazzando nei villaggi, sulle montagne, nelle città, nelle valli, e chiedono a lei di parlare a me della legge?»

La sua collera attizzò la mia. «Non mi ha mandato nessuno! Mi sente? Io ho trovato la casa di Cambridge street. Io ho scoperto che lei aveva visto Larry a Bath. Io ho ricostruito tutto. Io sono andato nel nord e ho trovato i cadaveri. Io ho dovuto lasciare il mio paese!»

«Perché?»

«Per causa sua, CC. Dei suoi intrighi. Degli intrighi di Larry. E di Emma. Perché ero sospettato di essere complice di CC. Perché stavo per essere arrestato come Zorin. Per causa sua. Ho bisogno di vedere Larry. Gli voglio bene.» Da buon inglese, mi affrettai a mitigare questa affermazione. «Glielo devo.»

Qualcosa che si muoveva nell'ombra, o forse il desiderio di sfuggire all'intensità della sua rabbia, mi indusse a guardarmi attorno. Magomed e Issa, seduti vicino alla porta, ci guardavano tenendo le teste accostate. Altri due uomini se ne stavano di guardia alle finestre, mentre un terzo preparava il tè su una stufa a cherosene. Tornai a guardare Ceceev. I suoi occhi esausti erano ancora fissi su di me.

«Forse lei non ha l'autorità» insinuai, pensando di indurlo così ad agire. «Devo parlare con qualcuno che abbia il potere di dire "sì" invece che "no"? Forse dovrebbe accompagnarmi dal vostro Capo Supremo. Forse dovrebbe accompagnarmi da Bashir Haji e lasciare che mi spieghi con lui.»

Dopo avere pronunciato quel nome sentii una tensione nella stanza, come un addensarsi dell'aria. E con la coda dell'occhio vidi una sentinella alla finestra che voltava la testa, e la canna del suo kalashnikov che si spostava armoniosamente insieme a lui.

«Bashir Haji è morto. Molti dei nostri sono stati uccisi con lui. Non sappiamo ancora chi. Siamo in lutto. Il che ci rende irascibili. Forse dovrebbe essere in lutto anche lei.»

Mi era piombata addosso una stanchezza tremenda. Sembrava che non valesse più la pena combattere il freddo. Ceceev si era appoggiato a un angolo del palcoscenico, le mani affondate nelle tasche e la testa barbuta affossata nel bavero del lungo cappotto. Magomed e Issa erano caduti in una specie di trance. Sembravano svegli soltanto i ragazzi alle finestre. Cercai di parlare ma mi mancava il fiato. Eppure qualcosa dovevo aver detto perché udii Ceceev rispondermi, non so se in inglese o in russo.

«Lo ignoriamo» ripeté. «È successo in un villaggio sulle montagne. Prima parlavano di venti morti, adesso dicono duecento. La tragedia sta diventando una statistica. I russi si servono di armi che non avevamo mai visto. È come sparare con fucili ad aria compressa a bombardieri Stealth. Riesci appena a fare partire un proiettile che già ti hanno distrutto. La gente è così spaventata che non sa neanche più contare. Ne vuole un po'?»

Mi stava offrendo la borraccia. Ne bevvi un lungo sorso.

Chissà come era calata la sera, e sedevamo tutti intorno a un tavolo in attesa di metterci in viaggio. Ceceev era a capotavola e io accanto a lui, disorientato dai miei sentimenti.

«E tutte quelle belle fonti che aveva Larry» stava dicendo «le aveva inventate lei?»

«Sì.»

«Lei personalmente? Frutto della sua inventiva professionale?»

«Sì» dissi.

«Non male. Per un destino borghese, davvero non male. Forse lei è più artista di quanto non creda.»

All'improvviso ebbi la sensazione che Larry fosse vicino.

Magomed era accovacciato accanto a una radio da campo che parlava solo a tratti, in un furtivo staccato. Issa aveva le mani giunte sul kalashnikov. Tenendosi la testa fra le mani, Ceceev sbirciava nell'oscurità con occhi semichiusi o semiaperti.

«Qui non troverà demoni islamici» disse in inglese, rivolto non soltanto a me ma anche a se stesso. «Se è per questo che l'hanno mandata qui, se lo scordi. Niente fondamentalisti, fanatici, attentatori o sognatori del grande superstato islamico. Lo domandi a Larry.»

«Cosa sta facendo Larry per voi?»

«Rammenda i calzini.»

Sembrò che si fosse appisolato per un attimo.

«Vuole sentire un'altra battuta? Noi siamo gente pacifica.»

«Si dovrebbe comunque perdonare un osservatore superficiale che non se ne accorga» suggerii.

«Gli ebrei hanno vissuto in mezzo a noi per centinaia di anni. Lo domandi a Konstantin Abramovic. Erano ospiti graditi. Semplicemente un'altra tribù. Un'altra setta. Non voglio dire che dovrebbero ringraziarci perché non li abbiamo perseguitati. Le sto solo spiegando che siamo gente pacifica, con una lunga storia pacifica, e che nessuno ce lo riconosce.»

Ci stavamo godendo una gradita pausa, come due pugili esausti.

«Non aveva mai sospettato di Larry?» gli domandai.

«Ero un burocrate. E Larry, carne di prima qualità. Metà di quegli stupidi al Presidium leggeva i suoi rapporti. Crede che potesse venirmi voglia di andare per primo da loro a dirgli: è un nemico, e lo è da vent'anni? Io, un culo nero, tollerato a fatica?»

Riprese a divagare. «Okay, siamo un branco di selvaggi rissosi. Non come i cosacchi, però. I cosacchi sono la feccia. Non come i georgiani, però. I georgiani sono peggio dei cosacchi. Non come i russi, questo è certo. Diciamo che gli ingusci affrontano in modo selettivo il problema del bene e del male. Siamo religiosi, ma non al punto da non essere laici.» La testa gli cadde in avanti ma la risollevò di scatto. «E se qualche poliziotto impazzito cercasse di applicare da noi il codice penale una metà di noi finirebbe in galera, ma l'altra metà uscirebbe in strada armata di kalashnikov per tirarci fuori.» Bevve. «Siamo un ammasso di montanari turbolenti che amano Dio, bevono, litigano, fanno gli spacconi, rubano, falsificano un po' di soldi, contrabbandano un po' di oro, scatenano faide sanguinose e non sono organizzabili in gruppi con più di un componente. Vuole sapere altro?»

Presi di nuovo la borraccia.

«Le alleanze e la politica non ci riguardano. Potete farci tutte le promesse che volete e rimangiarvele, noi domani torneremo a credervi. Abbiamo avuto una diaspora di cui nessuno ha mai sentito parlare e sofferenze che non potete vedere alla televisione, neanche con un'antenna speciale. I prepotenti non ci piacciono, da noi non esistono titoli ereditari e in mille anni non abbiamo mai prodotto un despota. Alla salute di Konstantin.»

Bevve alla salute di Konstantin e per un po' pensai che si fosse addormentato, invece alzò ancora la testa puntando l'indice verso di me.

«E quando voi culi bianchi occidentali deciderete

che è venuto il momento di schiacciarci... e lo farete signor Timothy, lo farete, perché per voi inglesi non esistono compromessi impossibili, una parte di voi morirà. Perché quello che noi abbiamo è ciò per cui vi battevate quando eravate uomini. Lo domandi a Larry.»

La radio emise un grido stridulo. Magomed balzò in piedi. Issa ordinò qualcosa ai ragazzi alle finestre. Ceceev mi condusse alla porta.

«Larry sa tutto. O sapeva tutto.»

Ci trasportò un autobus: Magomed, Issa, due murid, Ceceev e io. Un autobus militare con finestrini d'acciaio, e zaini che non erano i nostri sul tetto. Uno stemma davanti e uno dietro dichiaravano che quello era l'autobus 694. Guidava un grassone in divisa dell'esercito mentre i murid in giubbotto antiproiettile, seduti dietro di lui, tenevano i kalashnikov puntati verso il basso, sul corridoio. Qualche fila più indietro avevano preso posto Magomed e Issa, che bisbigliavano fra loro come due ladri. Il grassone, che guidava veloce, sembrava divertirsi a rasentare le macchine su quella strada ghiacciata di campagna.

«Ero un ragazzo in gamba, per essere un culo nero» mi confidò Ceceev, allungando senza entusiasmo la borraccia verso di me e ritirandola subito dopo. Parlavamo in inglese, esclusivamente in inglese. Avevo la sensazione che per Ceceev il russo fosse la lingua del nemico. «E lei era un ragazzo in gamba, per essere un culo bianco.»

«Non particolarmente.»

Nella luce azzurra dell'autobus, il suo viso smunto era una maschera mortuaria. Gli occhi infossati, fissi su di me, esprimevano un forte senso di dipendenza.

«Lei non lo mette mai da parte, il cervello?» domandò.

Non risposi. Lui bevve. Allora cambiai idea e bevvi anch'io, mettendo da parte il cervello.

«Sa cosa gli ho detto, una volta passato lo choc? A Larry? Dopo che mi aveva detto: "Sono un uomo di Cranmer, non sono tuo"?»

«No.»

«Sa perché mi sono messo a ridere?»

Rise anche adesso, una risata secca e strozzata; bevve dalla borraccia, poi me la passò ancora.

«"Senti" gli ho detto. "Fino all'ottobre del '92 avevo dimenticato quanto odiavo i russi. Oggi, chiunque abbia fatto la spia contro Mosca è un mio amico."»

Larry è morto, pensai. Ucciso insieme a Bashir Haji. Gli hanno sparato mentre tentava di fuggire dal suo destino borghese.

Giace nell'acqua, adesso, e non ha più importanza se a faccia in su o in giù.

È una tragedia, non una statistica. Ha trovato la sua morte alla Byron.

Ceceev stava facendo un altro monologo. Si era alzato il bavero sulla faccia e parlava rivolto al sedile davanti a lui.

«Quando tornavo al villaggio, amici e parenti mi volevano ancora bene. Sì, certo, ero del Kgb. Ma non del Kgb in Inguscezia. I miei fratelli e le mie sorelle erano fieri di me. Per amore mio dimenticavano il loro odio nei confronti dei russi.» Ostentò un cupo entusiasmo. «"Forse non sono stati i russi a deportarci nel Kazakistan" dicevano. "Forse non hanno mai fucilato nostro padre. E poi, non hanno forse fatto studiare il nostro fratello maggiore, trasformandolo in un occidentale?" Lo odio, questo genere di bontà. Perché non ascoltano la maledetta radio, perché non leggono i maledetti giornali, perché non crescono? Perché non mi tirano pietre, non mi sparano, non mi piantano un coltello nel ventre? Perché non mi gridano sporco traditore? Uno che pretende di essere amato e intanto tradisce la propria gente? Ha idea di quello che sto dicendo? Chi ha tradito lei? Tutti. Ma lei è inglese.»

Si stava scaldando. «E quando il grande Impero sovietico è finito per terra battendo il suo culo bianco, sa cosa hanno fatto i miei amici e parenti? Mi hanno confortato! Mi hanno detto di non preoccuparmi! "Questo Eltsin è un brav'uomo, vedrai. Adesso che non abbiamo più il comunismo, Eltsin ci renderà giustizia."» Bevve di nuovo, bisbigliando qualche insulto rivolto a se stesso. «Sa una cosa? Io avevo detto le stesse stupidaggini quando era andato al potere Chruscev! Quante volte si può essere così idioti? Dovrebbe sentirli. Zorin. Tutti gli Zorin. Seduti alla mensa. Abbassano la voce, quando il negro bianco si avvicina un po' troppo. L'Impero sovietico non è ancora morto e sepolto che già esce l'Impero russo. "La nostra preziosa Ucraina, andata! La nostra preziosa Transcaucasia, andata! I nostri amati Baltici, andati! Guardate, il virus si sta spostando a sud! La nostra Georgia se ne sta andando! Il Nagorno Karabah se ne sta andando! L'Armenia e l'Azerbaigian se ne stanno andando! La Cecenia è andata! Se ne sta andando tutto il Caucaso! La nostra porta per il Medio Oriente! La nostra rotta per l'oceano Indiano! Il nostro fianco meridionale nudo, esposto agli attacchi della Turchia! Tutti depredano la Madre Russia!"» L'autobus rallentò. «Finga di dormire. Pieghi la testa in avanti, chiuda gli occhi. Mostri loro il suo bel colbacco di pelo.»

L'autobus si fermò. Una corrente d'aria gelida lo percorse tutto mentre la porta del conducente si spalancava e Ceceev si faceva avanti con decisione. Da dietro le palpebre socchiuse, vidi salire a bordo una figura con un lungo cappotto grigio, che serrò Ceceev in un rapido abbraccio. Udii mormorii confidenziali e vidi una busta rigonfia cambiare di mano. L'uomo col cappotto se ne andò, la porta si chiuse, l'autobus si rimise in moto. Ceceev restò in piedi accanto al conducente.

Passammo davanti a un baraccamento e a un campo di calcio illuminato. Uomini in tuta stavano giocando una partita a sei nella neve. Passando davanti a una mensa, vedemmo soldati russi mangiare sotto lampade fluorescenti. Li identificavo con il nemico come mai mi era capitato fino ad allora. Il nostro conducente guidava con calma, senza sensi di colpa e senza fretta. Ceceev era sempre al suo fianco con una mano in tasca. Ci avvicinammo a un posto di controllo. Una barriera bianca e rossa ci bloccava la strada. I due murid tenevano i kalashnikov sulle ginocchia. La barriera si alzò.

Stavamo improvvisamente procedendo a gran velocità verso la parte buia dell'aeroporto, seguendo tracce nere di copertoni nella neve. Ero convinto che da un momento all'altro avremmo sentito l'autobus sobbalzare, colpito dalle prime pallottole. E invece, illuminato dai nostri fari, comparve a un tratto un vecchio bimotore da trasporto, con le porte aperte e la scaletta già pronta. L'autobus slittò fino a fermarsi lateralmente, e noi saltammo a terra nella notte gelida senza proiettili che ci inseguissero. Le eliche dell'aereo stavano già girando, e i fari per l'atterraggio si erano accesi. Nella cabina di guida tre facce bianche ci urlavano di sbrigarci. Salii di corsa gli scalini traballanti e, per antica abitudine, mi impressi nella memoria il numero di registrazione sulla deriva, dopodiché mi considerai un perfetto idiota. Il ventre dell'aereo era vuoto, fatta eccezione per una pila di scatole marrone di cartone, tenute insieme con delle cinghie, e di casse d'acciaio, assicurate alle sbarre laterali, da usare come sedili. Rullammo per qualche metro, decollammo, poi il motore si spense e cominciammo di nuovo a scendere. A quel punto, grazie a un casuale raggio di luna, vidi le tre cupole a cipolla di una chiesa che si levava verso di me da una collina, la più grande dorata e le altre due avvolte in un'impalcatura. Ci sollevammo di nuovo, inclinandoci talmente che mi domandai se ci fossimo capovolti.

«Magomed le ha parlato di quella cazzata della profezia inglese?» gridò Ceceev, lasciandosi cadere accanto a me e porgendomi la borraccia.

«Sì.»

«Quei cervelli di gallina crederebbero a qualsiasi cosa.»

Larry, pensai. Il tuo genere di viaggio. In volo a Baku, strisciare un po' lungo la costa, voltare a sinistra, una pacchia. Il pericolo mi consolava. Se Larry era sopravvissuto a questo viaggio, doveva essere sopravvissuto anche al resto.

Accovacciato sulla una delle casse d'acciaio, Ceceev stava parlando dell'autunno di due anni prima.

«Pensavamo che i russi non avrebbero sparato. Impossibile. Eltsin non è Stalin. Certo che no. È Eltsin. Gli osseti avevano carri armati ed elicotteri ma i russi arrivarono ugualmente, per accertarsi che nessuno venisse ferito. La loro macchina propagandistica era formidabile. Gli ingusci erano selvaggi assetati di sangue, i russi e gli osseti bravi poliziotti. Mi pareva di conoscerli, i grandi intellettuali che scrivevano queste cose. Gli osseti sparavano contro di noi a più non posso, i russi osservavano ridendo, e sessantamila ingusci scappavano per non lasciarci la pelle. I russi erano quasi tutti cosacchi del Terek, e quindi di scherzi del genere se ne intendevano. I russi avevano fatto arrivare anche altri osseti dal sud che, essendo già stati oggetto di una pulizia etnica da parte dei georgiani, sapevano come bisognava fare. Poi i russi isolarono la regione con i carri armati, proclamando lo stato d'assedio in Inguscezia. Ma non in Ossezia perché gli osseti sono gente civile, vecchi clienti del Cremlino, cristiani.» Bevve e mi porse di nuovo la borraccia. Feci segno di no ma non se ne accorse.

«Fu allora che lei si riconvertì» suggerii. «Tornò a casa.»

«Gli ingusci si appellarono al mondo, ma il mondo era troppo maledettamente occupato» continuò come se non mi avesse sentito. Elencò le ragioni che tenevano il mondo occupato. «"Chi diavolo sono gli ingusci? Ehi, ma quello non è il pollaio dei russi? Ehi, senti, con questa frammentazione si sta esagerando. Noi abbattiamo le frontiere economiche, e intanto questi pazzi delle minoranze etniche erigono frontiere nazionali. Sono dissidenti, no? Sono musulmani, no? E criminali. Voglio dire, lasciamo stare i criminali russi, questi culi neri sono ben peggio. Non lo sanno che la giustizia è per i pezzi grossi? Meglio lasciar fare a Boris."»

I motori dell'aereo persero qualche colpo, riprendendo poi a un regime più basso. Stavamo perdendo quota.

«Avremmo potuto risolvere la cosa» disse. «Sei mesi. Un anno. Non era un problema. Ci sarebbero stati degli scontri. Qualche testa si sarebbe ritrovata leggermente staccata rispetto al relativo corpo. Sarebbe stato regolato qualche vecchio conto. Senza i russi a soffiarci sul collo ce l'avremmo fatta.»

«Stiamo atterrando o precipitando?»

In uno dei miei incubi ricorrenti mi trovavo di notte su un aereo che sfrecciava tra due file di edifici, lungo una strada sempre più stretta. Lo avevo anche adesso, solo che stavolta sfrecciavamo fra torri di controllo, puntando verso il fianco buio di una collina. La collina si aprì e ci infilammo in un tunnel illuminato da occhi di gatto; questi occhi erano sopra di noi. Su entrambi i lati scorrevano luci rosse e verdi. Più in là c'era un pallido parco giochi in cemento dove, protetti da un'alta rete metallica, erano parcheggiati aerei da caccia, autopompe e autobotti per i rifornimenti di carburante.

Ceceev aveva abbandonato quel suo umore meditabondo. Si era calmato prima ancora che l'aereo si fermasse. Aprì la porta della fusoliera e guardò fuori, spalleggiato dai due murid. Magomed mi mise in mano una pistola automatica. La affidai alla cintura. Issa, il laico, mi affiancò dall'altra parte. I membri dell'equipaggio tenevano gli occhi fissi davanti a sé. I motori dell'aereo rombavano impazienti. Dai nebbiosi recessi del bunker vidi lampeggiare due volte un paio di fari. Ceceev scese sulla pista e noi lo seguimmo, aprendoci a ventaglio e formando un triangolo di cui i murid erano i lati e Ceceev la punta. Procedemmo al piccolo trotto; i murid si muovevano armoniosamente con i loro kalashnikov. Due vecchie jeep ci stavano aspettando ai piedi di una lunga rampa. Mentre Magomed e Issa, prendendomi ciascuno per un gomito, mi sollevavano oltre la sponda posteriore del secondo di questi veicoli, vidi il nostro tronfio aereo da trasporto rollare sulla pista preparandosi al decollo. Le jeep si allontanarono dalla rampa percorrendo veloci una strada asfaltata, passando poi davanti a un posto di blocco non presidiato. Arrivati a un rondò sbattemmo contro uno spartitraffico in rovina e voltammo a sinistra in quella che da queste parti, pensai, doveva essere considerata una strada maestra. Un cartello in russo diceva Vladikavkaz 45 chilometri, Nazran 20. L'aria odorava di escrementi, di fieno e di Honeybrook. Mi ricordai di Larry in paglietta e camiciotto da contadino, che raccoglieva l'uva cantando *Greensleeves*, con gran divertimento delle Toller e di Emma. Me lo ricordai a pancia in su o a pancia in giù. E lo pensai ancora vivo dopo che lo avevo ucciso.

La nostra casa sicura era la seconda, in un cortile cinto da un muro bianco. C'erano due portoni, uno sulla strada e uno su un pascolo aperto. Oltre il pascolo, collinette chiazzate di ombre dalla luna si ergevano in un cielo tempestato di stelle. Sopra le colline, montagne e ancora montagne. Fra l'una e l'altra brillavano le luci di villaggi lontani.

Eravamo in un soggiorno, con dei materassi sul pavimento e un tavolo ricoperto di plastica al centro. Due donne con il foulard in testa stavano preparando da mangiare; madre e figlia, immaginai. Ci ospitava un uomo tarchiato sulla sessantina, che stringendomi la mano mi rivolse la parola con aria solenne.

«Dice che lei è il benvenuto» mi spiegò Ceceev senza il consueto cinismo. «Dice che è molto onorato della sua presenza in questa casa, e la invita a sedersi accanto a lui. Noi sappiamo combattere le nostre guerre da soli, dice. Non abbiamo bisogno di aiuti esterni. Ma quando gli inglesi ci offrono il loro appoggio, siamo loro grati e ringraziamo Dio. Crede sul serio a ogni parola che dice, e quindi lei sorrida e assuma l'atteggiamento di un re inglese. È un sufi, e noi non mettiamo in dubbio la sua autorità.»

Mi sedetti vicino a lui. Gli uomini più anziani presero posto a tavola mentre i giovani restavano in piedi e le donne servivano fette di pane, carne fritta all'aglio e tè. Alla parete era appesa una fotografia di Bashir Haji. Era la stessa di Cambridge street, ma senza la dedica firmata nell'angolo.

«Il villaggio è stato attaccato di notte» disse Ceceev, traducendo le parole del padrone di casa, mentre i giovani ascoltavano in rispettoso silenzio. «Era abbandonato da anni, da quando i russi avevano abbattuto le case e costretto gli abitanti a cercare riparo nella valle. In passato potevamo sempre rifugiarci sulle montagne, ma adesso quelli possono contare sulla tecnologia. Hanno lanciato dei razzi, poi sono atterrati gli elicotteri. Russi o osseti, probabilmente gli uni e gli altri...» Si abbandonò a una digressione: «Gli osseti sono dei bastardi, ma sono i nostri bastardi. Li sistemeremo alla nostra maniera». Poi riprese a tradurre. «La gente dei villaggi vicini racconta di aver sentito rumori come di tuono e di avere visto lampi nel cielo. Elicotteri silenziosi, dice lui. Chiacchiere da contadini. Chiunque riuscisse a inventare un elicottero silenzioso diventerebbe padrone del mondo.» Non era cambiata la voce né il ritmo del racconto, ma le sue parole costituivano di per sé una divagazione. «Da queste parti i sufi sono i soli capaci di raccogliere la sfida dei russi. Sono i guardiani della coscienza. Ma quando si tratta di armi e di addestramento, non ci sanno proprio fare. È per questo che hanno bisogno di Issa, di me, di Larry.» Ricominciò a tradurre: «Una donna era andata al funerale di sua madre, a dieci chilometri da qui. Quando venne a casa scoprì che erano tutti morti, allora fece dietro front e tornò al villaggio dove avevano sepolto la madre. L'indomani arrivò un gruppo di uomini. Lavarono quel che riuscirono a trovare dei cadaveri, dissero le preghiere e li seppellirono, secondo le nostre usanze. Bashir era stato torturato con dei coltelli ma lo riconobbero. Il nostro anfitrione dice che ci avevano traditi.»

«Chi è stato?»

«Parla di un traditore. Una spia osseta. Non sa altro.»

«Lei cosa pensa?»

«Satelliti? Macchine fotografiche nascoste? Microfoni nascosti? Penso che sia tutto il ciarpame della tecnologia moderna ad averci tradito.» Stavo aprendo la bocca per fare un'altra domanda, ma lui mi anticipò. «Non hanno identificato nessun altro. Non sarebbe gentile, insistere con le domande.»

«Ma sicuramente... un europeo...»

Nel dire questo mi ricordai però del ciuffo ribelle di Larry, non diverso da quelli di chi mi stava attorno, e della sua pelle che al sole si abbronzava, mentre la mia diventava rosa.

Magomed stava dicendo una preghiera prima di andare a letto. «Li ammazzeremo tutti» tradusse Ceceev, mentre il nostro anfitrione dirigeva un coro sommesso di approvazione. «Troveremo i nomi dei piloti degli elicotteri, degli uomini che hanno progettato l'operazione, di chi l'ha comandata e di quelli che vi hanno partecipato, e con l'aiuto di Dio li ammazzeremo tutti. Continueremo ad ammazzare russi finché non faranno ciò che Eltsin aveva promesso: spostare carri armati e cannoni e elicotteri e razzi e soldati e ufficiali e spie sull'altra sponda del Terek, lasciandoci in pace a risolvere le nostre controversie e a governarci da soli. Tale è la volontà di Dio.»

«Sa cosa le dico?» aggiunse poi Ceceev.

«No.»

«Io gli credo. Sono stato un idiota. Mi sono preso una vacanza da me stesso. È durata vent'anni. Adesso che sono tornato a casa vorrei non essere mai andato via.»

La nostra camera degli ospiti era come l'infermeria del pensionato di Winchester durante un'epidemia di morbillo: letti spinti contro la parete, materassi sul pavimento, un secchio in cui pisciare. Un murid sorvegliava la strada dalla finestra, l'altro dormiva. Intorno a me i miei compagni si addormentarono l'uno dopo l'altro. A volte Larry mi parlava ma io preferivo non ascoltare le sue parole, le conoscevo troppo bene. Devi restare vivo per me, raccomandai al mio agente. Devi semplicemente restare vivo, maledizione, è un ordine. Tu per noi sei vivo finché non sapremo che sei morto. Sei già scampato alla morte una volta. Ora fallo di nuovo e tieni chiusa quella maledetta bocca.

Passarono le ore. Sentivo galletti e belati di pecore, mentre la voce incerta di un muezzin salmodiava da un altoparlante. Sentivo gli zoccoli del bestiame. Mi alzai e andai alla finestra, accanto al murid, e di lì rividi le montagne, e montagne sopra le montagne; ricordai che Larry, in una lettera a Emma, aveva giurato di gettare il suo *bourka* per terra e di difendere con le armi in pugno la superficie da esso coperta, qui sulla strada per Vladikavkaz. Guardai le donne che attraversavano il cortile spingendo al pascolo i bufali nell'oscurità che precede l'alba. Facemmo colazione in fretta. Sollecitato da Ceceev, diedi dieci dollari a ogni bambino, e intanto mi veniva in mente il ragazzino nero che mi aveva seguito in Cambridge street.

«Se intende adempiere la profezia inglese, le conviene lasciare una buona impressione» disse freddo Ceceev.

Era ancora buio. Percorremmo la strada maestra prima di inerpicarci lungo una valle che si allargava sempre di più, finché la strada non divenne un campo disseminato di ciottoli. La jeep davanti a noi si fermò, e subito la imitammo. Alla luce dei fari, vidi una passerella su un fiume e un ripido sentiero erboso accanto. E sulla riva del fiume otto cavalli già sellati, un vecchio con un colbacco di pelo, stivali e calzoni alla zuava, e un giovane montanaro smilzo che pareva averci sentiti arrivare con gli occhi. Ricordai la lettera di Larry a Emma e pregai, come aveva fatto Negley Farson, che mi fosse concesso di prendere il Caucaso sotto la mia protezione.

Partì per primo il ragazzo, accompagnato da uno dei murid. Aspettammo che il rumore degli zoccoli si dileguasse nell'oscurità. Poi si mosse la nostra guida, Ceceev e infine io. Issa, Magomed e il secondo murid chiudevano la processione. Alla pistola che mi aveva già dato, Magomed aggiunse ora una fondina e una cintura piena di munizioni, con anelli metallici per appendere le bombe a mano. Io non le avrei volute ma Ceceev mi diede un ordine rabbioso: «Le prenda, maledizione, e se le metta addosso. Siamo vicini al confine con l'Ossezia, vicini all'autostrada militare, vicini agli accampamenti russi. Questo non è il Somerset, chiaro?». Tornò a voltarsi verso la nostra vecchia guida, che gli stava bisbigliando qualcosa all'orecchio. «Dice di parlare sottovoce e di non aprire bocca se non quando è necessario. Di non sparare se non quando è necessario, di non fermarsi se non quando è necessario, di non accendere fiammiferi, di non imprecare. Sa andare a cavallo?»

«Ero capace, quando avevo dieci anni.»

«Non si preoccupi per il fango o per i tratti ripidi. Il cavallo conosce la strada, penserà a tutto lui. Non si chini. Se ha paura non guardi in basso. E se verremo attaccati, nessuno dovrà arrendersi. È una tradizione, e sia così gentile da rispettarla. Qui non giochiamo a cricket.»

«Grazie.»

Un ennesimo bisbiglio della guida, seguito dalle cupe risate di entrambi.

«E se le viene voglia di pisciare, se la tenga finché non avremo ammazzato qualche russo.»

Cavalcammo per quattro ore e se non avessi già avuto paura di ciò che mi aspettava, mi avrebbe spaventato ancora di più il viaggio. Pochi minuti dopo la partenza già guardavamo dall'alto le luci dei villaggi centinaia di metri sotto di noi. Le nostre facce sfioravano la parete nera della montagna. Ma nei corpi piegati che mi stavano davanti vedevo la mia vita estinguersi in modo più profondo di qualsiasi altra cosa potesse succedermi prima di raggiungerli. Quando il cielo si schiarì, comparvero fra le nuvole monti scuri spruzzati di neve sulle cime: il mio cuore si levò in una risposta mistica. Dopo una svolta, ci imbattemmo in un gregge di pecore nere con una spessa coltre di lana, precariamente accovacciate sui pendii sotto di noi. Due pastori se ne stavano rannicchiati in un riparo rudimentale, cercando di scaldarsi davanti a un fuoco. I loro occhi cupi soppesarono le nostre armi e i nostri cavalli. Entrammo in una foresta di alberi velati di liane, ma rispetto a noi la foresta si stendeva soltanto da un lato; dall'altro si apriva la voragine della valle, riempita dalla turbinosa nebbiolina dell'alba, dal lamento del vento e dalle grida degli uccelli. E poiché soffro un poco l'altitudine, rischiavo di svenire ogni volta che mi si presentava una nuova visione del precipizio fra gli zoccoli malfermi del cavallo, il minuscolo fondo serpeggiante della valle, il crinale di pietra friabile che costituiva il mio unico punto d'appoggio sulla parete della montagna, e i rumori sinistri delle cascate, la cui misteriosa armonia non era soltanto da ascoltare, ma anche da respirare e da bere. Ma la sopravvivenza alla quale aspiravo era quella di Larry, e non la mia; la lucida maestà delle montagne mi attirava sempre più in alto.

Il tempo cambiò radicalmente con il paesaggio; insetti giganteschi mi ronzavano intorno al viso, sfiorandomi le guance e allontanandosi in una danza piena di allegria. Bianche nuvole amiche scivolavano dolcemente nell'azzurro cielo montano, e subito dopo dovetti rannicchiarmi in un prato di eucalipti enormi nel vano tentativo di sfuggire agli assalti di una pioggia torrenziale. Ed ecco poi un'afosa giornata di giugno nel Somerset, con odori di primule, di erba appena tagliata e di mucche tiepide nella valle.

Questi cambiamenti repentini agivano su di me come gli umori di un amico amato e incostante: a volte l'amico era Larry, a volte Emma. "Sarò il vostro campione, il vostro amico, il vostro alleato, favorirò i vostri sogni" sussurravo in cuor mio a ogni dirupo e a ogni foresta che incontravo. "Fate solo che Larry sia vivo, quando avrò varcato la sommità dell'ultima collina, e qualsiasi cosa sia stato non lo sarò mai più."

Giunti in una radura, la vecchia guida ci aveva ordinato di fermarci e di raggrupparci sotto una roccia a strapiombo. I raggi di un sole cocente ci bruciavano la faccia, gli uccelli gridavano volteggiando felici. Magomed, sceso da cavallo, era tutto affaccendato con la bisaccia della sella, ma intanto non perdeva di vista il sentiero. Issa, seduto alle sue spalle e con il fucile sul petto, teneva d'occhio la strada da cui eravamo saliti. I cavalli se ne stavano con la testa penzoloni. Dagli alberi davanti a noi arrivò il ragazzo di montagna. Mormorò qualcosa alla vecchia guida che si toccò l'orlo dell'alto colbacco di pelo, come se volesse imprimervi un segno.

«Possiamo proseguire» disse Ceceev.

«Cosa ci aveva bloccati?»

«I russi.»

In un primo momento non mi resi conto che eravamo entrati nel villaggio. Vidi un largo altopiano che sembrava una montagna segata a metà ma era coperto di pietre in frantumi; mi ricordavano la visione del Beacon dal mio stanzino segreto a Honeybrook. Vidi nuvole blu che scorrevano sopra quattro torri in sfacelo, che nella mia ignoranza scambiai per antiche fornaci: un'ipotesi rafforzata da segni di bruciature che interpretai come tracce di carbone o di qualche altro combustibile che potevano avere bruciato un centinaio d'anni prima in una fornace di pietra, sulla cima di una montagna dimenticata da Dio, a duemilacinquecento metri sul livello del mare. Poi ricordai di avere letto da qualche parte che la regione era famosa per le torri di osservazione in pietra; e ricordai il disegno in cui Emma si era raffigurata insieme a Larry, affacciata con lui a una delle finestre più alte.

Vidi figure scure disseminate nel paesaggio: in un primo momento pensai che fossero semplicemente dei pastori con le greggi; poi delle specie di spigolatori perché, avvicinandomi, notai che tendevano a chinarsi, a rialzarsi e a chinarsi di nuovo; immaginavo che si servissero di un braccio per raccogliere, e dell'altro per non perdere ciò che stavano raccogliendo.

Poi udii al disopra del vento, che in questa terra desolata soffia impetuoso, un acuto e insistente uggiolio nasale. Tentai di attribuirlo a quegli animali di montagna che riuscivano a sentirsi a proprio agio in posti del genere, qualche specie selvatica di pecora o di capra oppure sciacalli, forse dei lupi. Guardando dietro di me vidi un cavaliere nero in armatura, ma era soltanto il profilo del gran corpo barbuto di Magomed: il cavallo che gli avevano dato era di molte spanne più alto del mio, e lui stesso portava un colbacco di pelle di pecora tipico della regione, più largo in cima che alla base; e per di più si era messo, con mio stupore, un ampio *cherkesska* tradizionale, e anelli metallici per le munizioni a tracolla. Il kalashnikov gli sporgeva dalle spalle come un grande arco.

I gemiti divennero più forti, e mi sentii scorrere un brivido nelle ossa quando li riconobbi per ciò che erano: i lamenti di donne che piangevano i loro morti, ciascuna per proprio conto e ognuna in stridente dissonanza con le altre. Percepii un odore di fumo di legna e vidi due fuochi accesi a metà del pendio di fronte a me, donne che li sorvegliavano e bambini che giocavano lì intorno. Ovunque si posasse il mio sguardo, speravo disperatamente di vedere una posa o un gesto familiare: l'atteggiamento inconfondibilmente inglese del corpo di Larry, una gamba in avanti e le mani dietro la schiena; oppure Larry che si scostava il ciuffo dalla fronte e intanto impartiva un ordine, o segnava un punto a proprio favore in un dibattito. Ma la mia ricerca fu vana.

Vedevo pennacchi di fumo levarsi finché il vento non li deviava giù per la collina nella mia direzione. Vidi una pecora morta penzolare a testa in giù da un albero. Dopo l'odore del fumo sentii quello della morte, e capii che eravamo arrivati: l'odore appiccicoso e dolciastro del sangue e della terra bruciata. Il vento soffiava più forte a ogni passo, e il lamento aumentava di volume, come se vento e donne fossero stati in combutta; e quanto più ululava il vento, tanto più alto era il suono che usciva dai loro petti. Cavalcavamo in fila indiana, Ceceev in testa e Magomed subito dietro di me, a confortarmi con la sua vicinanza. E dietro Magomed

Issa. Issa, il grande laico imbroglione e mafioso, aveva indossato per l'occasione abiti da cerimonia; vale a dire un alto colbacco e un mantello pesante che trasformava in una piramide la parte superiore del corpo, senza nascondere del tutto i bottoni d'oro del blazer verde. I suoi occhi ardenti erano oscurati, come quelli di Magomed dal colbacco calato sulla fronte e da una barba che indicava il lutto.

Cominciai a capire cosa facevano quelle figure che si aggiravano fra le macerie. Nessuna di loro era vestita di nero, ma avevano tutte il capo coperto. Ai margini dell'altopiano, in un punto equidistante dalle due torri di sorveglianza più lontane, scorsi pile di pietre a forma di bara, lunghe e rozze, che a partire dal terreno si assottigliavano man mano che salivano. Vidi donne che, aggirandosi là intorno, si chinavano di fronte a ogni pietra. Standosene accovacciate, ci appoggiavano sopra le mani e rivolgevano le loro frasi a chi giaceva là sotto. Ma con discrezione, quasi temendo di svegliarlo. I bambini si tenevano a rispettosa distanza.

Altre donne sbucciavano la verdura, andavano a prendere l'acqua per riempire il calderone, tagliavano il pane e lo disponevano su tavoli di fortuna. Mi accorsi che quelli arrivati prima di noi avevano portato in offerta pecore e altri viveri. Ma il gruppo più numeroso delle donne se ne stava isolato, ammassato in quello che sembrava un granaio in rovina; erano loro che, quando arrivava un'altra delegazione affranta dal lutto, esprimevano con gemiti la sofferenza e lo sdegno. A una cinquantina di metri circa dal granaio, giù lungo il pendio su cui si ergeva, ecco i resti di un cortile circondato da uno steccato carbonizzato. Un residuo di tetto incombeva sulla costruzione, a cui si accedeva da una porta; a parte il fatto che non c'erano più né porta né architrave, e i muri erano stati talmente perforati dalle granate che ormai si riconoscevano più per ciò che non c'era che per quanto era rimasto.

Tuttavia, a ogni nuovo arrivo c'erano uomini che entravano da questo ingresso e, una volta all'interno, salutavano altri uomini, stringevano mani, abbracciavano; si guardavano in faccia e pregavano con solennità secolare. Come Magomed e Issa indossavano abiti da cerimonia: uomini con alti colbacchi di pecora e calzoni alla zuava, uomini con larghe cinture caucasiche, stivali al ginocchio e catene d'oro per l'orologio, uomini in zucchetto con nastri bianchi o verdi, uomini con il *kinjal* al fianco, santoni con la barba e un vecchio splendido nel suo *bourka*, il grande mantello di feltro che somiglia più a una tenda che a un cappotto, dove secondo la tradizione possono nascondersi i bambini per sfuggire alle tempeste o ai pericoli. Ma per quanto guardassi, non vidi nessun inglese alto di statura e col ciuffo ribelle, dotato di un'eleganza naturale e di un debole per i cappelli altrui.

Ceceev era smontato da cavallo. Dietro di me Magomed e Issa saltarono agilmente a terra mentre Cranmer, troppi anni a piedi, era come saldato alla sella. Cercai di liberarmi ma avevo i piedi imprigionati nelle staffe, e ancora una volta fu Magomed a venirmi in aiuto sollevandomi in aria, scaricandomi fra le sue braccia, rimettendomi in piedi e infine raddrizzandomi prima che cadessi. Alcuni ragazzi si occuparono dei nostri cavalli.

Entrammo nel cortile, Ceceev in testa e Issa al mio fianco, e al nostro ingresso li udii salutare in arabo dicendo salam e vidi alzarsi gli uomini seduti di fronte a noi; quelli che erano già in piedi si raddrizzarono, come se qualcuno li avesse richiamati all'ordine, e poi tutti si disposero in semicerchio davanti a noi, il più vecchio alla nostra destra; fu quello alla nostra sinistra, un gigante in giubba e calzoni alla zuava, che si assunse la responsabilità di parlare a nome di tutti. Sapevo che era il più importante e il più afflitto di quegli uomini in lutto, nonostante atteggiasse la faccia a un severo rifiuto della sofferenza che mi ricordava Zorin al capezzale dell'amante moribonda. Sapevo anche che qui, così come non erano state scambiate frasi di benvenuto, non avrei visto scene da donnicciole o manifestazioni incontrollate di dolore, perché questo era un momento di stoicismo, di sopportazione, di comunione mistica e di vendetta. Non c'era posto per le lacrime delle donne.

CC aveva di nuovo parlato e stavolta capii che aveva invocato una preghiera perché, sebbene non emettessero verbo, tutti gli uomini che mi stavano attorno unirono le mani a coppa a mo' di ciotola da mendicante, alzandole in un atto di oblazione, e per un minuto abbassarono gli occhi, muovendo le labbra e mormorando occasionali e simultanei amen. Dopo avere pregato fecero quel gesto di lavarsi che mi era ormai familiare, come per sfregarsi sul viso la preghiera appena finita e al contempo purificarsi in vista della successiva. Guardandoli, mi resi conto che stavo adeguando le mie mani ai loro gesti, un po' per una sorta di cortesia spirituale e un po' perché, come ero stato ammaliato dal paesaggio, così lo ero stato da questi uomini; non riuscivo più a distinguere i gesti che mi erano familiari da quelli che non lo erano.

Alla mia destra un uomo disse qualcosa in arabo che venne ripetuto separatamente da ognuno, non in forma di parole ma di rapidi movimenti delle labbra, rafforzati da una serie di amen. Udii Issa, alle mie spalle, che con la solita voce si rivolgeva a me nel suo inglese chiaro.

«Stanno benedicendo il suo martirio» spiegò.

«Il martirio di chi?» sussurrai; ma perché parlavo così piano mentre nessun altro aveva abbassato la voce?

«Di Bashir Haji» rispose. «Stanno chiedendo a Dio di perdonarlo, di avere pietà di lui e di benedire la sua *gazavat*. Stanno giurando di vendicarlo. La vendetta spetta a noi, non a Dio.»

"È un martire anche Larry?" domandai. Ma non ad alta voce.

Ceceev stava parlando al gigante e tramite suo a tutti loro.

«Sta dicendo che la vita e la morte sono nelle mani di Dio» tradusse Issa in inglese, con decisione.

Ci fu un altro momento di silenzio interrotto da mormorii, e di nuovo si lavarono il viso. "Chi vive?" implorai. "Chi muore?" Ma anche stavolta non ad alta voce.

«Cos'altro sta dicendo?» domandai: la parola Larry era penetrata in me come un coltello, pronunciata da Ceceev e ripresa da tutti gli altri, dal gigante sulla sinistra al vecchio venerabile sulla destra. Qualcuno mi rivolgeva cenni d'assenso, altri scuotevano il capo in segno di disapprovazione, e il gigante mi guardava con le labbra contratte.

«Sta dicendo loro che sei un amico di Larry, l'inglese» disse Issa.

«Che altro?» implorai, poiché il gigante aveva detto qualcosa a Ceceev, e io avevo udito tutti pronunciare altri amen.

«Stanno dicendo che Dio si prende i migliori e quelli che ci sono più cari» rispose Issa. «Uomini e donne.»

«Allora Dio si è preso Larry?» gridai, parlando in realtà al loro volume.

Ceceev si era girato per rivolgersi a me. Vidi rabbia e biasimo, sul suo viso tormentato. Capii che se non avevo fatto a Larry il favore di ucciderlo prima glielo avevo fatto qui, in un luogo più lontano dalla terra di Priddy, e più vicino al cielo.

La voce di Ceceev aveva assunto un tono incalzante, operativo.

«Si aspettano che lei sia un uomo; parli dunque come un uomo. In inglese. A tutti. Faccia sentire il suo coraggio.»

Mi rivolsi quindi al gigante in inglese e ad altissima

voce; cosa, questa, totalmente aliena al mio carattere e alla mia esperienza; e a tutti quelli che gli stavano intorno, con Ceceev a fare da interprete, Magomed e Issa in piedi alle mie spalle. Dissi che Larry era un inglese che aveva amato la libertà più di ogni altra cosa. Aveva amato il coraggio degli ingusci e condiviso con loro l'odio per i prepotenti. E che Larry avrebbe continuato a vivere perché si era impegnato a fondo, che erano quelli che si impegnavano poco a morire con la morte. E che, poiché il coraggio si accompagna sempre all'onore, ed entrambi alla lealtà, bisognava anche ricordare che, in un mondo dove era sempre più difficile dare una definizione della lealtà, Larry era riuscito a rimanere uomo d'onore; anche se di conseguenza aveva dovuto affrontare la morte come un guerriero.

Mi era infatti venuto in mente mentre stavo parlando, anche se mi guardai bene dal dirlo in maniera esplicita, che se Larry aveva avuto una vita sbagliata aveva almeno trovato una morte giusta.

Non seppi mai se Ceceev avesse tradotto fedelmente le mie parole. Né, in caso affermativo, come fossero state accolte dal mio pubblico, perché stava arrivando un'altra delegazione e già si stava ripetendo lo stesso rituale.

Un branco di bambini risalirono con noi la collina, tirando per le mani Magomed lungo il cammino, levando gli occhi con adorazione sul grande eroe e su di me con perplessità. Arrivati al granaio Ceceev proseguì da solo, e noi restammo ad aspettare nel vento impetuoso. Qui, fra le donne, era apparentemente permesso manifestare almeno in parte le proprie emozioni: quando Ceceev tornò da noi con una donna bianca in viso, e con lei i suoi tre bambini che, ci disse, erano di Bashir, vidi i suoi occhi riempirsi di lacrime delle quali non era responsabile il vento.

«Le dica che suo marito è morto da martire» mi ordinò aspramente.

Così le dissi qualcosa del genere, e lui tradusse le mie parole. Doveva averle raccontato che ero amico di Larry, poiché udii di nuovo pronunciare il suo nome. Quando Larry fu nominato, mi abbracciò rigida, piangendo con una tale disperazione che dovetti sostenerla. Piangeva ancora, mentre Ceceev la riaccompagnava nel granaio.

Un giovane ci faceva strada. Lo aveva trovato Magomed nel cortile, e lo aveva portato da noi. Lo seguimmo alla spicciolata, aprendoci un varco fra muri e mobili sfasciati, passando davanti a una pila di materassi bruciati e a una vasca da bagno di zinco crivellata dai proiettili. Mi venne in mente una spiaggia di ciottoli in Cornovaglia, St. Loy, dove lo zio Bob mi portava a volte in vacanza e dove raccoglievo pezzi di legno che galleggiavano mentre lui leggeva il giornale.

Un gruppo di uomini stava macellando una pecora sotto gli occhi dei bambini. Le avevano legato le zampe anteriori e posteriori e ora giaceva su un fianco; il muso, suppongo, era rivolto verso La Mecca, poiché c'era stata una discussione su quale fosse la direzione giusta. Poi, con una rapida preghiera e un'abile immersione del pugnale, la pecora fu uccisa e il sangue si riversò sui sassi, mescolandosi a quello che già vi si trovava. Passammo davanti a un fuoco sul quale era appoggiato un grande calderone di acqua bollente. Arrivando infine alla torre di osservazione nell'angolo più remoto dell'altopiano, mi tornò in mente la passione di Larry per i luoghi isolati.

Il giovane che ci guidava indossava un lungo impermeabile che non era però né verde né austriaco; quando ci avvicinammo all'ingresso della torre si fermò e, alla maniera di una guida turistica, indicò con un braccio l'edificio in rovina sopra di noi, esprimendoci tramite Ceceev il proprio rammarico perché, in conseguenza dell'attacco, la torre di osservazione si era purtroppo abbassata di una metà rispetto alla sua altezza originaria. Poi ci fornì un vivido resoconto della battaglia, che Ceceev tradusse ma io non ascoltai con particolare attenzione, e disse che tutti avevano combattuto fino all'ultimo proiettile e all'ultimo colpo di *kinjal,* e che Dio avrebbe avuto pietà degli eroi e dei martiri morti in questo luogo, che forse un giorno sarebbe diventato un santuario. Mi chiesi che effetto avrebbe fatto a Larry essere un fantasma con un nome all'interno di un santuario.

Infine entrammo, ma come accade spesso con i grandi monumenti, a parte ciò che era caduto dai piani superiori c'era ben poco da vedere. Il pianterreno, infatti, essendo riservato ai cavalli e al bestiame, era per tradizione spoglio, per quanto mi ricordavo che nel disegno di Emma ci fosse una mucca. Vidi qua e là alcune casseruole, una stufa a petrolio, un letto e qualche brandello di vestiario. Nessun libro, c'era da aspettarselo. E da quel che vedevo, neanche una radio. Probabile quindi che gli aggressori, dopo avere bombardato e tempestato di colpi la torre, ed essersi accertati con non so quali mezzi che fossero morti tutti, Larry compreso, l'avessero saccheggiata. O forse non c'era molto da saccheggiare. Speravo di trovare qualcosa di piccolo da conservare come ricordo ma per un uomo in cerca di qualcosa di significativo, da infilarsi in tasca per un futuro momento di solitudine, non c'era assolutamente nulla. Mi imbattei infine in un frammento bruciacchiato di paglia intrecciata, che misurava circa due centimetri per quattro e aveva un capo arrotondato. Era laccato, ingiallito, probabilmente un pezzo di un oggetto di vimini... un cestino per la frutta o qualcosa del genere. Lo conservai ugualmente, nella remota possibilità che fosse un frammento autentico della paglietta di Larry dei tempi di Winchester.

C'era anche una pila di pietre che rappresentavano forse una lapide, rispettosamente separate dalle altre su un piccolo tumulo. Al vento che le sferzava si stavano unendo fiocchi di neve ghiacciata, e la pila sembrava diventare sempre più piccola man mano che la guardavo. Cranmer era la scatola in cui Pettifer era entrato, mi ripetei; questo perché continuavo a pensare che quella tomba fosse la mia. Ceceev mi aveva trovato un paio di bastoncini, e Magomed un pezzo di corda che faceva al caso mio. Con un certo imbarazzo, avendo ascoltato tante volte Larry, il figlio del parroco, inveire contro il suo Creatore, feci una croce rudimentale che tentai di piantare sul tumulo. Naturalmente non ci riuscii, perché il terreno era duro come il ferro. Magomed scavò per me una buca con il suo *kinjal*.

Un uomo morto è il peggior nemico che ci sia, pensai.

Non puoi alterare il suo potere su di te.

Non puoi alterare l'amore o i debiti.

È troppo tardi per chiedergli l'assoluzione.

Ti ha battuto in tutti i sensi.

Allora ricordai una cosa che mi aveva detto Dee a Parigi e che avevo deliberatamente deciso di non sentire: lei forse non vuole trovare il suo amico, ma diventarlo.

In un'area sgombra vicino al cortile un gruppo di uomini si era messo a ballare in cerchio invocando il nome di Dio. I ragazzi si unirono a loro, la folla si accalcò tutt'intorno. Vecchi, donne e bambini salmodiavano, pregavano e si lavavano il viso. La danza, ora più rapida e più selvaggia, sembrò trasportarci in un tempo e in uno spazio differenti.

«Cosa farà adesso?» domandai a Ceceev.

Quella domanda avrei dovuto rivolgerla a me stesso, poiché Ceceev non aveva dubbi su cosa stesse facendo. Lasciata andare la guida, ci stava conducendo al piccolo trotto giù per uno stretto sentiero che proseguiva diritto oltre il bordo dell'altopiano per poi scendere nell'abisso. Mi resi conto che stavamo attraversando uno strapiombo più ripido e pericoloso di tutto ciò che eravamo riusciti a superare a cavallo. Sotto di noi, ma talmente sotto da costituire un livello diverso della Terra, forse neppure unito ad essa, un ruscello argenteo scorreva fra verdi prati, dove pascolava il bestiame. Ma qui, sulla parete della montagna dove ululava il vento, le rocce sporgevano verso di noi e i punti d'appoggio erano più piccoli di un piede, eravamo in un Ade celestiale sovrastante il paradiso.

Girammo intorno a un dirupo, trovandone subito un altro ad aspettarci. Sapevo con certezza che stavamo camminando, decisi e silenziosi, verso la morte. Andavamo a prendere posto fra i martiri e gli eroici infedeli. Guardando ancora vidi che ci trovavamo su una sporgenza erbosa, così riparata da sembrare un'enorme camera nella roccia con una finestra panoramica affacciata sull'Apocalisse. Sull'erba c'erano le stesse tracce di bruciato che avevo notato sull'altopiano; e orme di stivali, e impronte di pesanti attrezzature belliche. L'aria immota all'interno della camera odorava ancora di bruciato e di esplosivo.

Inoltrandoci ancora nella montagna vedemmo i resti di un grande arsenale: cannoni anticarro ridotti in frantumi e adagiati su un fianco, mitragliatrici con le canne spezzate in due da bombe astute, lanciarazzi distrutti. E verso l'abisso, una scia di orme fangose che mi ricordarono la fattoria di Aitken May, dove i più trasportabili dei suoi tappeti erano stati trascinati fino al bordo e buttati giù per divertimento.

Sull'altopiano il vento era cessato, lasciandosi dietro un pungente freddo d'alta montagna. Qualcuno, forse Magomed, mi aveva dato un cappotto. Eravamo tutti e tre sul pendio: Magomed, Cranmer e Ceceev.

Attorno a un falò che ardeva nel cortile sotto di noi, sedevano a discutere tutti gli uomini, compresi Issa e i nostri murid. A volte un giovane balzava in piedi, e Ceceev diceva che stava parlando di vendetta. A volte un vecchio si commuoveva, e Ceceev diceva che stava parlando delle deportazioni e del fatto che nulla, nulla fosse cambiato.

«Glielo farà sapere?» domandai.

«A chi?»

Sembrava davvero che l'avesse dimenticata.

«A Emma. Sally. La sua ragazza. È a Parigi che lo aspetta.»

«Ne sarà informata.»

«Cosa stanno dicendo adesso?»

«Stanno parlando dei meriti del defunto Bashir. Lo definiscono un grande maestro, un vero uomo.»

«Lo era?»

«Qui, quando un uomo muore, scacciamo dalla mente ogni pensiero cattivo che lo riguarda. Le consiglierei di fare lo stesso.»

La voce di un vecchio saliva fino a noi. Ceceev tradusse. «La vendetta è sacra e non si deve discutere. Ma non basterà uccidere un paio di osseti o un paio di russi. Quel che ci occorre è un nuovo capo che ci salvi dal venire assoggettati come animali.»

«Hanno qualcuno in mente?» domandai.

«È proprio questo che sta chiedendo.»

«Lei?»

«Una puttana a dirigere un convento?» Ascoltammo, e di nuovo tradusse. «Chi abbiamo qui che sia abbastanza grande, abbastanza intelligente, abbastanza coraggioso, abbastanza devoto, abbastanza modesto... Perché non dicono abbastanza pazzo e non la fanno finita?»

«Chi, allora?»

«La chiamano *tauba*. La cerimonia è una *tauba*. Significa pentimento.»

«Chi è che si sta pentendo? Cos'hanno fatto di male? Di cosa devono pentirsi?»

Per un po' ignorò la mia domanda. Avevo la sensazione di averlo irritato. O forse i suoi pensieri, come i miei, erano altrove. Bevve un sorso dalla borraccia.

«Hanno bisogno di un murid che abbia conoscenze sufi, e che sia pronto» rispose infine, continuando a guardare ai piedi della collina. «Ci vogliono dieci anni di lavoro, forse venti. Non se ne trovano, nelle Residenze del Kgb. Un maestro della meditazione. Un grande tiratore. Un guerriero di prim'ordine.»

Cominciò un borbottio che si trasformò in urlo. Issa era quasi al centro del cerchio. Le fiamme illuminarono le sue guance barbute, quando si voltò, indicando con un gesto la collina. Pochi passi sotto di noi Magomed lo stava fissando, le pieghe del *cherkesska* raccolte intorno alla sua larga schiena.

Altre voci si unirono a quella di Issa per dargli man forte. All'improvviso sembrava che tutti ci stessero chiamando. I due murid si lanciarono fuori dal cortile correndo verso di noi. Udii ripetere il nome di Magomed finché tutti presero a salmodiarlo. Lasciando soli Ceceev e me, Magomed si avviò lentamente verso i murid.

Cominciò una nuova cerimonia. Magomed stava al centro del cerchio, su un tappeto che avevano steso per lui. Giovani e vecchi gli stavano attorno tenendo gli occhi chiusi, e continuando a salmodiare all'unisono la stessa parola.

Un gruppo di uomini nel cerchio batté le mani, iniziando una lenta danza rotatoria al ritmo di quella cantilena.

«È Magomed che sta parlando?» domandai, poiché avrei giurato di udire la sua voce levarsi al disopra dei battimani, delle preghiere e dei piedi che pestavano in terra.

«Invoca la benedizione di Dio sui martiri» disse Ceceev. «Sta dicendo che restano da combattere molte battaglie contro i russi. Ha maledettamente ragione.»

A questo punto, senza aggiungere una parola mi voltò le spalle e, come disgustato dalla mia inutilità occidentale, o dalla propria, cominciò a scendere la collina.

«Aspetti!» urlai.

Ma non mi sentì, oppure non volle sentirmi; continuò a scendere senza voltare la testa.

Adesso che imbruniva, il vento era diminuito. Grandi stelle bianche stavano comparendo sopra i dirupi in risposta ai fuochi del recinto. Mi portai le mani a coppa intorno alla bocca e gridai di nuovo: «Aspetti!».

Ma la nenia era ormai troppo forte; non avrebbe potuto udirmi neanche se avesse voluto. Rimasi ancora un istante da solo, convertito a nulla, senza credere in nulla. Non avevo né un mondo a cui tornare né persone da dirigere. Tranne me stesso. Vidi accanto a me un kalashnikov. Me lo misi a tracolla, affrettandomi a seguire Ceceev giù per il pendio.

Ringraziamenti

Gli accademici non vengono trattati bene in questo libro, ma la colpa è tutta di Larry. Notevole è invece il mio debito nei loro confronti: in particolare verso il dottor George Hewitt della scuola di Studi orientali & africani, e console onorario di Abcasia; Marie Bennigsen Broxup, direttrice di *Central Asian Survey*; Robert Chenciner del St. Antony's College di Oxford; e Federico Varese del Nuffield College di Oxford. Il maggiore Colin Gillespie e la moglie Sue, di Wootton Vineyard nel Somerset, producono un vino assolutamente migliore di quello di Tim Cranmer; John Goldsmith mi ha fatto da guida nei corridoi del Winchester College; Edward Nowell, maestro gioielliere e antiquario di Wells, ha aperto per me la sua grotta di Aladino. Durante l'intera stesura di questo libro ho avuto fortuna nella scelta degli amici come degli estranei.

John le Carré

Cornovaglia, dicembre 1994

I MITI

John Grisham, *Il Socio*
G. García Márquez, *Dell'amore e di altri demoni*
Kuki Gallmann, *Sognavo l'Africa*
Erich Fromm, *L'arte di amare*
Ken Follett, *I pilastri della terra*
Wilbur Smith, *Sulla rotta degli squali*
Rosamunde Pilcher, *Settembre*
Leo Buscaglia, *Vivere, amare, capirsi*
Dominique Lapierre, *La città della gioia*
Thomas Harris, *Il silenzio degli innocenti*
Peter Høeg, *Il senso di Smilla per la neve*
Italo Calvino, *Il barone rampante*
Danielle Steel, *Star*
Stefano Benni, *Bar Sport*
Luciano De Crescenzo, *Storia della filosofia greca*
Giovanni Paolo II, *Varcare la soglia della speranza*
Patricia Cornwell, *Postmortem*
Sveva Casati Modignani, *Il Cigno Nero*
Jack Kerouac, *Sulla strada*
Hermann Hesse, *Narciso e Boccadoro*
Terry Brooks, *La Spada di Shannara*
Alberto Bevilacqua, *I sensi incantati*
Andrea De Carlo, *Due di due*
Scott Turow, *Presunto innocente*
Marcello D'Orta, *Io speriamo che me la cavo*
G. García Márquez, *Cent'anni di solitudine*
Giorgio Forattini, *Andreácula*
George Orwell, *La fattoria degli animali*

Marco Lombardo Radice, Lidia Ravera, *Porci con le ali*
Erich Fromm, *Avere o essere?*
Ernest Hemingway, *Il vecchio e il mare*
John Grisham, *L'uomo della pioggia*
Hermann Hesse, *Il lupo della steppa*
P.D. James, *Sangue innocente*
Sidney Sheldon, *Padrona del gioco*
Stephen King, *Il gioco di Gerald*
Ezio Greggio, *Presto che è tardi*
Enrico Brizzi, *Jack Frusciante è uscito dal gruppo*
Kuki Gallmann, *Notti africane*
Patricia Cornwell, *Insolito e crudele*
Barbara Taylor Bradford, *La voce del cuore*
Francis Scott Fitzgerald, *Il grande Gatsby*
John le Carré, *Un luogo chiamato libertà*
Stefano Zecchi, *Estasi*
Sebastiano Vassalli, *La chimera*
Dean Koontz, *Il fiume nero dell'anima*
Alberto Bevilacqua, *L'Eros*
Luciano De Crescenzo, *Il dubbio*
John le Carré, *La passione del suo tempo*
Robert James Waller, *I ponti di Madison County*

I MITI

POESIA

John le Carré
LA PASSIONE DEL SUO TEMPO

Al fine di offrire un servizio sempre più accurato ai nostri lettori, La preghiamo di compilare questo breve questionario. La ringraziamo anticipatamente per la Sua disponibilità.

Quanti libri acquista in un anno?

❑ meno di 5 ❑ da 6 a 10 ❑ da 11 a 20

❑ da 21 a 50 ❑ più di 50

La maggior parte di questi libri ha un prezzo:

❑ inferiore a 20.000 lire ❑ superiore a 20.000 lire

Dove ha acquistato il volume?

❑ libreria ❑ grande magazzino ❑ edicola

Ha acquistato altri titoli della collana "I Miti"? ❑ sì ❑ no

Se sì, quanti? __________

Quando legge di solito?

❑ alla sera ❑ nei tragitti casa-lavoro

❑ nei week-end ❑ durante le vacanze

Che genere di lettura preferisce? (barrare al massimo 2 caselle)

❑ letteratura contemporanea ❑ romanzi rosa

❑ saggi tecnico-scientifici ❑ saggi d'attualità

❑ classici ❑ gialli/fantascienza/spionaggio

❑ umoristici/fumetti ❑ manuali/libri d'arte ❑ altro

Che cosa la induce alla lettura di un libro?
(barrare al massimo 2 caselle).

❑ la pubblicità ❑ una recensione favorevole

❑ il consiglio di un amico ❑ la copertina

❑ il nome dell'autore ❑ il consiglio di un libraio

❑ sapere che ha vinto un premio letterario

❑ il prezzo ❑ interesse specifico per l'argomento

Le chiediamo ora qualche generica informazione anagrafica.

❑ uomo ❑ donna

Età

❑ 13-17 ❑ 18-24 ❑ 25-34

❑ 35-44 ❑ 45-54 ❑ oltre 54

Titolo di studio

❑ elementare ❑ media inferiore

❑ media superiore ❑ laurea

Professione

❑ studente ❑ impiegato

❑ operaio ❑ insegnante

❑ casalinga ❑ commerciante

❑ dirigente ❑ libero professionista

❑ artigiano ❑ agente/rappresentante

❑ disoccupato ❑ pensionato ❑ altro

Regione di residenza ______________________

OSSERVAZIONI ______________________________

____

____

FACOLTATIVO

Nome ________________________

Cognome ______________________

Via __________________ N. ______

Città ________________________

CAP _________________________

Ritagliare lungo la linea tratteggiata e spedire in una busta affrancata, indirizzando a:

Arnoldo Mondadori Editore
Direzione Marketing Libri
Casella postale 1000 – 20090 Segrate (Milano)

Oscar Mondadori
Periodico bisettimanale:
N. 2916 del 22/08/1996
Direttore responsabile: Ferruccio Parazzoli
Registr. Trib. di Milano n. 49 del 28/2/1965
Spedizione abbonamento postale TR edit.
Aut. n. 55715/2 del 4/3/1965 - Direz. PT Verona

ISSN 1123-8356